3-1

초등 수학
팩토

단

계 산력

수 학

1234

7 단원

덧셈과 뺄셈

매스티안

팩토는 자유롭게 자신감있게 창의적으로 생각하는 주니어수학자입니다.

단원별 단계 산력 수학

펴낸 곳 (주)타임교육C&P   **펴낸이** 이길호   **지은이** 매스티안R&D센터

주소 06153 서울특별시 강남구 봉은사로 442 (삼성동)   **문의전화** 1588.6066

팩토카페 http://cafe.naver.com/factos   **홈페이지** http://www.mathtian.com

※ 이 책의 모든 내용과 삽화에 대한 저작권은 (주)타임교육C&P에 있으므로 무단 복제와 전송을 금합니다.

※ 정답과 풀이는 온라인 팩토카페(http://cafe.naver.com/factos)를 통해서도 확인할 수 있습니다.

MW2108

생각이 자유로운 사람들! 매스티안R&D센터

매스티안R&D센터의 논리적 사고력과 창의적 문제해결력을 키우는 수학 콘텐츠는 국내외 수많은 교육 현장에서 그 우수성을 높이 평가받고 있습니다.

매스티안R&D센터는 여기에 안주하지 않고 앞으로도 학생, 교사, 학부모 모두가 행복한 수학 시간을 만들 수 있도록 노력하겠습니다.

매스티안 공식 홈페이지 ⋯ (http://www.mathtian.com)

· 매스티안의 다양한 출간 교재 소개

· 출간 교재와 관련된 학습 자료(보충 학습지, 활동지 등) 제공

· 출간 교재와 관련된 평가 시험 및 분석 제공

매스티안 공식 카페 ⋯ 팩토 (http://cafe.naver.com/factos)

· 창의사고력 수학 팩토 무료 동영상 강의 제공

· 출간 교재에 관한 질문 및 답변

· 영재교육원 대비 자료(기출 문제, 예상 문제) 제공

· 초등 수학 비법 및 Q&A

3-1

초등 **수학**
팩토

단
원별

계
산력

수
학

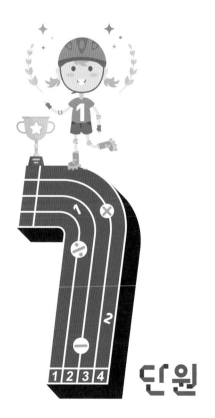

1 단원

덧셈과 뺄셈

매스티안

3. 덧셈과 뺄셈
· 9 이하 수의 모으기와 가르기
· 덧셈과 뺄셈

1-1

2. 덧셈과 뺄셈 (1)
· 받아올림이 없는 (몇십몇)+(몇)
· 받아내림이 없는 (몇십몇)−(몇)

1-2

4. 덧셈과 뺄셈 (2)
· 10이 되는 더하기, 10에서 빼기

1-2

6. 덧셈과 뺄셈 (3)
· 10을 이용한 모으기와 가르기
· 덧셈과 뺄셈

1-2

2-1

6. 곱셈
· 묶어 세기, 몇 배
· 곱셈식으로 나타내기

2-2

2. 곱셈구구
· 1단부터 9단까지 곱셈구구
· 0과 어떤 수의 곱

3-1

3. 나눗셈
· 똑같이 나누기
· 곱셈과 나눗셈의 관계
· 나눗셈의 몫 구하기

3-1

4. 곱셈
· (두 자리 수)×(한 자리 수)

1 덧셈과 뺄셈

Teaching Guide

· 교과서에서는 표준화된 방법으로 지도하기 전에 여러 가지 방법으로 덧셈하기와 뺄셈하기를 지도합니다. 그 이유는 표준화된 1가지 계산 방법으로만 학습한 경우에는 아이의 풍부하고 다양한 수학적 상상력을 기르는 데 방해가 되기 때문입니다. 따라서 아이가 여러 가지 계산 방법을 경험한 다음, 자신에게 편리한 방법으로 문제를 해결할 수 있도록 도와줍니다.

· 어림하여 계산해 보도록 하는 것은 수 감각을 기르는 데 도움이 됩니다. 즉, 668＋275를 계산하기 전에 이 덧셈의 결과가 1000에 가까울 것이라고 어림해 보는 것이 수에 대한 양감을 기르는 데 도움을 줍니다.

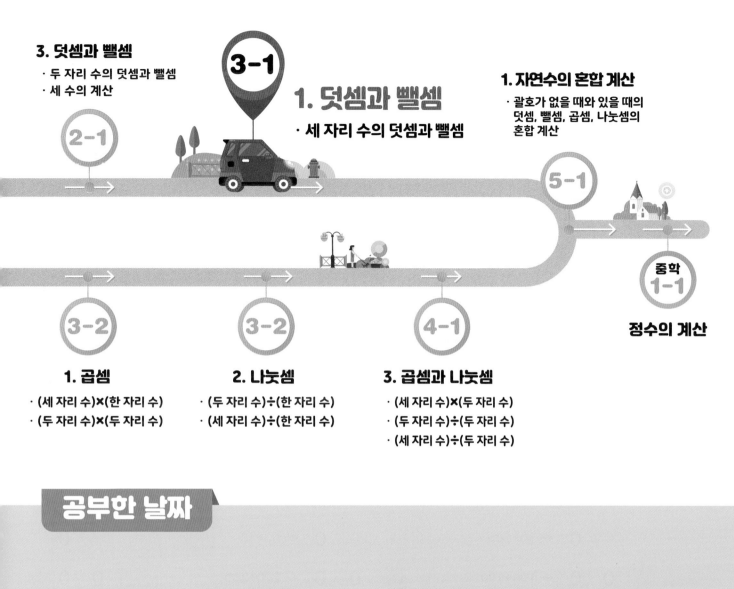

3. 덧셈과 뺄셈
· 두 자리 수의 덧셈과 뺄셈
· 세 수의 계산

2-1

3-1

1. 덧셈과 뺄셈
· 세 자리 수의 덧셈과 뺄셈

1. 자연수의 혼합 계산
· 괄호가 없을 때와 있을 때의
덧셈, 뺄셈, 곱셈, 나눗셈의
혼합 계산

5-1

중학 1-1

정수의 계산

3-2

1. 곱셈
· (세 자리 수)×(한 자리 수)
· (두 자리 수)×(두 자리 수)

3-2

2. 나눗셈
· (두 자리 수)÷(한 자리 수)
· (세 자리 수)÷(한 자리 수)

4-1

3. 곱셈과 나눗셈
· (세 자리 수)×(두 자리 수)
· (두 자리 수)÷(두 자리 수)
· (세 자리 수)÷(두 자리 수)

공부한 날짜

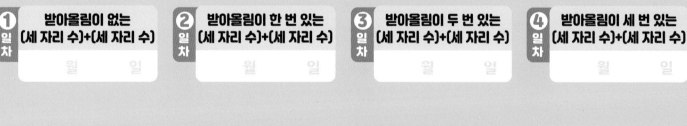

1일차 받아올림이 없는 (세 자리 수)+(세 자리 수)
월 일

2일차 받아올림이 한 번 있는 (세 자리 수)+(세 자리 수)
월 일

3일차 받아올림이 두 번 있는 (세 자리 수)+(세 자리 수)
월 일

4일차 받아올림이 세 번 있는 (세 자리 수)+(세 자리 수)
월 일

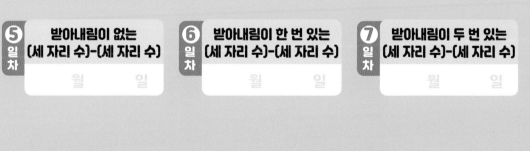

5일차 받아내림이 없는 (세 자리 수)-(세 자리 수)
월 일

6일차 받아내림이 한 번 있는 (세 자리 수)-(세 자리 수)
월 일

7일차 받아내림이 두 번 있는 (세 자리 수)-(세 자리 수)
월 일

8일차 응용 문제
월 일

9일차 형성 평가
월 일

10일차 단원 평가
월 일

01 받아올림이 없는 (세 자리 수)+(세 자리 수)

정답 02쪽

🌿 125+134 알아보기

```
    1 2 5          1 2 5          1 2 5          1 2 5
  + 1 3 4        + 1 3 4        + 1 3 4        + 1 3 4
  ───────        ───────        ───────        ───────
        9              9              9              9
                     5 0            5 0            5 0
                                  2 0 0          2 0 0
                                               ───────
                                                 2 5 9
```

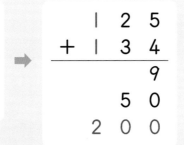 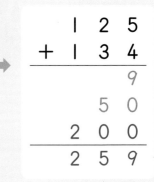

1 덧셈을 하세요.

```
    1 3 3
  + 2 1 2
  ───────
        □   ← 3+2
      □ 0   ← 30+10
    □ 0 0   ← 100+200
  ───────
    □ □ □
```

```
    2 6 1
  + 2 3 6
  ───────
        □   ← 1+6
      □ 0   ← 60+30
    □ 0 0   ← 200+200
  ───────
    □ □ □
```

```
    3 2 2
  + 5 4 1
  ───────
        □
      □ 0
    □ 0 0
  ───────
    □ □ □
```

```
    2 4 3
  + 4 3 1
  ───────
        □
      □ 0
    □ 0 0
  ───────
    □ □ □
```

```
    1 4 2
  + 4 0 4
  ───────
        □
      □ 0
    □ 0 0
  ───────
    □ □ □
```

```
    5 3 4
  + 2 3 5
  ───────
        □
      □ 0
    □ 0 0
  ───────
    □ □ □
```

2 보기와 같이 덧셈을 하세요.

보기

```
    1  3  6              1  3  6              1  3  6
  + 2  3  1      →     + 2  3  1      →     + 2  3  1
  ─────────            ─────────            ─────────
           7                 6  7           3  6  7
     6+1=7                  3+3=6            1+2=3
```

```
    2  2  3              3  2  1              2  2  5
  + 2  4  3            + 4  0  2            + 1  5  3
  ─────────            ─────────            ─────────
           6
```

```
    1  4  3              6  5  2              7  3  6
  + 5  4  6            + 2  0  4            + 2  3  1
  ─────────            ─────────            ─────────
```

```
    3  1  4              1  2  3              2  0  4
  + 1  1  5            + 4  4  0            + 3  1  4
  ─────────            ─────────            ─────────
```

```
    4  1  2              1  0  4              2  7  3
  + 3  8  6            + 8  9  2            + 4  1  2
  ─────────            ─────────            ─────────
```

3 보기와 같이 덧셈을 하세요.

보기

$127+142=$ [| | 9] ➡ $127+142=$ [| 6 9] ➡ $127+142=$ [2 6 9]

$231+452=$ [| | 3] $425+343=$ [| |]

$227+341=$ [| |] $183+302=$ [| |]

$352+623=$ [| |] $137+150=$ [| |]

$162+710=$ [| |] $641+242=$ [| |]

$230+259=$ [| |] $542+216=$ [| |]

$721+241=$ [| |] $256+120=$ [| |]

$106+241=$ [| |] $461+434=$ [| |]

4 덧셈을 하여 빈 곳에 써넣으세요.

134+225

02 받아올림이 한 번 있는 (세 자리 수)+(세 자리 수)

🍂 **245+127 알아보기**

```
    2 4 5          2 4 5          2 4 5          2 4 5
  + 1 2 7        + 1 2 7        + 1 2 7        + 1 2 7
  ───────        ───────        ───────        ───────
      1 2            1 2            1 2            1 2
                     6 0            6 0            6 0
                                  3 0 0          3 0 0
                                               ───────
                                                 3 7 2
```

➊ **덧셈을 하세요.**

```
      3 2 8                    1 5 4                    4 2 8
    + 2 5 2                  + 2 3 7                  + 3 0 6
    ───────                  ───────                  ───────
        □ □  ← 8+2               □ □  ← 4+7               □ □
      □   0  ← 20+50           □   0  ← 50+30           □   0
    □   0 0  ← 300+200       □   0 0  ← 100+200       □   0 0
    ───────                  ───────                  ───────
      □ □ □                    □ □ □                    □ □ □
```

```
      7 2 7                    2 0 8                    3 4 5
    + 1 3 5                  + 4 7 3                  + 6 1 5
    ───────                  ───────                  ───────
        □ □                      □ □                      □ □
      □   0                    □   0                    □   0
    □   0 0                  □   0 0                  □   0 0
    ───────                  ───────                  ───────
      □ □ □                    □ □ □                    □ □ □
```

② <u>보기</u> 와 같이 덧셈을 하세요.

<u>보기</u>

```
      1                    1                    1
    1 2 8                1 2 8                1 2 8
 +  2 5 3             +  2 5 3             +  2 5 3
 ───────     →        ───────     →        ───────
        1                8 1                3 8 1
  8+3=11            1+2+5=8              1+2=3
```

```
    1
  2 1 7              3 4 6              4 3 5
+ 2 7 5            + 4 0 9            + 2 1 5
───────            ───────            ───────
      2
```

```
  1 4 6              8 5 5              2 6 7
+ 5 4 7            + 1 0 8            + 1 2 4
───────            ───────            ───────
```

```
  6 3 8              5 1 4              4 3 6
+ 1 3 4            + 4 2 9            + 1 4 5
───────            ───────            ───────
```

```
  7 1 3              3 2 8              3 3 2
+ 2 1 9            + 3 4 7            + 4 1 8
───────            ───────            ───────
```

3 보기 와 같이 덧셈을 하세요.

보기

$218+146=$ [4] ① → $218+146=$ [6 4] ① → $218+146=$ [3 6 4]

14 →   5 + ① = ⑥ →   3 →

$124+457=$ [1] ①

$315+545=$ [   ]

$238+403=$ [   ]

$629+338=$ [   ]

$347+126=$ [   ]

$436+205=$ [   ]

$156+638=$ [   ]

$428+136=$ [   ]

$224+459=$ [   ]

$317+265=$ [   ]

$476+516=$ [   ]

$519+212=$ [   ]

$269+106=$ [   ]

$528+318=$ [   ]

4 가로세로 퍼즐을 완성해 보세요.

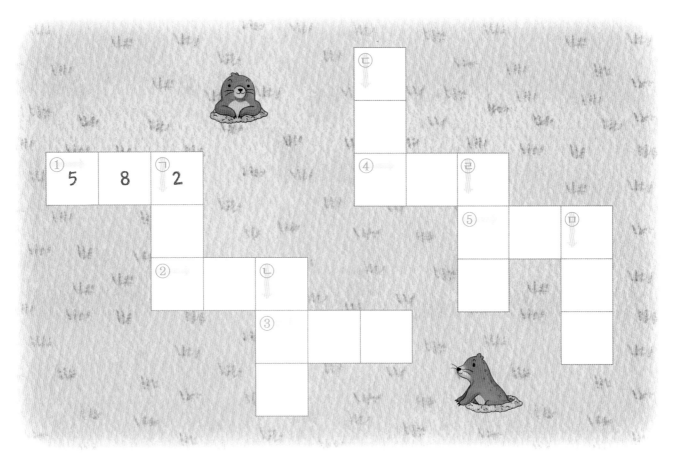

가로 열쇠

①
```
  3 6 7
+ 2 1 5
───────
  5 8 2
```

②
```
  3 4 5
+ 4 2 8
───────
```

③ 212+429=

④ 136+447=

⑤ 427+528=

세로 열쇠

㉠
```
  1 3 8
+ 1 2 9
───────
```

㉡
```
  1 0 6
+ 2 5 4
───────
```

㉢ 247+518=

㉣ 269+125=

㉤ 178+406=

03 받아올림이 두 번 있는 (세 자리 수)+(세 자리 수)

정답 04쪽

346+168 알아보기

```
    3 4 6          3 4 6          3 4 6          3 4 6
  + 1 6 8        + 1 6 8        + 1 6 8        + 1 6 8
  ─────────      ─────────      ─────────      ─────────
      1 4            1 4            1 4            1 4
              →    1 0 0     →    1 0 0     →    1 0 0
                              →    4 0 0          4 0 0
                                            →    ─────────
                                                 5 1 4
```

1 덧셈을 하세요.

```
      1 4 8
    + 3 6 3
    ─────────
          □ □   ← 8+3
        □ □ 0   ← 40+60
      □ □ 0 0   ← 100+300
    ─────────
      □ □ □ □
```

```
      2 9 4
    + 1 6 8
    ─────────
          □ □   ← 4+8
        □ □ 0   ← 90+60
      □ □ 0 0   ← 200+100
    ─────────
      □ □ □ □
```

```
      4 2 8
    + 3 9 6
    ─────────
          □ □
        □ □ 0
      □ □ 0 0
    ─────────
      □ □ □ □
```

```
      5 4 7
    + 1 6 5
    ─────────
          □ □
        □ □ 0
      □ □ 0 0
    ─────────
      □ □ □ □
```

```
      2 8 8
    + 6 5 3
    ─────────
          □ □
        □ □ 0
      □ □ 0 0
    ─────────
      □ □ □ □
```

```
      4 6 5
    + 1 8 9
    ─────────
          □ □
        □ □ 0
      □ □ 0 0
    ─────────
      □ □ □ □
```

2 보기 와 같이 덧셈을 하세요.

보기

```
        1                   1   1                 1   1
    2   8   6           2   8   6            2   8   6
 +  1   4   4        +  1   4   4         +  1   4   4
─────────────  ➡   ─────────────   ➡   ─────────────
            0               3   0            4   3   0
   6+4=10               1+8+4=13               1+2+1=4
```

```
         1
     4   5   8              3   4   4              1   9   5
  +  2   7   3           +  5   8   9           +  4   1   5
 ─────────────          ─────────────          ─────────────
             1
```

```
     2   7   6              4   6   7              2   6   9
  +  3   4   8           +  3   4   6           +  6   5   2
 ─────────────          ─────────────          ─────────────
```

```
     5   9   5              2   8   6              1   7   4
  +  1   3   6           +  4   2   9           +  2   4   9
 ─────────────          ─────────────          ─────────────
```

```
     4   5   7              3   3   8              2   4   6
  +  3   6   5           +  1   9   7           +  3   7   8
 ─────────────          ─────────────          ─────────────
```

3 보기 와 같이 덧셈을 하세요.

┌─ 보기 ───┐

479+256 = [| | 5] ➡ 479+256 = [| 3 | 5] ➡ 479+256 = [7 | 3 | 5]

15 ↑   12+1=13 ↑   6+1=7 ↑

└──┘

286+237 = [| | 3]   165+536 = [| |]

258+363 = [| |]   387+438 = [| |]

168+572 = [| |]   579+394 = [| |]

248+368 = [| |]   173+659 = [| |]

267+355 = [| |]   189+137 = [| |]

148+287 = [| |]   537+296 = [| |]

165+347 = [| |]   489+168 = [| |]

4 빈 곳에 알맞은 수를 써넣으세요.

	+ →	
377	259	636
356	168	
733		

377+259

377+356

+ →	
495	188
245	297

+ →	
183	249
457	165

+ →	
258	473
194	169

+ →	
359	565
278	176

+ →	
673	189
237	284

+ →	
575	248
336	479

+ →	
466	478
295	335

04 받아올림이 세 번 있는 (세 자리 수)+(세 자리 수)

정답 05쪽

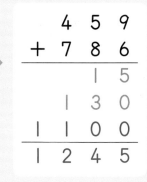

🌿 459+786 알아보기

```
    4 5 9          4 5 9          4 5 9          4 5 9
  + 7 8 6        + 7 8 6        + 7 8 6        + 7 8 6
  ─────────      ─────────      ─────────      ─────────
      1 5            1 5            1 5            1 5
                   1 3 0          1 3 0          1 3 0
                              1 1 0 0        1 1 0 0
                                           ─────────
                                           1 2 4 5
```

1 덧셈을 하세요.

```
      5 3 8
    + 6 7 6
    ─────────
          │        ← 8+6
        │ 0         ← 30+70
      │ 0 0         ← 500+600
    ─────────
```

```
      4 6 7
    + 9 6 3
    ─────────
          │        ← 7+3
        │ 0         ← 60+60
      │ 0 0         ← 400+900
    ─────────
```

```
      3 5 9
    + 7 8 4
    ─────────
          │
        │ 0
      │ 0 0
    ─────────
```

```
      7 8 7
    + 5 5 8
    ─────────
          │
        │ 0
      │ 0 0
    ─────────
```

```
      9 6 3
    + 8 7 9
    ─────────
          │
        │ 0
      │ 0 0
    ─────────
```

```
      4 8 8
    + 7 4 9
    ─────────
          │
        │ 0
      │ 0 0
    ─────────
```

16

② 보기 와 같이 덧셈을 하세요.

보기

$$
\begin{array}{r}
\;\;\;1\\
7\;\;6\;\;8\\
+\;4\;\;7\;\;4\\
\hline
2
\end{array}
$$

$8+4=12$

$$
\begin{array}{r}
1\;\;1\\
7\;\;6\;\;8\\
+\;4\;\;7\;\;4\\
\hline
4\;\;2
\end{array}
$$

$1+6+7=14$

$$
\begin{array}{r}
1\;\;1\\
7\;\;6\;\;8\\
+\;4\;\;7\;\;4\\
\hline
1\;\;2\;\;4\;\;2
\end{array}
$$

$1+7+4=12$

$$
\begin{array}{r}
1\\
7\;\;4\;\;9\\
+\;3\;\;8\;\;3\\
\hline
2
\end{array}
$$

$$
\begin{array}{r}
6\;\;7\;\;5\\
+\;5\;\;7\;\;9\\
\hline

\end{array}
$$

$$
\begin{array}{r}
1\;\;9\;\;6\\
+\;8\;\;3\;\;4\\
\hline

\end{array}
$$

$$
\begin{array}{r}
6\;\;5\;\;8\\
+\;7\;\;4\;\;5\\
\hline

\end{array}
$$

$$
\begin{array}{r}
8\;\;5\;\;2\\
+\;4\;\;8\;\;9\\
\hline

\end{array}
$$

$$
\begin{array}{r}
9\;\;9\;\;7\\
+\;7\;\;4\;\;5\\
\hline

\end{array}
$$

$$
\begin{array}{r}
9\;\;6\;\;5\\
+\;2\;\;8\;\;6\\
\hline

\end{array}
$$

$$
\begin{array}{r}
5\;\;4\;\;4\\
+\;9\;\;8\;\;9\\
\hline

\end{array}
$$

$$
\begin{array}{r}
2\;\;9\;\;8\\
+\;9\;\;1\;\;5\\
\hline

\end{array}
$$

$$
\begin{array}{r}
4\;\;5\;\;7\\
+\;8\;\;6\;\;3\\
\hline

\end{array}
$$

$$
\begin{array}{r}
8\;\;5\;\;9\\
+\;7\;\;8\;\;6\\
\hline

\end{array}
$$

$$
\begin{array}{r}
9\;\;7\;\;8\\
+\;9\;\;8\;\;3\\
\hline

\end{array}
$$

3 보기 와 같이 덧셈을 하세요.

보기

		I			
$549+864=$ | | | | | 3 → $549+864=$ | | I | 3 → $549+864=$ | I | 4 | I | 3

I3 ⟶   10+I=II ⟶   I3+I=I4 ⟶

                                         ●   ①   ● ●

$858+367=$ 5 $694+927=$

$938+493=$ $669+338=$

$587+926=$ $937+485=$

$956+678=$ $489+746=$

$269+859=$ $387+964=$

$676+559=$ $839+764=$

$978+938=$ $739+988=$

4 빈 곳에 알맞은 수를 써넣으세요.

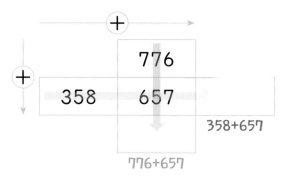

		+	
		776	
+	358	657	358+657

776+657

		+	
		386	
+	278	846	

		+	
		875	
+	686	445	

		+	
		397	
+	876	925	

		+	
		978	
+	699	364	

		+	
		572	
+	348	678	

		+	
		854	
+	587	686	

		+	
		595	
+	874	457	

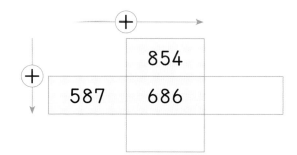

		+	
		967	
+	779	543	

		+	
		386	
+	954	769	

05 받아내림이 없는 (세 자리 수)-(세 자리 수)

🍂 257-125 알아보기

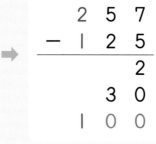

```
    2 5 7        2 5 7        2 5 7        2 5 7
  - 1 2 5      - 1 2 5      - 1 2 5      - 1 2 5
        2            2            2            2
                   3 0          3 0          3 0
                              1 0 0        1 0 0
                                           1 3 2
```

 뺄셈을 하세요.

```
    5 3 4
  - 2 2 1
  [  ]      ← 4-1
  [  ] 0    ← 30-20
  [  ] 0 0  ← 500-200
  ─────────
```

```
    6 8 7
  - 4 5 2
  [  ]      ← 7-2
  [  ] 0    ← 80-50
  [  ] 0 0  ← 600-400
  ─────────
```

```
    8 2 4
  - 1 0 3
  [  ]
  [  ] 0
  [  ] 0 0
  ─────────
```

```
    9 7 2
  - 4 3 0
  [  ]
  [  ] 0
  [  ] 0 0
  ─────────
```

```
    8 4 8
  - 3 1 4
  [  ]
  [  ] 0
  [  ] 0 0
  ─────────
```

```
    6 9 7
  - 3 1 5
  [  ]
  [  ] 0
  [  ] 0 0
  ─────────
```

2 보기 와 같이 덧셈을 하세요.

보기

```
    5  8  4              5  8  4              5  8  4
  - 1  6  3     ➡      - 1  6  3     ➡      - 1  6  3
          1                 2  1              4  2  1
```
　　　　4-3=1　　　　　　　8-6=2　　　　　　　5-1=4

```
    4  8  3              6  7  9              2  6  8
  - 1  5  1            - 2  0  8            - 1  3  2
          2
```

```
    7  5  4              9  8  6              6  7  9
  - 4  1  3            - 3  4  6            - 4  3  6
```

```
    9  6  9              3  1  7              8  8  5
  - 1  3  4            - 1  1  5            - 3  2  4
```

```
    5  7  8              6  8  9              8  8  5
  - 1  0  2            - 5  2  1            - 1  7  0
```

21

보기

$752-231=$ ☐ ☐ 1 ➡ $752-231=$ ☐ 2 1 ➡ $752-231=$ 5 2 1

$368-104=$ ☐ ☐ 4

$646-321=$ ☐ ☐ ☐

$584-252=$ ☐ ☐ ☐

$489-138=$ ☐ ☐ ☐

$795-231=$ ☐ ☐ ☐

$835-615=$ ☐ ☐ ☐

$563-421=$ ☐ ☐ ☐

$659-311=$ ☐ ☐ ☐

$975-302=$ ☐ ☐ ☐

$956-121=$ ☐ ☐ ☐

$689-213=$ ☐ ☐ ☐

$585-372=$ ☐ ☐ ☐

$857-702=$ ☐ ☐ ☐

$946-412=$ ☐ ☐ ☐

4 안에 알맞은 수를 써넣으세요.

546
−115

546−115

408
−302

826
−213

454
−313

547
−223

758
−137

687
−412

754
−120

648
−213

993
−510

874
−520

392
−230

472
−221

958
−346

769
−231

06 받아내림이 한 번 있는 (세 자리 수)-(세 자리 수)

정답 07쪽

🍂 **464-138 알아보기**

```
      5 ⑩
    4 6̸ 4
  -  1 3 8
  ─────────
          6
  ⑩-8+4=6
```
⇒
```
      5 10
    4 6̸ 4
  -  1 3 8
  ─────────
          6
        2 0
```
⇒
```
    4 6 4
  -  1 3 8
  ─────────
          6
        2 0
      3 0 0
```
⇒
```
    4 6 4
  -  1 3 8
  ─────────
          6
        2 0
      3 0 0
  ─────────
      3 2 6
```

🐭 **1 뺄셈을 하세요.**

```
        3 ⑩
    5 4̸ 3
  -  3 2 5
  ─────────
    □        ← 10-5+3
      0      ← 30-20
    0 0      ← 500-300
  ─────────
    □ □ □
```

```
        5 ⑩
    7 6̸ 1
  -  2 4 4
  ─────────
    □        ← 10-4+1
      0      ← 50-40
    0 0      ← 700-200
  ─────────
    □ □ □
```

```
        7 ⑩
    3 8̸ 2
  -  1 0 6
  ─────────
    □
      0
    0 0
  ─────────
    □ □ □
```

```
    6 5 3
  -  1 2 9
  ─────────
    □
      0
    0 0
  ─────────
    □ □ □
```

```
    8 5 5
  -  4 1 6
  ─────────
    □
      0
    0 0
  ─────────
    □ □ □
```

```
    6 9 1
  -  3 0 6
  ─────────
    □
      0
    0 0
  ─────────
    □ □ □
```

2 보기 와 같이 뺄셈을 하세요.

		4	10				4						
	6	5̸	3			6	5̸	3			6	5	3
−	2	3	9		−	2	3	9		−	2	3	9
			4				1	4			4	1	4

$10-9+3=4$ $4-3=1$ $6-2=4$

		6	10			3	10				6	10	
	4	7̸	1		5	4̸	8			4	7̸	2	
−	1	4	5		4	0	9			1	3	8	
			6										

	5	7	3		9	9	4			5	8	6	
−	4	2	5		6	3	6			3	7	9	

	4	7	1		9	5	6			6	3	4	
−	2	2	8		3	1	7			1	0	7	

	8	6	0		3	5	1			7	8	3	
−	5	0	3		2	4	2			1	5	8	

3 보기 와 같이 뺄셈을 하세요.

보기

$$\overset{7\ 10}{3\cancel{8}6} - 147 = \boxed{\ \vdots\ \vdots\ 9} \Rightarrow \overset{7}{3\cancel{8}6} - 147 = \boxed{\ 3\ 9} \Rightarrow 386 - 147 = \boxed{2\ 3\ 9}$$

$10-7+6=9$ $\quad 3 \quad\quad 2$

$\overset{5\ 10}{6\cancel{6}2} - 124 = \boxed{\ 8}$

$\overset{3\ 10}{7\cancel{4}1} - 524 = \boxed{}$

$575 - 229 = \boxed{}$

$567 - 138 = \boxed{}$

$341 - 235 = \boxed{}$

$883 - 626 = \boxed{}$

$950 - 423 = \boxed{}$

$658 - 319 = \boxed{}$

$730 - 305 = \boxed{}$

$581 - 447 = \boxed{}$

$953 - 218 = \boxed{}$

$784 - 516 = \boxed{}$

$641 - 327 = \boxed{}$

$880 - 459 = \boxed{}$

4 가로세로 퍼즐을 완성해 보세요.

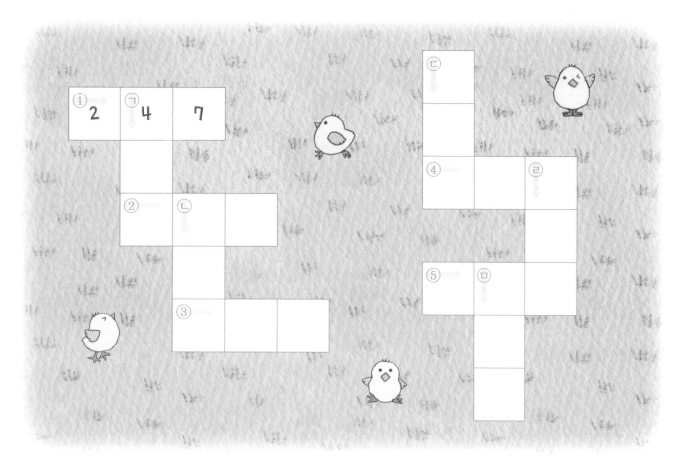

가로 열쇠

①
$$\begin{array}{r} 4\ 8\ 4 \\ -\ 2\ 3\ 7 \\ \hline 2\ 4\ 7 \end{array}$$

②
$$\begin{array}{r} 9\ 4\ 3 \\ -\ 2\ 1\ 8 \\ \hline \end{array}$$

③ $865-329=$

④ $980-157=$

⑤ $572-436=$

세로 열쇠

㉠
$$\begin{array}{r} 5\ 7\ 1 \\ -\ 1\ 5\ 4 \\ \hline \end{array}$$

㉡
$$\begin{array}{r} 3\ 6\ 0 \\ -\ 1\ 2\ 5 \\ \hline \end{array}$$

㉢ $842-204=$

㉣ $524-218=$

㉤ $751-427=$

07 받아내림이 두 번 있는 (세 자리 수)-(세 자리 수)

정답 08쪽

🍂 326-159 알아보기

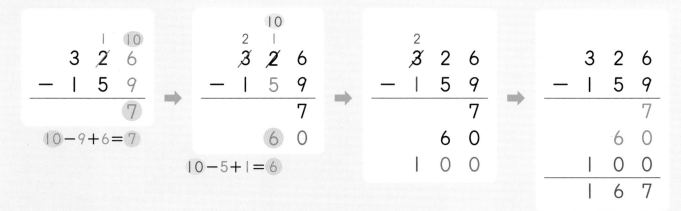

```
    1  10
  3  2  6
- 1  5  9
_____
        7
10-9+6=7
```
→
```
     10
  2  1
  3  2  6
- 1  5  9
_____
        7
     6  0
10-5+1=6
```
→
```
  2
  3  2  6
- 1  5  9
_____
        7
     6  0
  1  0  0
```
→
```
  3  2  6
- 1  5  9
_____
        7
     6  0
  1  0  0
_____
  1  6  7
```

 뺄셈을 하세요.

```
     10
  5  1  10
  6  2  2
- 3  3  7
_____
        □   ← 10-7+2
     □  0   ← 100-30+10
  □  0  0   ← 500-300
_____
  □  □  □
```

```
     10
  4  3  10
  5  4  5
- 1  4  9
_____
        □   ← 10-9+5
     □  0   ← 100-40+30
  □  0  0   ← 400-100
_____
  □  □  □
```

```
     10
  7  0  10
  8  1  3
- 2  6  4
_____
        □
     □  0
  □  0  0
_____
  □  □  □
```

```
  8  1  2
- 1  5  3
_____
        □
     □  0
  □  0  0
_____
  □  □  □
```

```
  6  3  4
- 4  7  6
_____
        □
     □  0
  □  0  0
_____
  □  □  □
```

```
  7  5  0
- 4  6  7
_____
        □
     □  0
  □  0  0
_____
  □  □  □
```

2 보기 와 같이 뺄셈을 하세요.

```
      6  10              3  6  10                 3
   4  7̸  3̸            4̸  7̸  3               4̸  7  3
 -  1  9  5          -  1  9  5    ➡     -  1  9  5
 ─────────          ─────────          ─────────
            8              7  8              2  7  8
```

$10-5+3=8$ $10-9+6=7$ $3-1=2$

```
      10                    10                    10
   4  1  10             2  2  10             6  2  10
   5̸  2̸  0             3̸  3̸  7             7̸  3̸  2
 -  1  6  4          -  1  4  8          -  3  5  9
 ─────────          ─────────          ─────────
            6
```

```
   6  5  3             7  2  4             4  3  5
 -  4  9  5          -  2  2  7          -  1  5  6
 ─────────          ─────────          ─────────
```

```
   8  3  1             5  1  2             9  4  1
 -  2  4  8          -  3  9  5          -  2  9  6
 ─────────          ─────────          ─────────
```

```
   9  3  4             6  3  2             8  2  5
 -  3  6  8          -  2  4  7          -  3  4  9
 ─────────          ─────────          ─────────
```

3 보기 와 같이 덧셈을 하세요.

보기

$\overset{3\ 10}{5\cancel{4}2} - 278 = \boxed{\ \vdots\ \ \vdots\ 4}$ ➡ $\overset{\overset{10}{4\ 3}}{5\cancel{4}2} - 278 = \boxed{\ \vdots\ 6\ \vdots\ 4}$ ➡ $\overset{4}{\cancel{5}42} - 278 = \boxed{2\ \vdots\ 6\ \vdots\ 4}$

$10-8+2=\boxed{4}$　　　$10-7+3=\boxed{6}$　　　$4-2=\boxed{2}$

$\overset{\overset{10}{5\ 2\ 10}}{\cancel{6}\cancel{3}1} - 283 = \boxed{\ \vdots\ \ \vdots\ 8}$　　　$\overset{\overset{10}{3\ 4\ 10}}{\cancel{4}\cancel{5}5} - 276 = \boxed{\ \vdots\ \ \vdots\ }$

$743 - 158 = \boxed{\ \vdots\ \ \vdots\ }$　　　$996 - 499 = \boxed{\ \vdots\ \ \vdots\ }$

$624 - 256 = \boxed{\ \vdots\ \ \vdots\ }$　　　$821 - 547 = \boxed{\ \vdots\ \ \vdots\ }$

$330 - 183 = \boxed{\ \vdots\ \ \vdots\ }$　　　$932 - 376 = \boxed{\ \vdots\ \ \vdots\ }$

$723 - 459 = \boxed{\ \vdots\ \ \vdots\ }$　　　$378 - 179 = \boxed{\ \vdots\ \ \vdots\ }$

$823 - 687 = \boxed{\ \vdots\ \ \vdots\ }$　　　$934 - 249 = \boxed{\ \vdots\ \ \vdots\ }$

$735 - 297 = \boxed{\ \vdots\ \ \vdots\ }$　　　$871 - 497 = \boxed{\ \vdots\ \ \vdots\ }$

4 빈 곳에 알맞은 수를 써넣으세요.

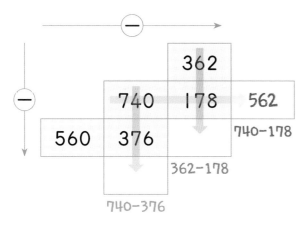

		362	
	740	178	562
560	376		740-178
		362-178	
	740-376		

		624	
	613	267	
725	368		

		332	
	805	159	
531	358		

		654	
	430	256	
546	148		

		324	
	513	139	
531	346		

		711	
	915	447	
790	526		

		931	
	636	258	
870	197		

		454	
	827	169	
643	358		

초등 3-1

① 덧셈과 뺄셈

유형 1

색종이를 지원이는 (241)장, 준호는 (324)장 가지고 있습니다. 두 사람이 가지고 있는 색종이는 모두 몇 장일까요?

▶ 주어진 수에 ○표 하고, 구하는 것에 밑줄 치기

지원이의 색종이 수: 241 장, 준호의 색종이 수: 장

▶ 문제 해결하기

지원이가 가지고 있는 색종이 수와 준호가 가지고 있는 색종이 수를 ((더합니다) , 뺍니다).

▶ 문제 풀기

(전체 색종이 수)＝(지원이의 색종이 수)＋(준호의 색종이 수)

＝   ＋   ＝   (장)

▶ 답 쓰기

색종이는 모두   장입니다.

유형 ➕ 1

정후는 주스를 어제는 180mL, 오늘은 230mL 마셨습니다. 정후가 어제와 오늘 마신 주스는 모두 몇 mL일까요?

▶ 주어진 수에 ○표 하고, 구하는 것에 밑줄 치기

어제 마신 주스의 양: mL, 오늘 마신 주스의 양: mL

▶ 문제 해결하기

정후가 어제와 오늘 마신 주스의 양을 (더합니다 , 뺍니다).

▶ 문제 풀기

(어제와 오늘 마신 주스의 양)＝(어제 마신 주스의 양)＋(오늘 마신 주스의 양)

＝   ＋   ＝   (mL)

▶ 답 쓰기

정후가 어제와 오늘 마신 주스의 양은 모두   mL입니다.

민서는 구슬 ⓐ257개를 가지고 있었습니다. 동생에게 ⓑ132개를 주었다면 남은 구슬은 몇 개일까요?

▬▶ 주어진 수에 ○표 하고, 구하는 것에 밑줄 치기

민서가 가지고 있던 구슬 수:　　　　　개, 동생에게 준 구슬 수:　　　　　개

▬▶ 문제 해결하기

민서가 가지고 있던 구슬 수에서 동생에게 준 구슬 수를 (더합니다 , 뺍니다).

▬▶ 문제 풀기

(남은 구슬 수)＝(민서가 가지고 있던 구슬 수)－(동생에게 준 구슬 수)

　　　　　＝　　　　　－　　　　　＝　　　　　(개)

▬▶ 답 쓰기

남은 구슬은　　　　　개입니다.

배에 남자가 356명, 여자가 139명 탔습니다. 배에 탄 남자는 여자보다 몇 명 더 많을까요?

▬▶ 주어진 수에 ○표 하고, 구하는 것에 밑줄 치기

배에 탄 남자 수:　　　　　명, 배에 탄 여자 수:　　　　　명

▬▶ 문제 해결하기

배에 탄 남자 수에서 배에 탄 여자 수를 (더합니다 , 뺍니다).

▬▶ 문제 풀기

(여자보다 배에 더 탄 남자 수)＝(배에 탄 남자 수)－(배에 탄 여자 수)

　　　　　＝　　　　　－　　　　　＝　　　　　(명)

▬▶ 답 쓰기

배에 탄 남자는 여자보다　　　　　명 더 많습니다.

● █ 안에 알맞은 수를 써넣고 답을 구하세요.

1 Drill

영화관에 남자는 157명, 여자는 314명 입장했습니다.
영화관에 입장한 사람은 모두 몇 명일까요?

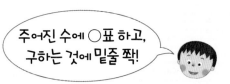
주어진 수에 ○표 하고,
구하는 것에 밑줄 쫙!

풀이 (영화관에 입장한 사람 수)=(입장한 남자 수)+(입장한 여자 수)

= ▢ + ▢ = ▢ (명)

답 _____ 명

2 Drill

과일 가게에 빨간 사과가 357개, 초록 사과가 268개 있습니다. 과일 가게에 있는 사과는
모두 몇 개일까요?

풀이 (전체 사과 수)=(빨간 사과 수)+(초록 사과 수)

= ▢ + ▢ = ▢ (개)

답 _____ 개

3 Drill

정우는 색종이를 535장 가지고 있었습니다. 동생에게 231장을 주었다면 남은 색종이는
몇 장일까요?

풀이 (남은 색종이 수)=(정우가 가지고 있던 색종이 수)−(동생에게 준 색종이 수)

= ▢ − ▢ = ▢ (장)

답 _____ 장

4 Drill

823명이 타고 가던 지하철에서 347명이 내렸습니다. 지하철에는 몇 명이 남았을까요?

풀이 (남은 사람 수)=(타고 가던 사람 수)−(내린 사람 수)

= ▢ − ▢ = ▢ (명)

답 _____ 명

● 서술형 문제를 읽고 풀이 과정과 답을 쓰세요.

도전 1

과수원에서 수박 135개, 참외 262개를 수확했습니다. 수확한 수박과 참외는 모두 몇 개일까요?

풀이

답

도전 2

도서관에 소설책 975권, 만화책 368권이 있습니다. 도서관에 있는 소설책과 만화책은 모두 몇 권일까요?

풀이

답

도전 3

철사 864cm가 있었습니다. 그중에서 251cm를 사용했다면 남은 철사는 몇 cm일까요?

풀이

답

도전 4

기차에 617명이 타고 있었습니다. 이번 역에서 248명이 내렸다면 기차에 남아 있는 사람은 몇 명일까요?

풀이

답

형성 평가

정답 10쪽

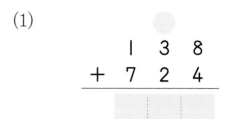

점수

분   점

01 덧셈을 하세요.

```
      4  1  3
  +   2  6  1
  ─────────────
            □
         □  0
      □  0  0
  ─────────────
      □  □  □
```

02 덧셈을 하세요.

(1) $304 + 182 =$ □□□

(2) $345 + 223 =$ □□□

03 덧셈을 하세요.

134
435

04 덧셈을 하세요.

(1)
```
      1  3  8
  +   7  2  4
  ─────────────
      □  □  □
```

(2)
```
      2  4  6
  +   3  2  5
  ─────────────
      □  □  □
```

05 덧셈을 하세요.

(1) $359 + 402 =$ □□□

(2) $263 + 127 =$ □□□

(3) $216 + 249 =$ □□□

(4) $145 + 826 =$ □□□

(5) $347 + 235 =$ □□□

06 덧셈을 하세요.

```
    1 5 8
  + 3 7 3
  ─────────
        0
      0 0
  ─────────
```

07 덧셈을 하세요.

(1)
```
    3 4 5
  + 2 8 5
  ─────────
```

(2)
```
    4 3 8
  + 2 6 5
  ─────────
```

08 빈 곳에 알맞은 수를 써넣으세요.

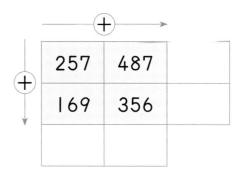

09 덧셈을 하세요.

(1)
```
    9 7 3
  + 5 6 9
  ─────────
```

(2)
```
    3 6 8
  + 8 4 6
  ─────────
```

10 덧셈을 하세요.

(1) 567+736=

(2) 695+458=

11 빈 곳에 알맞은 수를 써넣으세요.

	+ →	
+ ↓		783
	952	358

12 뺄셈을 하세요.

(1)
```
    3 4 7
 -  2 1 5
 ─────────
```

(2)
```
    9 6 3
 -  1 2 0
 ─────────
```

13 뺄셈을 하세요.

(1) 598−132=

(2) 753−241=

14 ⬜ 안에 알맞은 수를 써넣으세요.

(1)
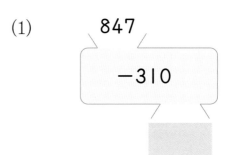
847
−310

(2)
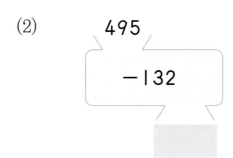
495
−132

15 뺄셈을 하세요.

```
    6 5 7
 -  1 3 9
 ─────────
          ☐
       ☐  0
    ☐  0  0
 ─────────
```

16 뺄셈을 하세요.

(1)

```
    4  8  3
 -  3  4  5
 ─────────
```

(2)

```
    6  4  2
 -  4  3  9
 ─────────
```

17 뺄셈을 하세요.

(1) $480-124=$

(2) $974-459=$

18 뺄셈을 하세요.

(1)

```
    7  4  1
 -  4  6  8
 ─────────
```

(2)

```
    5  2  3
 -  3  7  6
 ─────────
```

19 뺄셈을 하세요.

(1) $813-135=$

(2) $924-348=$

(3) $657-298=$

(4) $346-198=$

(5) $560-285=$

20 빈 곳에 알맞은 수를 써넣으세요.

			652
$-$		724	368
	430	146	

1 덧셈을 하세요.

```
    2 4 3
  + 4 1 5
```

2 뺄셈을 하세요.

(1) 576−153=

(2) 748−239=

3 빈 곳에 두 수의 차를 써넣으세요.

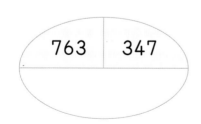

| 763 | 347 |

4 계산한 값을 찾아 선으로 이어 보세요.

· 560

281+315 ·

· 596

421+139 ·

· 550

5 다음 계산에서 ㉠에 알맞은 숫자와 ㉠이 실제로 나타내는 수를 각각 쓰세요.

```
      ㉠ 10
    8̶ 2 9
  − 3 5 4
    4 7 5
```

㉠ (   )

㉠이 나타내는 수 (   )

6 두 수의 합과 차를 구해 보세요.

453   137

합 (   )

차 (   )

7 안에 알맞은 수를 써넣으세요.

523 − 246 =

473 −   =

8 수영이는 주스를 150 mL, 세호는 주스를 270 mL 마셨습니다. 수영이와 세호가 마신 주스는 모두 몇 mL일까요?

(   )mL

9 안에 알맞은 수를 써넣으세요.

(1)
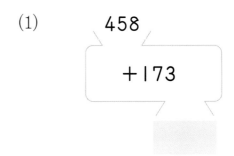

458

+173

(2)

874

+589

10 723−238을 바르게 계산한 사람은 누구일까요?

재은: 485
동희: 495

(   )

11 빈 곳에 알맞은 수를 써넣으세요.

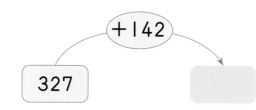

12 가장 큰 수와 가장 작은 수의 합을 구해 보세요.

367	595	428

(   )

13 안에 알맞은 수를 써넣으세요.

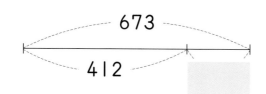

14 미술 시간에 사용할 색종이를 475장 준비했습니다. 이 중에서 학생들이 148장을 사용했다면 남은 색종이는 몇 장일까요?

풀이 _____

_____

답 _____ 장

15 안에 >, =, <를 알맞게 써넣으세요.

(1) 378+216 ⬤ 594

(2) 431-178 ⬤ 857-589

16 계산 결과가 작은 것부터 ◯ 안에 번호를 써넣으세요.

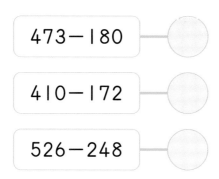

473−180 ──◯

410−172 ──◯

526−248 ──◯

17 사각형 안에 있는 수의 합을 구해 보세요.

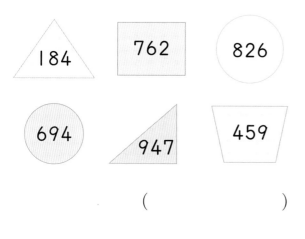

( )

18 기차에 531명이 타고 있었습니다. 이 번 역에서 189명이 내렸다면 지금 기차에 타고 있는 사람은 몇 명일까요?

( )명

19 빈 곳에 알맞은 수를 써넣으세요.

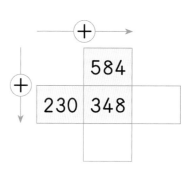

20 빨간색 색종이 873장, 노란색 색종이 748장이 있습니다. 색종이는 모두 몇 장일까요?

( )장

memo

논리적 사고력과 창의적 문제해결력을 키워 주는
매스티안 교재 활용법!

대상	창의사고력 교재 팩토			연산 교재 사고력을 키우는 팩토 연산	연산 교재 원리 연산 소마셈
5세~6세	킨더팩토 A, B, C, D				소마셈 K시리즈 K1~K8
7세~초1	키즈 원리A/탐구A	키즈 원리B/탐구B	키즈 원리C/탐구C	사고력을 키우는 팩토 연산 P01~P05	소마셈 P시리즈 P1~P8
초1~초2	Lv.1 원리A/탐구A	Lv.1 원리B/탐구B	Lv.1 원리C/탐구C	사고력을 키우는 팩토 연산 A01~A05	소마셈 A시리즈 A1~A8
초2~초3	Lv.2 원리A/탐구A	Lv.2 원리B/탐구B	Lv.2 원리C/탐구C	사고력을 키우는 팩토 연산 B01~B05	소마셈 B시리즈 B1~B8
초3~초4	Lv.3 원리A/탐구A	Lv.3 원리B/탐구B	Lv.3 원리C/탐구C	사고력을 키우는 팩토 연산 C01~C05	소마셈 D시리즈 D1~D6
초4~초5	Lv.4 기본A, 실전A	Lv.4 기본B, 실전B			소마셈 C시리즈 C1~C8
초5~초6	Lv.5 기본A, 실전A	Lv.5 기본B, 실전B			
초6~	Lv.6 기본A, 실전A	Lv.6 기본B, 실전B			

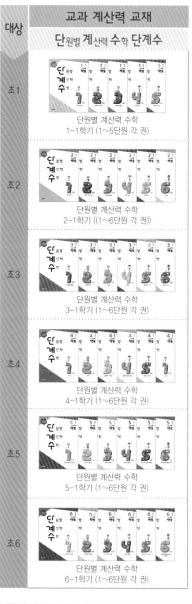

대상	교과 계산력 교재 단원별 계산력 수학 단계수
초1	단원별 계산력 수학 1-1학기 (1~5단원 각 권)
초2	단원별 계산력 수학 2-1학기 (1~6단원 각 권)
초3	단원별 계산력 수학 3-1학기 (1~6단원 각 권)
초4	단원별 계산력 수학 4-1학기 (1~6단원 각 권)
초5	단원별 계산력 수학 5-1학기 (1~6단원 각 권)
초6	단원별 계산력 수학 6-1학기 (1~6단원 각 권)

대상	교과 수학 교재 1학기	2학기
초1	팩토 수학교과서/익힘책 1-1	팩토 수학교과서/익힘책 1-2
초2	팩토 수학교과서/익힘책 2-1	팩토 수학교과서/익힘책 2-2

단계수 학습 순서

매일 학습

단원별로 꼭 알아야 할 개념만 쏙쏙 학습하고 다양한 연산 문제를 통해 연산 과정을 숙달하여 계산력을 쑥쑥 키울 수 있습니다.

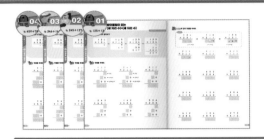

도전! 응용문제

응용 문제와 **서술형** 문제를 통해 사고력과 문제해결력을 기를 수 있습니다.

형성 평가

단원의 **복습 단계**로 문제를 풀면서 학습한 내용을 다시 한 번 확인할 수 있습니다.

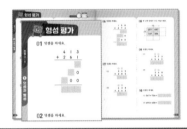

단원 평가

단원의 **마무리 학습**으로 학교 시험에 자주 나오는 문제를 통해 수시 평가 등 학교 시험에 대비할 수 있습니다.

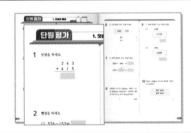

 **매스티안** http://www.mathtian.com

자율안전확인신고필증번호 : B361H200-4001

1. 주소 : 06153 서울특별시 강남구 봉은사로 442 (삼성동)
2. 문의전화 : 1588-6066
3. 제조국 : 대한민국
4. 사용연령 : 10세 이상

※ KC마크는 이 제품이 공통안전기준에 적합하였음을 의미합니다.

⚠ 주의

종이 모서리에 다칠 수 있으니 주의하세요!

초등학교		반		번
이름				

3-1

초등 수학

팩토

단원별 산력

단계수학

2단원

평면도형

매스티안

팩토는 자유롭게 자신감있게 창의적으로 생각하는 주니어수학자입니다.

단원별 단계 산력 수학

펴낸 곳 (주)타임교육C&P **펴낸이** 이길호 **지은이** 매스티안R&D센터

주소 06153 서울특별시 강남구 봉은사로 442 (삼성동) **문의전화** 1588.6066

팩토카페 http://cafe.naver.com/factos **홈페이지** http://www.mathtian.com

MW2108

생각이 자유로운 사람들! 매스티안R&D센터

매스티안R&D센터의 논리적 사고력과 창의적 문제해결력을 키우는 수학 콘텐츠는 국내외 수많은 교육 현장에서 그 우수성을 높이 평가받고 있습니다.

매스티안R&D센터는 여기에 안주하지 않고 앞으로도 학생, 교사, 학부모 모두가 행복한 수학 시간을 만들 수 있도록 노력하겠습니다.

매스티안 공식 홈페이지 ⋯ (http://www.mathtian.com)

· 매스티안의 다양한 출간 교재 소개

· 출간 교재와 관련된 학습 자료(보충 학습지, 활동지 등) 제공

· 출간 교재와 관련된 평가 시험 및 분석 제공

매스티안 공식 카페 ⋯ **팩토** (http://cafe.naver.com/factos)

· 창의사고력 수학 팩토 무료 동영상 강의 제공

· 출간 교재에 관한 질문 및 답변

· 영재교육원 대비 자료(기출 문제, 예상 문제) 제공

· 초등 수학 비법 및 Q&A

3-1

초등 수학
팩토

단원별
계산력
수학

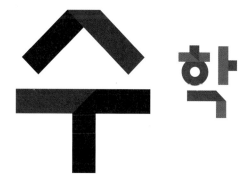

2단원

평면도형

※매스티안

4. 평면도형의 이동
· 평면도형 밀기, 뒤집기, 돌리기
· 규칙적인 무늬 만들기

4-1

2. 여러 가지 도형
· 원, 삼각형, 사각형, 오각형, 육각형
· 쌓기나무로 입체도형 만들기

3-1

2. 평면도형
· 선분, 반직선, 직선
· 각, 직각
· 직각삼각형, 직사각형, 정사각형

4-2

2-1

2. 삼각형
· 이등변삼각형, 정삼각형
· 예각삼각형, 둔각삼각형

1-2

3. 여러 가지 모양
· ■, ▲, ● 모양
· ■, ▲, ● 모양으로 여러 가지 모양 꾸미기

3-2

4-1

3. 원
· 원 그리기
· 원의 중심, 반지름, 지름, 원의 성질

2. 각도
· 각도 재기, 각도의 합과 차
· 삼각형, 사각형의 내각의 크기의 합

2 평면도형

Teaching Guide

· 각과 각도의 두 용어를 비교해 보면 각은 도형 중의 하나로 모양을 말하며, 각도는 그 각의 크기를 측정해서 수치로 나타낸 것을 말합니다. 즉, 각은 두 반직선으로 이루어진 것으로 도형이라는 점을 정확하게 전달해야 합니다.

· 직각삼각형을 직삼각형, 직사각형을 직각사각형이란 식으로 두 용어를 혼동하는 경우가 있습니다. 두 용어를 비교해 보게 하는 활동은 용어의 혼동을 줄여 줄 수 있습니다.

4. 사각형
· 수직과 수선, 평행과 평행선
· 사각형의 종류

중학 1-2 다각형

5. 원의 넓이
· 원주와 지름의 관계
· 원주율
· 원주와 지름, 원의 넓이

4-2
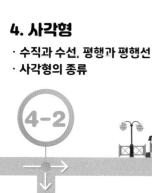

6-2

중학 2-2
사각형의 성질

4-2

6. 다각형
· 다각형, 정다각형
· 모양 만들기와
  채우기

5-1
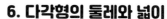
6. 다각형의 둘레와 넓이
· 평면도형의 둘레
· 1cm², 1m², 1km²
· 삼각형과 사각형의 넓이

중학 1-2

원과 부채꼴

중학 3-2

원의 성질

공부한 날짜

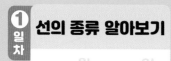
1 일차 선의 종류 알아보기
월   일

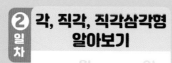
2 일차 각, 직각, 직각삼각형
알아보기
월   일

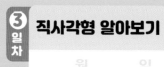
3 일차 직사각형 알아보기
월   일

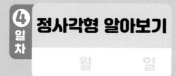
4 일차 정사각형 알아보기
월   일

5 일차 응용 문제
월   일

6 일차 형성 평가
월   일

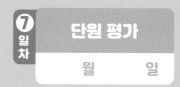
7 일차 단원 평가
월   일

01 선의 종류 알아보기

정답 12쪽

초등 3-1
❷ 평면도형

🌿 **선분, 반직선, 직선 알아보기**

선분: 두 점을 곧게 이은 선	반직선: 한 점에서 시작하여 한쪽으로 끝없이 늘인 곧은 선	직선: 선분을 양쪽으로 끝없이 늘인 곧은 선
• 선분 ㄱㄴ 또는 선분 ㄴㄱ	• 반직선 ㄱㄴ	• 직선 ㄱㄴ 또는 직선 ㄴㄱ

 알맞은 도형의 이름에 ◯표 하세요.

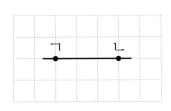

(선분 , 반직선 , 직선) ㄱㄴ

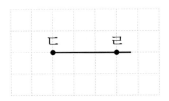

(선분 , 반직선 , 직선) ㄷㄹ

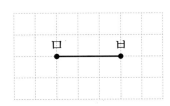

(선분 , 반직선 , 직선) ㅁㅂ

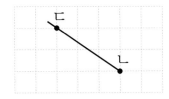

(선분 , 반직선 , 직선) ㄴㄷ

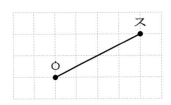

(선분 , 반직선 , 직선) ㅇㅈ

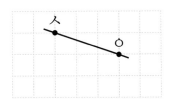

(선분 , 반직선 , 직선) ㅅㅇ

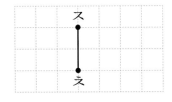

(선분 , 반직선 , 직선) ㅈㅊ

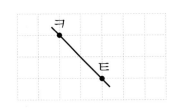

(선분 , 반직선 , 직선) ㅋㅌ

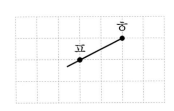

(선분 , 반직선 , 직선) ㅎㅍ

2 보기 와 같이 도형의 이름을 써 보세요.

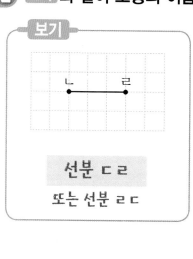

선분 ㄷㄹ

또는 선분 ㄹㄷ

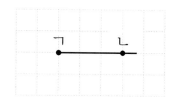

반직선

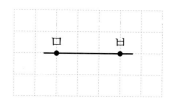

직선

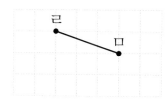

선분

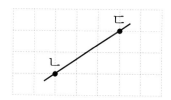

직선

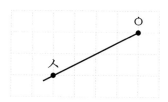

반직선

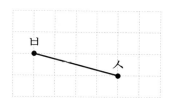

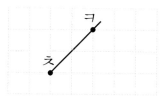

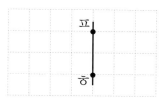

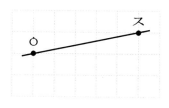

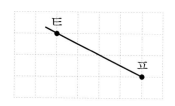

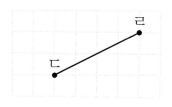

3 도형을 그려 보세요. 준비물 자

선분 ㄱㄴ ────── 선분 ㄴㄱ

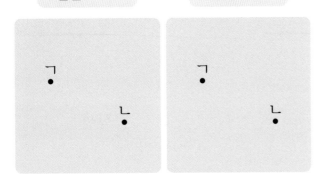

직선 ㄷㄹ ────── 직선 ㄹㄷ

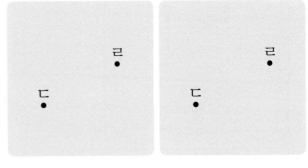

반직선 ㅂㅅ ────── 반직선 ㅅㅂ

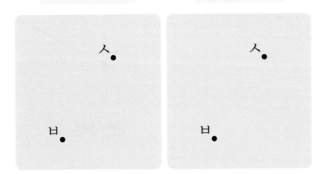

선분 ㅁㅂ ────── 직선 ㅂㅁ

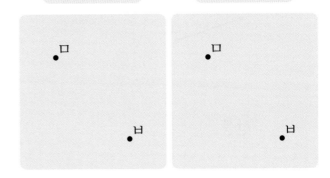

직선 ㅈㅊ ────── 반직선 ㅈㅊ

반직선 ㅇㅅ ────── 선분 ㅇㅅ

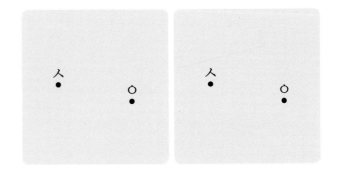

반직선 ㄴㄷ ────── 직선 ㄴㄷ

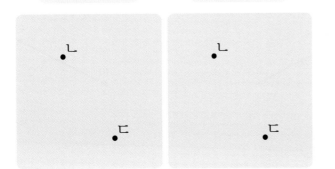

직선 ㅌㅍ ────── 선분 ㅌㅍ

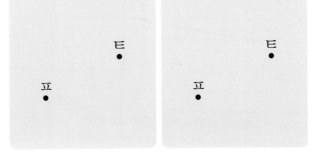

4 이름에 맞게 도형을 그려 보세요. 준비물 자

직선 ㄱㄴ

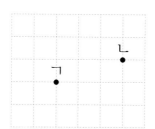

반직선 ㄷㄹ

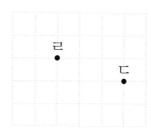

선분 ㅁㅂ

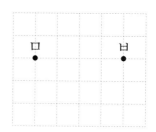

반직선 ㅅㅇ

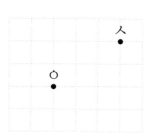

선분 ㄴㄱ

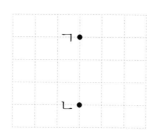

직선 ㄹㅁ

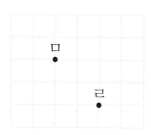

선분 ㄱㄴ

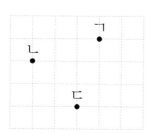

직선 ㄹㄷ

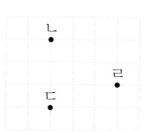

반직선 ㅁㅅ

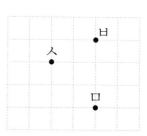

직선 ㅇㅅ

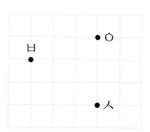

반직선 ㄴㄷ

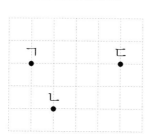

선분 ㄷㄹ

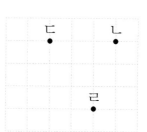

각 알아보기

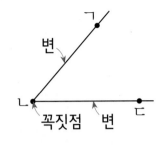

① 한 점에서 그었습니다.
② 두 선은 반직선입니다.

읽기

각 ㄱㄴㄷ 또는 각 ㄷㄴㄱ

1 그림에 대한 설명이 맞으면 ○표, 틀리면 ✕표 하고, 알맞은 말에 ◯표 하세요.

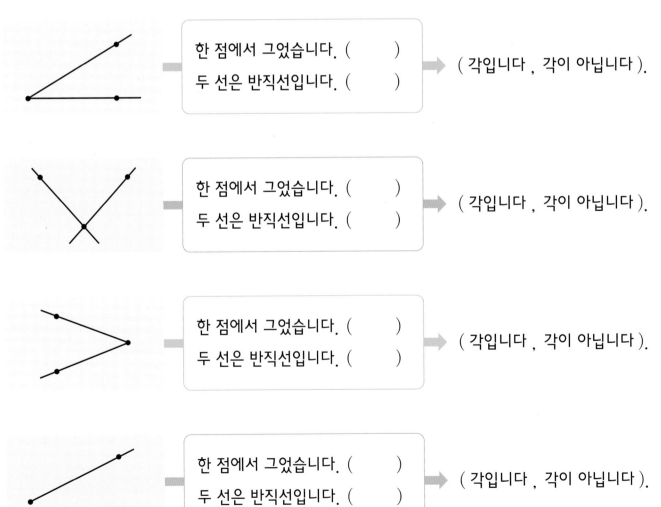

한 점에서 그었습니다. ( )
두 선은 반직선입니다. ( )

➡ (각입니다 , 각이 아닙니다).

한 점에서 그었습니다. ( )
두 선은 반직선입니다. ( )

➡ (각입니다 , 각이 아닙니다).

한 점에서 그었습니다. ( )
두 선은 반직선입니다. ( )

➡ (각입니다 , 각이 아닙니다).

한 점에서 그었습니다. ( )
두 선은 반직선입니다. ( )

➡ (각입니다 , 각이 아닙니다).

2 보기 와 같이 각을 그려 보세요.

보기

각 ㄱㄴㄷ

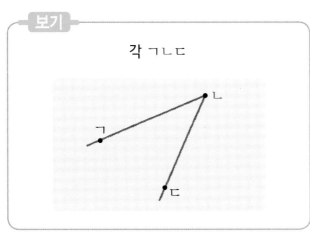

각 ㄹㄷㄴ

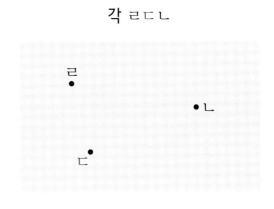

각 ㄷㄹㅁ

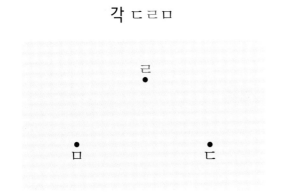

각 ㅇㅈㅊ

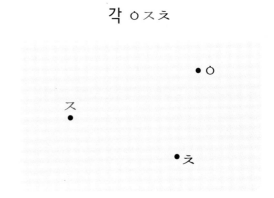

각 ㅂㅅㅇ

각 ㄴㄷㄹ

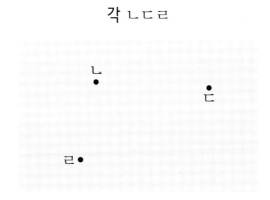

각 ㅁㅂㅅ

각 ㅎㅌㅍ

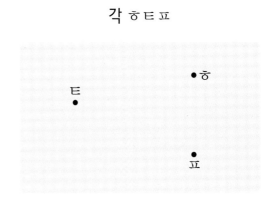

🍂 직각, 직각삼각형 알아보기

직각: 종이를 반듯하게 두 번 접었을 때 생기는 각   **직각삼각형**: 한 각이 직각인 삼각형

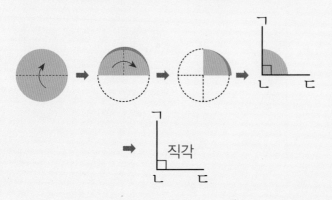

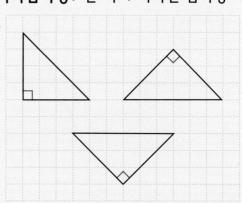

3 보기 와 같이 직각을 모두 찾아 ∟ 로 나타내어 보세요.

보기

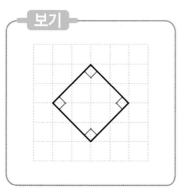

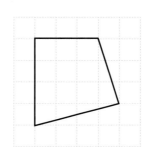

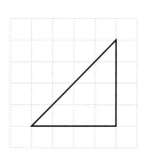

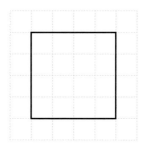

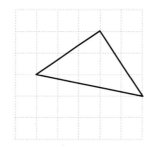

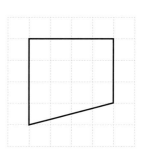

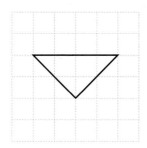

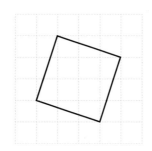

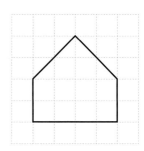

4 그림에 대한 설명이 맞으면 ◯표, 틀리면 ✕표 하고, 알맞은 말에 ◯표 하세요.

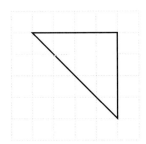

└ 삼각형입니다. (   )
└ 직각이 | 개입니다. (   )
➡ 직각삼각형이 (맞습니다 , 아닙니다).

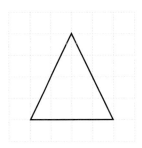

└ 삼각형입니다. (   )
└ 직각이 | 개입니다. (   )
➡ 직각삼각형이 (맞습니다 , 아닙니다).

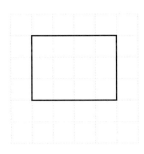

└ 삼각형입니다. (   )
└ 직각이 | 개입니다. (   )
➡ 직각삼각형이 (맞습니다 , 아닙니다).

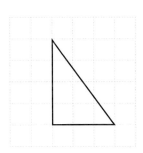

└ 삼각형입니다. (   )
└ 직각이 | 개입니다. (   )
➡ 직각삼각형이 (맞습니다 , 아닙니다).

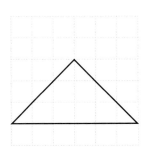

└ 삼각형입니다. (   )
└ 직각이 | 개입니다. (   )
➡ 직각삼각형이 (맞습니다 , 아닙니다).

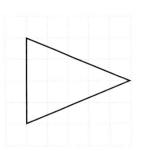

└ 삼각형입니다. (   )
└ 직각이 | 개입니다. (   )
➡ 직각삼각형이 (맞습니다 , 아닙니다).

03 직사각형 알아보기

정답 14쪽

🍂 직사각형 알아보기

네 각이 모두 직각인 사각형
→ 직각이 4개

 ┃ 안에 알맞은 수를 쓰고, 알맞은 말에 ◯표 하세요.

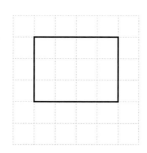

┌ 직각이 [ ] 개입니다.
└ 직사각형이 (맞습니다 , 아닙니다).

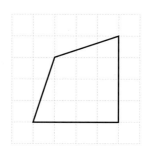

┌ 직각이 [ ] 개입니다.
└ 직사각형이 (맞습니다 , 아닙니다).

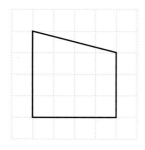

┌ 직각이 [ ] 개입니다.
└ 직사각형이 (맞습니다 , 아닙니다).

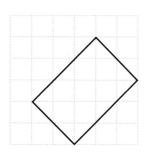

┌ 직각이 [ ] 개입니다.
└ 직사각형이 (맞습니다 , 아닙니다).

2 보기 와 같이 주어진 선분을 두 변으로 하는 직사각형을 그려 보세요.

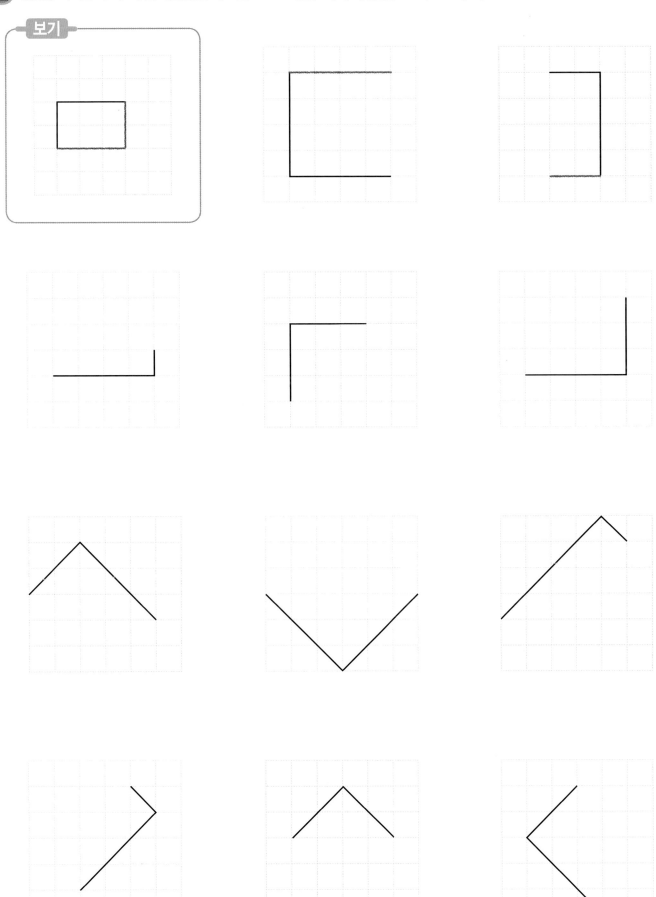

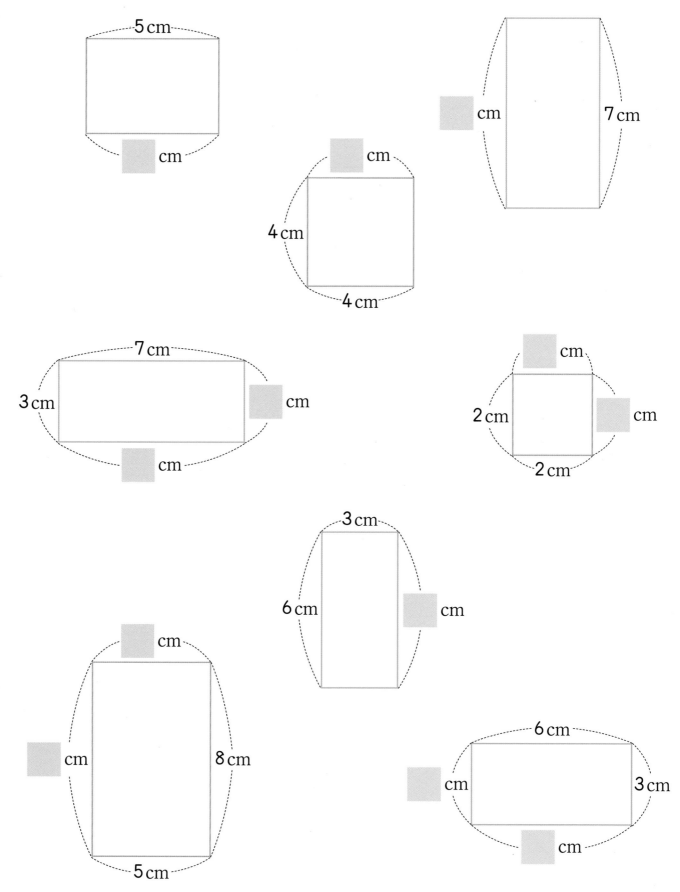

4 직사각형입니다. 　 안에 알맞은 수를 써넣으세요.

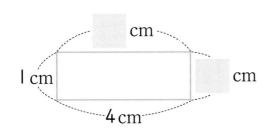

➡ 네 변의 길이의 합: 　 cm

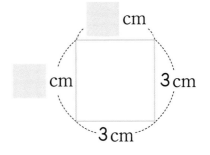

➡ 네 변의 길이의 합: 　 cm

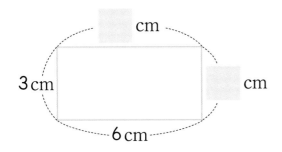

➡ 네 변의 길이의 합: 　 cm

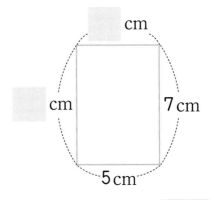

➡ 네 변의 길이의 합: 　 cm

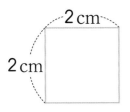

➡ 네 변의 길이의 합: 　 cm

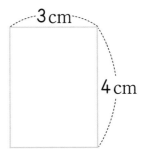

➡ 네 변의 길이의 합: 　 cm

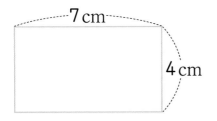

➡ 네 변의 길이의 합: 　 cm

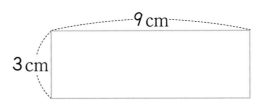

➡ 네 변의 길이의 합: 　 cm

04 정사각형 알아보기

🌰 정사각형 알아보기

네 각이 모두 <u>직각</u>이고, 네 변의 길이가 모두 같은 사각형
→ 직각이 4개

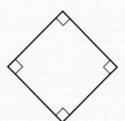

 1 그림에 대한 설명이 맞으면 ○표, 틀리면 ✕표 하고, 알맞은 말에 ◯표 하세요.

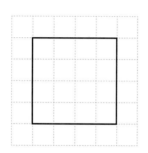

┌ 직각이 4개입니다. (　　　)
└ 네 변의 길이가 모두 같습니다. (　　　)

➡ 정사각형이 (맞습니다 , 아닙니다).

┌ 직각이 4개입니다. (　　　)
└ 네 변의 길이가 모두 같습니다. (　　　)

➡ 정사각형이 (맞습니다 , 아닙니다).

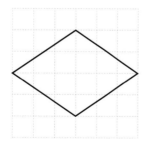

┌ 직각이 4개입니다. (　　　)
└ 네 변의 길이가 모두 같습니다. (　　　)

➡ 정사각형이 (맞습니다 , 아닙니다).

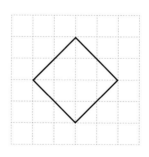

┌ 직각이 4개입니다. (　　　)
└ 네 변의 길이가 모두 같습니다. (　　　)

➡ 정사각형이 (맞습니다 , 아닙니다).

2 보기 와 같이 주어진 선분을 한 변으로 하는 정사각형을 그려 보세요.

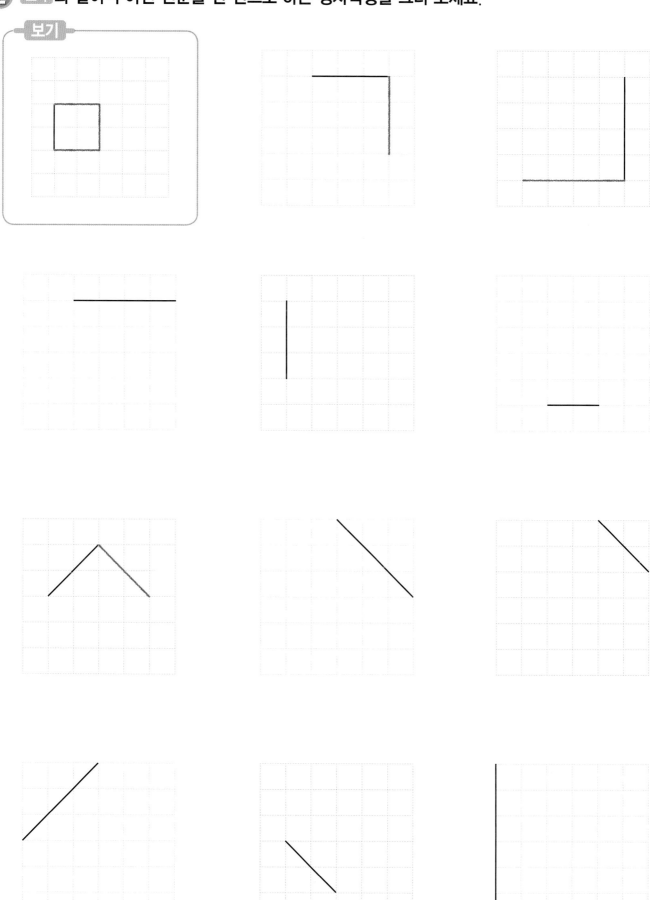

보기

3 정사각형입니다. ☐ 안에 알맞은 수를 써넣으세요.

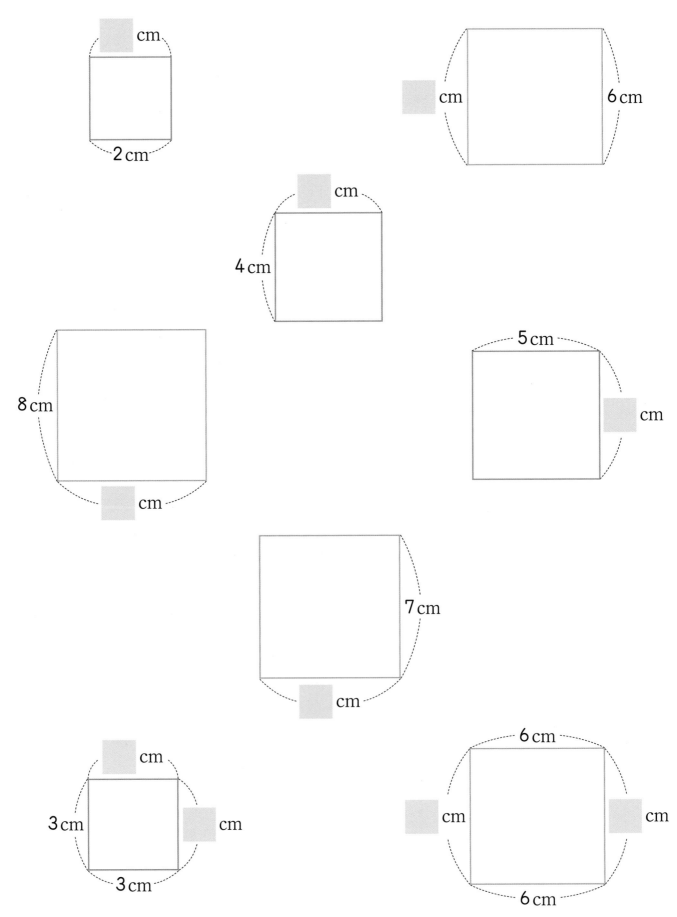

☐ cm

2 cm

☐ cm   6 cm

☐ cm

4 cm

8 cm

☐ cm

5 cm

☐ cm

7 cm

☐ cm

☐ cm

3 cm

☐ cm

3 cm

6 cm

☐ cm   ☐ cm

6 cm

4 정사각형입니다. [ ] 안에 알맞은 수를 써넣으세요.

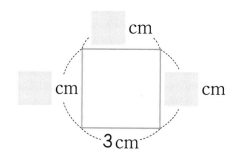
➡ 네 변의 길이의 합: [ ] cm

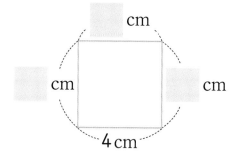
➡ 네 변의 길이의 합: [ ] cm

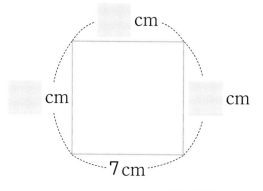
➡ 네 변의 길이의 합: [ ] cm

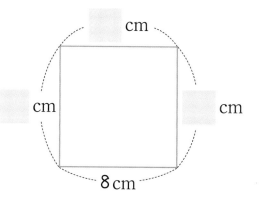
➡ 네 변의 길이의 합: [ ] cm

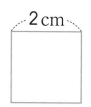
➡ 네 변의 길이의 합: [ ] cm

➡ 네 변의 길이의 합: [ ] cm

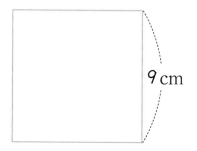
➡ 네 변의 길이의 합: [ ] cm

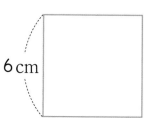
➡ 네 변의 길이의 합: [ ] cm

도전! 응용 문제

🌿 도형에서 찾을 수 있는 크고 작은 정사각형 모두 찾기

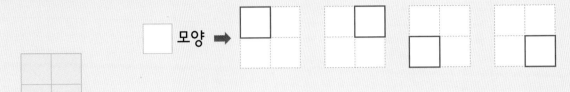

응용 **1** 도형에서 찾을 수 있는 크고 작은 정사각형을 모두 그려 보세요.

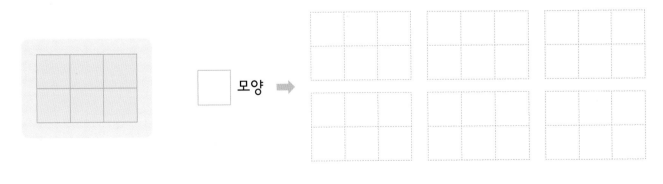

응용 **2** 도형에서 찾을 수 있는 크고 작은 정사각형의 개수를 구하세요.

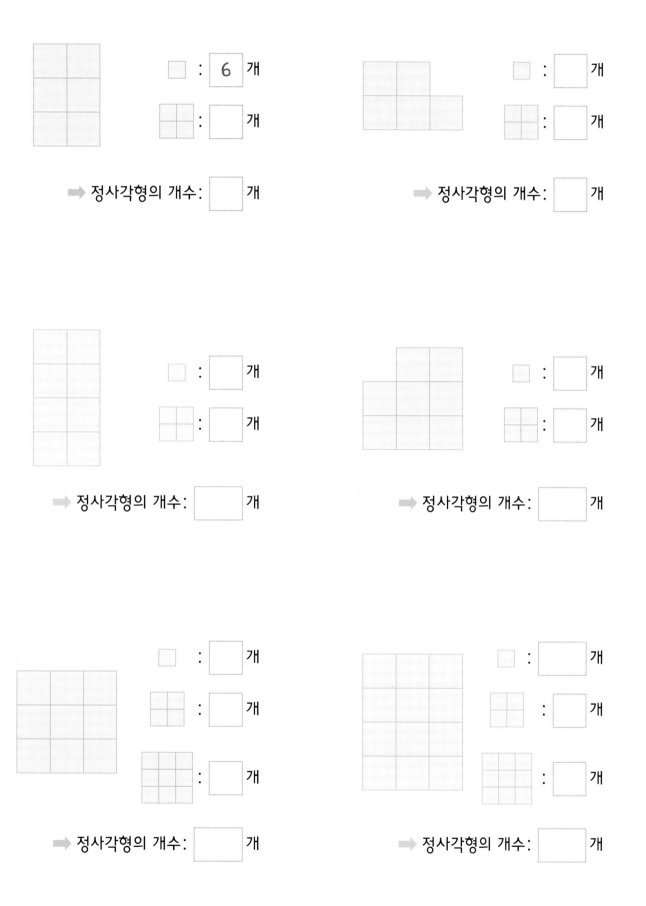

□ : 6 개

⊞ : ☐ 개

➡ 정사각형의 개수: ☐ 개

□ : ☐ 개

⊞ : ☐ 개

➡ 정사각형의 개수: ☐ 개

□ : ☐ 개

⊞ : ☐ 개

➡ 정사각형의 개수: ☐ 개

□ : ☐ 개

⊞ : ☐ 개

➡ 정사각형의 개수: ☐ 개

□ : ☐ 개

⊞ : ☐ 개

☰ : ☐ 개

➡ 정사각형의 개수: ☐ 개

□ : ☐ 개

⊞ : ☐ 개

☰ : ☐ 개

➡ 정사각형의 개수: ☐ 개

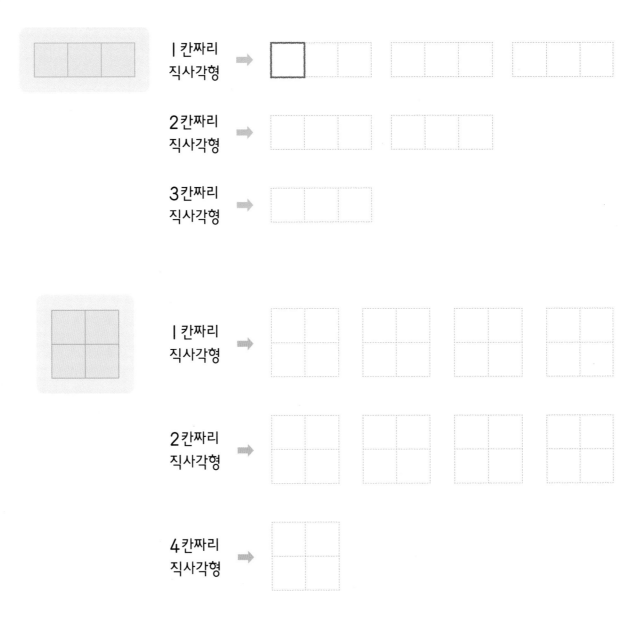

도형에서 찾을 수 있는 크고 작은 직사각형 모두 찾기

| 칸짜리
직사각형 ➡

2칸짜리
직사각형 ➡

응용 **3** 도형에서 찾을 수 있는 크고 작은 직사각형을 모두 그려 보세요.

| 칸짜리
직사각형 ➡

2칸짜리
직사각형 ➡

3칸짜리
직사각형 ➡

| 칸짜리
직사각형 ➡

2칸짜리
직사각형 ➡

4칸짜리
직사각형 ➡

응용 4 도형에서 찾을 수 있는 크고 작은 직사각형의 개수를 구하세요.

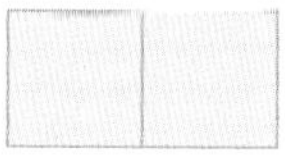

1칸짜리 직사각형 : 2 개, 2칸짜리 직사각형 : □ 개

➡ 직사각형의 개수: □ 개

1칸짜리 직사각형 : □ 개, 2칸짜리 직사각형 : □ 개

➡ 직사각형의 개수: □ 개

1칸짜리 직사각형 : □ 개, 2칸짜리 직사각형 : □ 개,

3칸짜리 직사각형 : □ 개

➡ 직사각형의 개수: □ 개

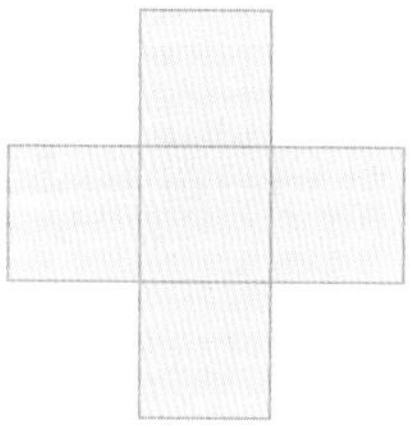

1칸짜리 직사각형 : □ 개, 2칸짜리 직사각형 : □ 개,

3칸짜리 직사각형 : □ 개

➡ 직사각형의 개수: □ 개

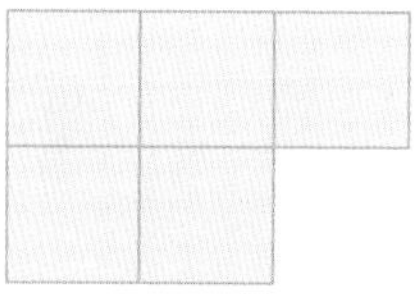

1칸짜리 직사각형 : □ 개, 2칸짜리 직사각형 : □ 개,

3칸짜리 직사각형 : □ 개, 4칸짜리 직사각형 : □ 개

➡ 직사각형의 개수: □ 개

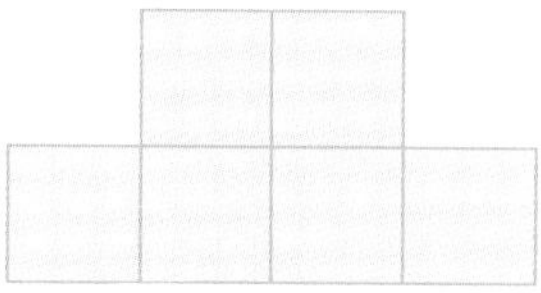

1칸짜리 직사각형 : □ 개, 2칸짜리 직사각형 : □ 개,

3칸짜리 직사각형 : □ 개, 4칸짜리 직사각형 : □ 개

➡ 직사각형의 개수: □ 개

정답 17쪽   분   점수 점

01 알맞은 도형의 이름에 ◯표 하세요.

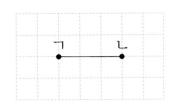

(선분 , 반직선 , 직선) ㄱㄴ

[02~03] 도형의 이름을 써 보세요.

02

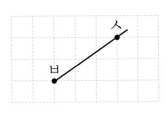

03

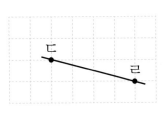

04 도형을 그려 보세요.

반직선 ㄴㄷ   직선 ㄴㄷ

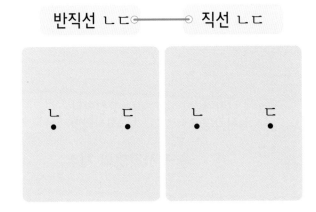

05 이름에 맞게 도형을 그려 보세요.

(1)   선분 ㄷㄹ

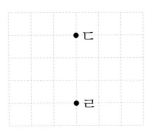

(2)   반직선 ㄷㄴ

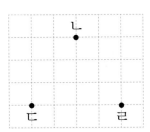

06 그림에 대한 설명이 맞으면 ○표, 틀리면 ✕표 하고, 알맞은 말에 ◯표 하세요.

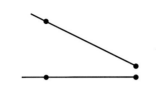

┌ 한 점에서 그었습니다. (　　　)
└ 두 선은 반직선입니다. (　　　)

➡ (각입니다 , 각이 아닙니다).

[07~08] 각을 그려 보세요.

07 　　　　각 ㄴㄷㄹ

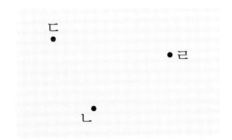

08 　　　　각 ㅇㅈㅊ

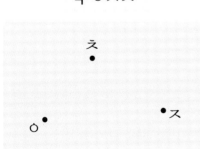

09 직각을 모두 찾아 └ 로 나타내어 보세요.

(1)

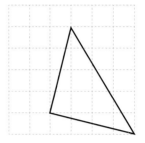

(2)

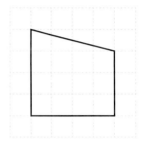

10 그림에 대한 설명이 맞으면 ○표, 틀리면 ✕표 하고, 알맞은 말에 ◯표 하세요.

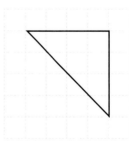

┌ 삼각형입니다. (　　　)
└ 직각이 1개입니다. (　　　)

➡ 직각삼각형이 (맞습니다 , 아닙니다).

11 ▨ 안에 알맞은 수를 쓰고, 알맞은 말에 ◯표 하세요.

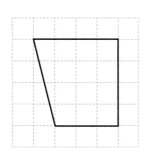

┌ 직각이 ▨ 개입니다.

└ 직사각형이 (맞습니다 , 아닙니다).

12 주어진 선분을 두 변으로 하는 직사각형을 그려 보세요.

(1)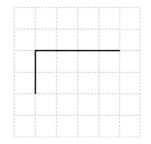

(2)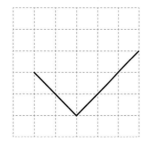

13 직사각형입니다. ▨ 안에 알맞은 수를 써넣으세요.

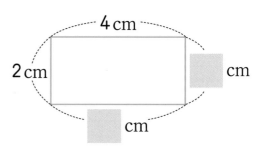

[14~15] 직사각형입니다. ▨ 안에 알맞은 수를 써넣으세요.

14

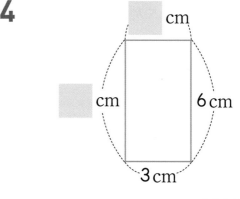

➡ 네 변의 길이의 합: ▨ cm

15

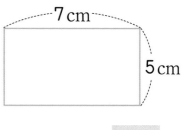

➡ 네 변의 길이의 합: ▨ cm

16 그림에 대한 설명이 맞으면 ○표, 틀리면 ✕표 하고, 알맞은 말에 ◯표 하세요.

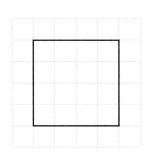

┌ 네 각이 직각입니다. (　　　)
└ 네 변의 길이가 모두 같습니다. (　　　)

➡ 정사각형이 (맞습니다 , 아닙니다).

17 주어진 선분을 한 변으로 하는 정사각형을 그려 보세요.

(1)
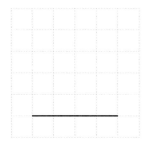

(2)

18 정사각형입니다. ▨ 안에 알맞은 수를 써넣으세요.

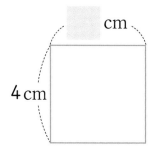

[19~20] 정사각형입니다. ▨ 안에 알맞은 수를 써넣으세요.

19

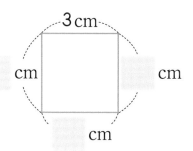

➡ 네 변의 길이의 합: ▨ cm

20

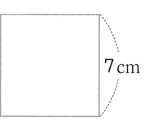

➡ 네 변의 길이의 합: ▨ cm

1 알맞은 도형의 이름에 ○표 하세요.

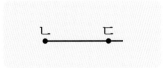

(선분 , 반직선 , 직선) ㄴㄷ

2 각은 어느 것일까요? (   )

3 도형에서 직각을 모두 찾아 ⌐ 로 표시
해 보세요.

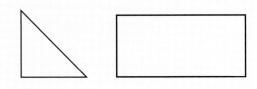

4 도형을 그려 보세요.

반직선 ㅇㅈ

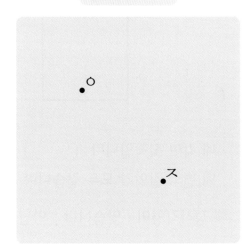

5 각을 읽어 보세요.

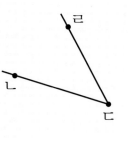

(   )

6 각을 그려 보세요.

각 ㅂㅅㅇ

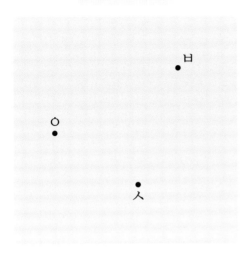

7 직각삼각형을 찾아 기호를 써 보세요.

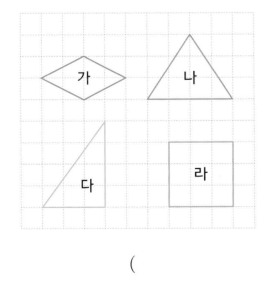

(   )

8 정사각형을 찾아 ○표 하세요.

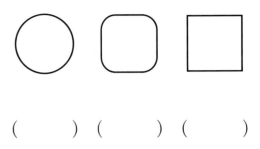

(   ) (   ) (   )

9 직각을 모두 찾아 ⌐ 로 나타내세요.

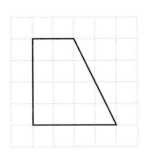

10 정사각형입니다. ■ 안에 알맞은 수를 써넣으세요.

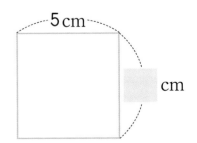

11 설명하는 도형의 이름을 써 보세요.

> • 한 각이 직각입니다.
> • 3개의 선분으로 둘러싸인 도형입니다.

(   )

12 도형에서 직각은 모두 몇 개일까요?

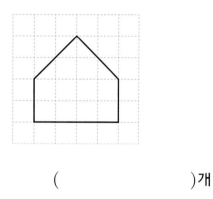

(   )개

13 도형에서 찾을 수 있는 크고 작은 정사각형의 개수를 구하세요.

(   )개

14 직사각형을 모두 찾아 기호를 써 보세요.

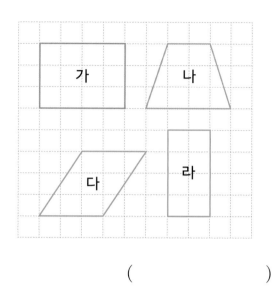

(   )

15 점 종이에 모양과 크기가 다른 직사각형을 2개 그려 보세요.

16 설명이 잘못된 것을 찾아 기호를 써 보세요.

> ㉠ 직사각형은 모든 각이 직각입니다.
> ㉡ 정사각형은 네 각이 모두 직각입니다.
> ㉢ 직각삼각형은 4개의 선분으로 둘러싸인 도형입니다.

(   )

17 두 도형에 있는 직각은 모두 몇 개인지 구하세요.

직각삼각형, 정사각형

(   )개

18 직각의 수가 가장 많은 도형을 찾아 기호를 써 보세요.

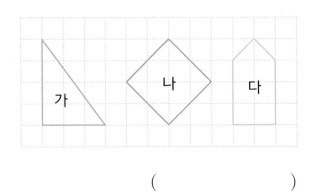

(   )

19 직사각형입니다. 네 변의 길이의 합을 구하세요.

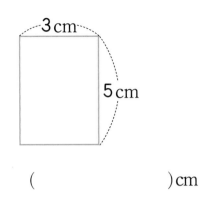

(   )cm

20 도형에서 찾을 수 있는 크고 작은 직사각형의 개수를 구하세요.

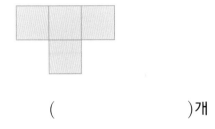

(   )개

memo

논리적 사고력과 창의적 문제해결력을 키워 주는
매스티안 교재 활용법!

대상	창의사고력 교재			연산 교재		대상	교과 계산력 교재
	팩토			사고력을 키우는 팩토 연산	원리 연산 소마셈		단원별 계산력 수학 단계수
5세~6세	킨더팩토 A, B, C, D				소마셈 K시리즈 K1~K8	초1	단원별 계산력 수학 1-1학기 (1~5단원 각 권)
7세~초1	키즈 원리A/탐구A	키즈 원리B/탐구B	키즈 원리C/탐구C	사고력을 키우는 팩토 연산 P01~P05	소마셈 P시리즈 P1~P8	초2	단원별 계산력 수학 2-1학기 ((1~6단원 각 권))
초1~초2	Lv.1 원리A/탐구A	Lv.1 원리B/탐구B	Lv.1 원리C/탐구C	사고력을 키우는 팩토 연산 A01~A05	소마셈 A시리즈 A1~A8	초3	단원별 계산력 수학 3-1학기 (1~6단원 각 권)
초2~초3	Lv.2 원리A/탐구A	Lv.2 원리B/탐구B	Lv.2 원리C/탐구C	사고력을 키우는 팩토 연산 B01~B05	소마셈 B시리즈 B1~B8	초4	단원별 계산력 수학 4-1학기 (1~6단원 각 권)
초3~초4	Lv.3 원리A/탐구A	Lv.3 원리B/탐구B	Lv.3 원리C/탐구C	사고력을 키우는 팩토 연산 C01~C05	소마셈 D시리즈 D1~D6	초5	단원별 계산력 수학 5-1학기 (1~6단원 각 권)
초4~초5	Lv.4 기본A, 실전A	Lv.4 기본B, 실전B			소마셈 C시리즈 C1~C8	초6	단원별 계산력 수학 6-1학기 (1~6단원 각 권)

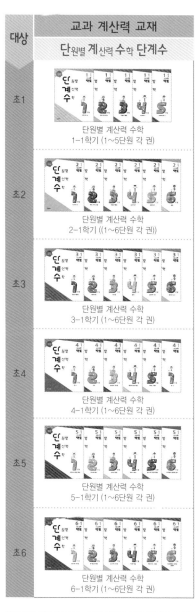

대상	교과 수학 교재	
	1학기	2학기
초5~초6	Lv.5 기본A, 실전A	Lv.5 기본B, 실전B
초1	팩토 수학교과서/익힘책 1-1	팩토 수학교과서/익힘책 1-2
초6~	Lv.6 기본A, 실전A	Lv.6 기본B, 실전B
초2	팩토 수학교과서/익힘책 2-1	팩토 수학교과서/익힘책 2-2

단계수 학습 순서

매일 학습

단원별로 꼭 알아야 할 개념만 쏙쏙 학습하고 다양한 연산 문제를 통해 연산 과정을 숙달하여 계산력을 쑥쑥 키울 수 있습니다.

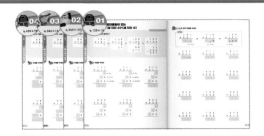

도전! 응용문제

응용 문제와 **서술형** 문제를 통해 사고력과 문제해결력을 기를 수 있습니다.

형성 평가

단원의 **복습 단계**로 문제를 풀면서 학습한 내용을 다시 한 번 확인할 수 있습니다.

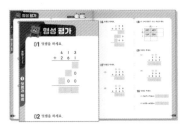

단원 평가

단원의 **마무리 학습**으로 학교 시험에 자주 나오는 문제를 통해 수시 평가 등 학교 시험에 대비할 수 있습니다.

매스티안 http://www.mathtian.com

자율안전확인신고필증번호 : B361H200-4001
1. 주소 : 06153 서울특별시 강남구 봉은사로 442 (삼성동)
2. 문의전화 : 1588-6066
3. 제조국 : 대한민국
4. 사용연령 : 10세 이상
※ KC마크는 이 제품이 공통안전기준에 적합하였음을 의미합니다.

⚠ 주의

종이, 모서리에 다칠 수 있으니 주의하세요!

	초등학교		반		번
이름					

단원별

산력

계

수 학

3-1

초등 수학

팩토

단원

나눗셈

매스티안

팩토는 자유롭게 자신감있게 창의적으로 생각하는 주니어수학자입니다.

단계별 산력수학

펴낸 곳 (주)타임교육C&P   **펴낸이** 이길호   **지은이** 매스티안R&D센터
주소 06153 서울특별시 강남구 봉은사로 442 (삼성동)   **문의전화** 1588.6066
팩토카페 http://cafe.naver.com/factos   **홈페이지** http://www.mathtian.com

※ 이 책의 모든 내용과 삽화에 대한 저작권은 (주)타임교육C&P에 있으므로 무단 복제와 전송을 금합니다.
※ 정답과 풀이는 온라인 팩토카페(http://cafe.naver.com/factos)를 통해서도 확인할 수 있습니다.

생각이 자유로운 사람들! 매스티안R&D센터

매스티안R&D센터의 논리적 사고력과 창의적 문제해결력을 키우는 수학 콘텐츠는 국내외 수많은 교육 현장에서 그 우수성을 높이 평가받고 있습니다.
매스티안R&D센터는 여기에 안주하지 않고 앞으로도 학생, 교사, 학부모 모두가 행복한 수학 시간을 만들 수 있도록 노력하겠습니다.

매스티안 공식 홈페이지 … (http://www.mathtian.com)

· 매스티안의 다양한 출간 교재 소개

· 출간 교재와 관련된 학습 자료(보충 학습지, 활동지 등) 제공

· 출간 교재와 관련된 평가 시험 및 분석 제공

매스티안 공식 카페 … 팩토 (http://cafe.naver.com/factos)

· 창의사고력 수학 팩토 무료 동영상 강의 제공

· 출간 교재에 관한 질문 및 답변

· 영재교육원 대비 자료(기출 문제, 예상 문제) 제공

· 초등 수학 비법 및 Q&A

3-1

초등 수학
팩토

단원별 산력 수학

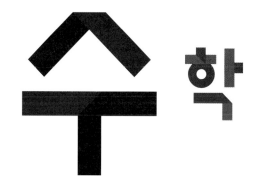

3단원

나눗셈

매스티안

3. 덧셈과 뺄셈
· 9 이하 수의 모으기와 가르기
· 덧셈과 뺄셈

2. 덧셈과 뺄셈 (1)
· 받아올림이 없는 (몇십몇)+(몇)
· 받아내림이 없는 (몇십몇)-(몇)

4. 덧셈과 뺄셈 (2)
· 10이 되는 더하기, 10에서 빼기

6. 덧셈과 뺄셈 (3)
· 10을 이용한 모으기와 가르기
· 덧셈과 뺄셈

6. 곱셈
· 묶어 세기, 몇 배
· 곱셈식으로 나타내기

2. 곱셈구구
· 1단부터 9단까지 곱셈구구
· 0과 어떤 수의 곱

3. 나눗셈
· 똑같이 나누기
· 곱셈과 나눗셈의 관계
· 나눗셈의 몫 구하기

4. 곱셈
· (두 자리 수)×(한 자리 수)

3 나눗셈

Teaching Guide

· 나눗셈은 곱셈의 역연산이고 나눗셈의 몫을 구하는 여러 가지 방법 중 가장 활용도가 높으므로, 나눗셈을 학습하기 전에 곱셈구구를 반드시 암기하고 있어야 합니다.

· 이 단원에서는 사칙연산 중 아이들이 가장 어려워하는 나눗셈의 기초 개념을 형성해야 합니다.
계산 연습도 필요하지만 그에 앞서 개념을 익히고, 구체물을 실제로 조작해보며 나눗셈의 계산 원리를 이해하는 것이 더 필요합니다.

3. 덧셈과 뺄셈

· 두 자리 수의 덧셈과 뺄셈
· 세 수의 계산

2-1

1. 덧셈과 뺄셈

· 세 자리 수의 덧셈과 뺄셈

3-1

1. 자연수의 혼합 계산

· 괄호가 없을 때와 있을 때의
  덧셈, 뺄셈, 곱셈, 나눗셈의
  혼합 계산

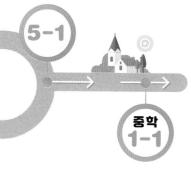

5-1

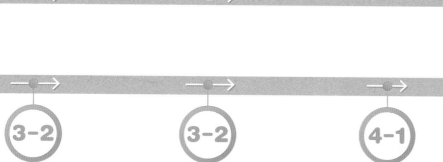

3-2

3-2

4-1

중학 1-1

정수의 계산

1. 곱셈

· (세 자리 수)×(한 자리 수)
· (두 자리 수)×(두 자리 수)

2. 나눗셈

· (두 자리 수)÷(한 자리 수)
· (세 자리 수)÷(한 자리 수)

3. 곱셈과 나눗셈

· (세 자리 수)×(두 자리 수)
· (두 자리 수)÷(두 자리 수)
· (세 자리 수)÷(두 자리 수)

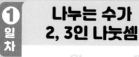
공부한 날짜

① 일차 나누는 수가 2, 3인 나눗셈
월   일

② 일차 나누는 수가 4, 5인 나눗셈
월   일

③ 일차 나누는 수가 6, 7인 나눗셈
월   일

④ 일차 나누는 수가 8, 9인 나눗셈
월   일

⑤ 일차 응용 문제
월   일

⑥ 일차 형성 평가
월   일

⑦ 일차 단원 평가
월   일

01 나누는 수가 2, 3인 나눗셈

🍂 6개의 구슬을 3접시에 똑같이 나누기

구슬 6개를 3접시에 똑같이 나누어 담으면 한 접시에 2개씩입니다.

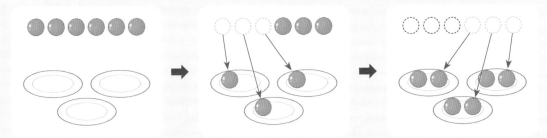

나누어지는 수 → 나누는 수 → ┌몫
나눗셈식   6 ÷ 3 = 2   읽기   6 나누기 3은 2와 같습니다.
전체   접시   한 접시의
구슬 수   수   구슬 수

1 각 접시에 구슬을 똑같이 나누어 그리고 나눗셈을 하세요.

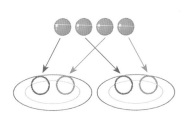

4 ÷ 2 = ☐
전체   접시   한 접시의
구슬 수   수   구슬 수

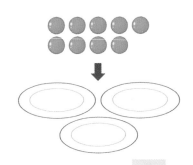

9 ÷ 3 = ☐
전체   접시   한 접시의
구슬 수   수   구슬 수

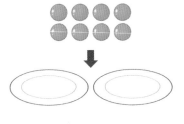

8 ÷ 2 = ☐
전체   접시   한 접시의
구슬 수   수   구슬 수

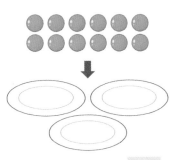

12 ÷ 3 = ☐

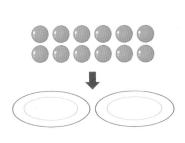

12 ÷ 2 = ☐

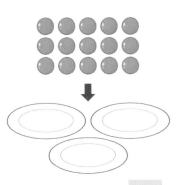

15 ÷ 3 = ☐

2 곱셈을 이용하여 나눗셈을 하세요.

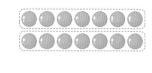

$$7 \times 2 = 14$$

$$14 \div 2 =$$

전체   묶음   한 묶음의
구슬 수   수   구슬 수

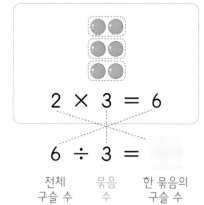

$$2 \times 3 = 6$$

$$6 \div 3 =$$

전체   묶음   한 묶음의
구슬 수   수   구슬 수

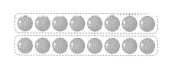

$$8 \times 2 = 16$$

$$16 \div 2 =$$

전체   묶음   한 묶음의
구슬 수   수   구슬 수

$$3 \times 3 = 9$$

$$9 \div 3 =$$

한 묶음의
구슬 수

$$6 \times 2 = 12$$

$$12 \div 2 =$$

한 묶음의
구슬 수

$$5 \times 3 = 15$$

$$15 \div 3 =$$

한 묶음의
구슬 수

$$9 \times 2 = 18$$

$$18 \div 2 =$$

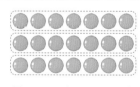

$$7 \times 3 = 21$$

$$21 \div 3 =$$

$$4 \times 2 = 8$$

$$8 \div 2 =$$

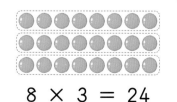

$$8 \times 3 = 24$$

$$24 \div 3 =$$

$$5 \times 2 = 10$$

$$10 \div 2 =$$

$$4 \times 3 = 12$$

$$12 \div 3 =$$

3 곱셈을 이용하여 나눗셈을 하세요.

$8 \div 2 = $

$8 = 2 \times \boxed{4}$ ↑

$18 \div 3 = $

$18 = 3 \times \boxed{6}$ ↑

$14 \div 2 = $

$14 = 2 \times \boxed{7}$ ↑

$15 \div 3 = $

$15 = 3 \times \boxed{}$ ↑

$4 \div 2 = $

$4 = 2 \times \boxed{}$ ↑

$9 \div 3 = $

$9 = 3 \times \boxed{}$ ↑

$10 \div 2 = $

$12 \div 3 = $

$2 \div 2 = $

$24 \div 3 = $

$6 \div 2 = $

$27 \div 3 = $

$12 \div 2 = $

$3 \div 3 = $

$18 \div 2 = $

$6 \div 3 = $

$16 \div 2 = $

$21 \div 3 = $

4 계산한 결과와 같은 칸을 찾아 해당 글자를 써넣어 수수께끼를 해결해 보세요.

사　　9 ÷ 3 = 3

물　　2 ÷ 2 =

어　　24 ÷ 3 =

입　　12 ÷ 3 =

한　　4 ÷ 2 =

과　　18 ÷ 2 =

면　　18 ÷ 3 =

베　　21 ÷ 3 =

를　　10 ÷ 2 =

3	9	5	2	4	7	8	1	6
사								?

02 나누는 수가 4, 5인 나눗셈

정답 20쪽

🍂 **12개의 구슬을 4개씩 덜어 내면서 나누기**

구슬 12개를 4개씩 3번 빼면 0이 됩니다.

$$12 - 4 - 4 - 4 = 0$$

3번

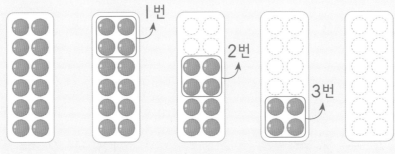

나눗셈식 $12 \div 4 = 3$

전체   빼는   4개씩
구슬 수 구슬 수 뺀 횟수

---

 1 구슬을 똑같은 수만큼씩 덜어 내어 나눗셈을 하세요.

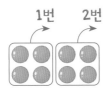

$8 \div 4 = $ ▢

전체   빼는   4개씩
구슬 수 구슬 수 뺀 횟수

$15 \div 5 = $ ▢

전체   빼는   5개씩
구슬 수 구슬 수 뺀 횟수

$16 \div 4 = $ ▢

전체   빼는   4개씩
구슬 수 구슬 수 뺀 횟수

$25 \div 5 = $

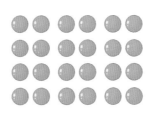

$24 \div 4 = $

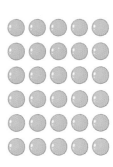

$30 \div 5 = $

2 곱셈을 이용하여 나눗셈을 하세요.

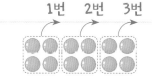

$4 \times 3 = 12$

$12 \div 4 =$

전체   빼는   4개씩
구슬 수   구슬 수   뺀 횟수

$5 \times 2 = 10$

$10 \div 5 =$

전체   빼는   5개씩
구슬 수   구슬 수   뺀 횟수

$4 \times 4 = 16$

$16 \div 4 =$

전체   빼는   4개씩
구슬 수   구슬 수   뺀 횟수

$5 \times 4 = 20$

$20 \div 5 =$

5개씩
뺀 횟수

$4 \times 7 = 28$

$28 \div 4 =$

4개씩
뺀 횟수

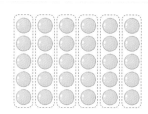

$5 \times 6 = 30$

$30 \div 5 =$

5개씩
뺀 횟수

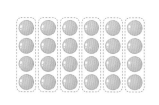

$4 \times 6 = 24$

$24 \div 4 =$

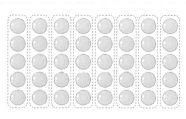

$5 \times 8 = 40$

$40 \div 5 =$

$4 \times 2 = 8$

$8 \div 4 =$

$5 \times 5 = 25$

$25 \div 5 =$

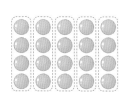

$4 \times 5 = 20$

$20 \div 4 =$

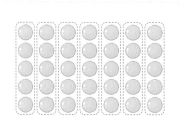

$5 \times 7 = 35$

$35 \div 5 =$

$12 \div 4 = \boxed{}$

$12 = 4 \times \boxed{3}$

$25 \div 5 = \boxed{}$

$25 = 5 \times \boxed{5}$

$8 \div 4 = \boxed{}$

$8 = 4 \times \boxed{2}$

$5 \div 5 = \boxed{}$

$5 = 5 \times \boxed{}$

$28 \div 4 = \boxed{}$

$28 = 4 \times \boxed{}$

$15 \div 5 = \boxed{}$

$15 = 5 \times \boxed{}$

$24 \div 4 = \boxed{}$

$10 \div 5 = \boxed{}$

$36 \div 4 = \boxed{}$

$40 \div 5 = \boxed{}$

$20 \div 4 = \boxed{}$

$30 \div 5 = \boxed{}$

$32 \div 4 = \boxed{}$

$45 \div 5 = \boxed{}$

$4 \div 4 = \boxed{}$

$35 \div 5 = \boxed{}$

$16 \div 4 = \boxed{}$

$20 \div 5 = \boxed{}$

4 갈림길에서 푯말의 조건에 알맞게 길을 따라가세요.

03 나누는 수가 6, 7인 나눗셈

🍂 l2개의 구슬을 6접시에 똑같이 나누기

구슬 l2개를 6접시에 똑같이 나누어 담으면 한 접시에 2개씩입니다.

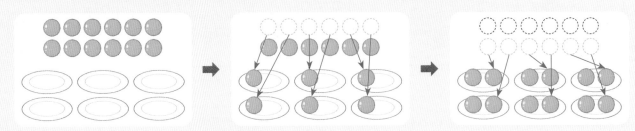

나눗셈식 l2 ÷ 6 = 2

전체   접시   한 접시의
구슬 수   수   구슬 수

 각 접시에 구슬을 똑같이 나누어 그리고 나눗셈을 하세요.

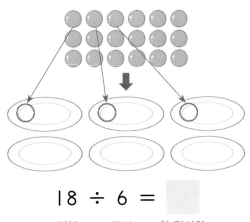

l8 ÷ 6 = ☐

전체   접시   한 접시의
구슬 수   수   구슬 수

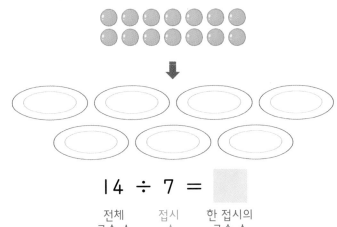

l4 ÷ 7 = ☐

전체   접시   한 접시의
구슬 수   수   구슬 수

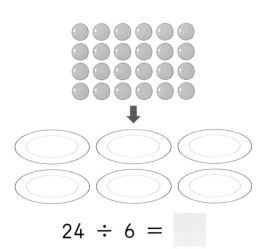

24 ÷ 6 = ☐

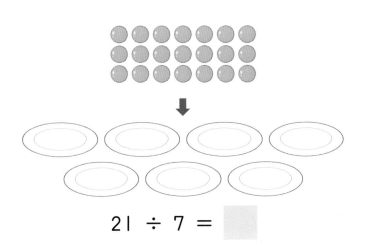

2l ÷ 7 = ☐

2 곱셈을 이용하여 나눗셈을 하세요.

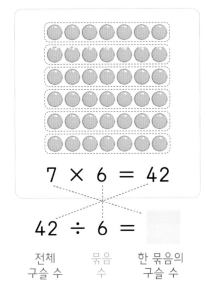

$7 \times 6 = 42$

$42 \div 6 = $

전체   묶음   한 묶음의
구슬 수   수   구슬 수

$5 \times 7 = 35$

$35 \div 7 = $

전체   묶음   한 묶음의
구슬 수   수   구슬 수

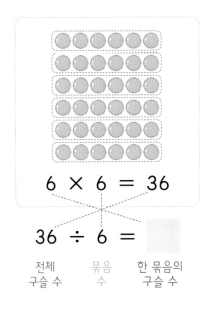

$6 \times 6 = 36$

$36 \div 6 = $

전체   묶음   한 묶음의
구슬 수   수   구슬 수

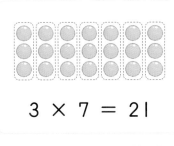

$3 \times 7 = 21$

$21 \div 7 = $

한 묶음의
구슬 수

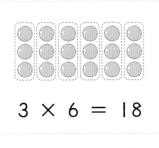

$3 \times 6 = 18$

$18 \div 6 = $

한 묶음의
구슬 수

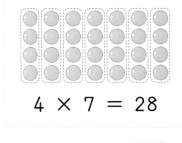

$4 \times 7 = 28$

$28 \div 7 = $

한 묶음의
구슬 수

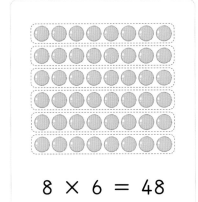

$8 \times 6 = 48$

$48 \div 6 = $

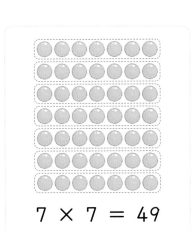

$7 \times 7 = 49$

$49 \div 7 = $

$9 \times 6 = 54$

$54 \div 6 = $

3 곱셈을 이용하여 나눗셈을 하세요.

18 ÷ 6 =

18 = 6 × ③ ↑

28 ÷ 7 =

28 = 7 × ④ ↑

30 ÷ 6 =

30 = 6 × ⑤ ↑

7 ÷ 7 =

7 = 7 × ☐ ↑

42 ÷ 6 =

42 = 6 × ☐ ↑

49 ÷ 7 =

49 = 7 × ☐ ↑

48 ÷ 6 =

63 ÷ 7 =

12 ÷ 6 =

14 ÷ 7 =

24 ÷ 6 =

56 ÷ 7 =

6 ÷ 6 =

21 ÷ 7 =

36 ÷ 6 =

42 ÷ 7 =

54 ÷ 6 =

35 ÷ 7 =

4 안에 알맞은 수를 써넣으세요.

12
÷ 6

12 ÷ 6

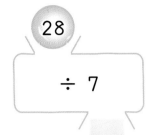

28
÷ 7

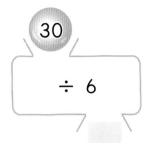

30
÷ 6

35
÷ 7

18
÷ 6

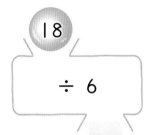

14
÷ 7

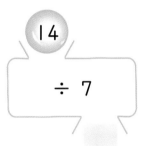

42
÷ 6

63
÷ 7

36
÷ 6

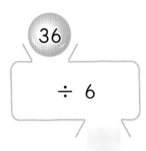

56
÷ 7

24
÷ 6

21
÷ 7

54
÷ 6

42
÷ 7

48
÷ 6

04 나누는 수가 8, 9인 나눗셈

정답 22쪽

🌿 16개의 구슬을 8개씩 덜어 내면서 나누기

구슬 16개를 8개씩 2번 빼면 0이 됩니다.

$$16 - 8 - 8 = 0$$

└─2번─┘

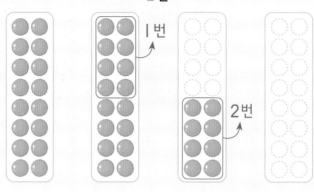

나눗셈식 $16 \div 8 = 2$

전체   빼는   8개씩
구슬 수   구슬 수   뺀 횟수

 구슬을 똑같은 수만큼씩 덜어 내어 나눗셈을 하세요.

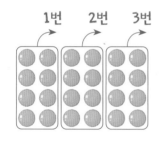

$24 \div 8 = \boxed{}$

전체   빼는   8개씩
구슬 수 구슬 수 뺀 횟수

$18 \div 9 = \boxed{}$

전체   빼는   9개씩
구슬 수 구슬 수 뺀 횟수

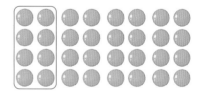

$32 \div 8 = \boxed{}$

전체   빼는   8개씩
구슬 수 구슬 수 뺀 횟수

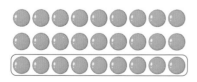

$27 \div 9 = \boxed{}$

$40 \div 8 = \boxed{}$

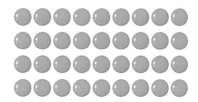

$36 \div 9 = \boxed{}$

16

2 곱셈을 이용하여 나눗셈을 하세요.

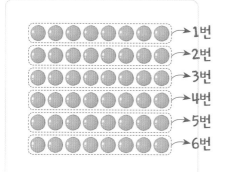

$$8 \times 6 = 48$$

$$48 \div 8 = \boxed{}$$

전체   빼는   8개씩
구슬 수   구슬 수   뺀 횟수

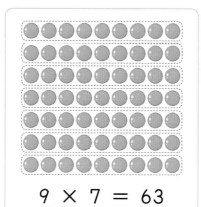

$$9 \times 7 = 63$$

$$63 \div 9 = \boxed{}$$

전체   빼는   9개씩
구슬 수   구슬 수   뺀 횟수

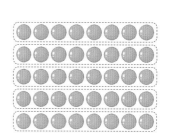

$$8 \times 5 = 40$$

$$40 \div 8 = \boxed{}$$

전체   빼는   8개씩
구슬 수   구슬 수   뺀 횟수

$$9 \times 3 = 27$$

$$27 \div 9 = \boxed{}$$

9개씩
뺀 횟수

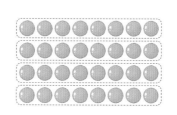

$$8 \times 4 = 32$$

$$32 \div 8 = \boxed{}$$

8개씩
뺀 횟수

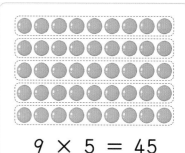

$$9 \times 5 = 45$$

$$45 \div 9 = \boxed{}$$

9개씩
뺀 횟수

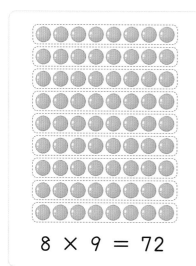

$$8 \times 9 = 72$$

$$72 \div 8 = \boxed{}$$

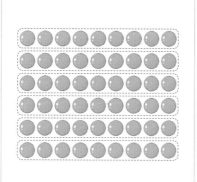

$$9 \times 6 = 54$$

$$54 \div 9 = \boxed{}$$

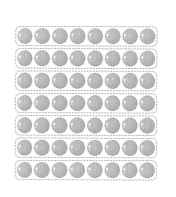

$$8 \times 7 = 56$$

$$56 \div 8 = \boxed{}$$

3 곱셈을 이용하여 나눗셈을 하세요.

$24 \div 8 =$ ☐
$24 = 8 \times \boxed{3}$

$45 \div 9 =$ ☐
$45 = 9 \times \boxed{5}$

$48 \div 8 =$ ☐
$48 = 8 \times \boxed{6}$

$72 \div 9 =$ ☐
$72 = 9 \times$ ☐

$8 \div 8 =$ ☐
$8 = 8 \times$ ☐

$27 \div 9 =$ ☐
$27 = 9 \times$ ☐

$16 \div 8 =$ ☐
$16 = 8 \times$ ☐

$63 \div 9 =$ ☐
$63 = 9 \times$ ☐

$40 \div 8 =$ ☐
$40 = 8 \times$ ☐

$36 \div 9 =$ ☐
$36 = 9 \times$ ☐

$56 \div 8 =$ ☐
$56 = 8 \times$ ☐

$18 \div 9 =$ ☐
$18 = 9 \times$ ☐

$32 \div 8 =$ ☐
$32 = 8 \times$ ☐

$81 \div 9 =$ ☐
$81 = 9 \times$ ☐

$64 \div 8 =$ ☐
$64 = 8 \times$ ☐

$9 \div 9 =$ ☐
$9 = 9 \times$ ☐

$72 \div 8 =$ ☐
$72 = 8 \times$ ☐

$54 \div 9 =$ ☐
$54 = 9 \times$ ☐

4 계산한 값을 따라가며 미로를 탈출하세요.

32÷8	8	63÷9	2	16÷8	3	27÷9	7	48÷8
5		7		4		2		8
45÷9	4	64÷8	5	36÷9	8	32÷8	5	54÷9

출발

36÷9
=4

7		8		6		4		7
40÷8	3	54÷9	6	24÷8	5	45÷9	3	24÷8
6		5		3		8		4
27÷9	8	48÷8	9	36÷9	4	48÷8	6	81÷9
4		2		7		7		9
16÷8	3	63÷9	6	64÷8	5	18÷9	3	56÷8
								7

도착

19

유형 1

||||||||||||||||||||||||||||||||||||||||||||||||

연필 ⑯자루를 ②명이 똑같이 나누어 가지려고 합니다. 한 명이 연필을 몇 자루씩 가질 수 있을까요?

➡️ **주어진 수에 ○표 하고, 구하는 것에 밑줄 치기**

전체 연필의 수: ⬛16⬛ 자루, 사람 수: ⬛⬛ 명

➡️ **문제 해결하기**

연필 16자루를 2명이 똑같이 나누어 가져야 하므로 16을 2로 (곱합니다 , (나눕니다)).

➡️ **문제 풀기**

(한 명이 가질 연필의 수)=(전체 연필의 수)÷(사람 수)

$$= \boxed{} \div \boxed{} = \boxed{} \text{(자루)}$$

➡️ **답 쓰기** 한 명이 연필을 ⬛⬛ 자루씩 가질 수 있습니다.

유형 +1

||||||||||||||||||||||||||||||||||||||||||||||||

쿠키 30개를 6개의 접시에 똑같이 나누어 담으려고 합니다. 한 접시에 쿠키를 몇 개씩 담을 수 있을까요?

➡️ **주어진 수에 ○표 하고, 구하는 것에 밑줄 치기**

전체 쿠키의 수: ⬛⬛ 개, 접시의 수: ⬛⬛ 개

➡️ **문제 해결하기**

쿠키 30개를 6개의 접시에 똑같이 나누어 담아야 하므로 30을 6으로 (곱합니다 , 나눕니다).

➡️ **문제 풀기**

(한 접시의 쿠키의 수)=(전체 쿠키의 수)÷(접시의 수)

$$= \boxed{} \div \boxed{} = \boxed{} \text{(개)}$$

➡️ **답 쓰기** 한 접시에 쿠키를 ⬛⬛ 개씩 담을 수 있습니다.

밀가루 1봉지로 빵 ⑦개를 만들 수 있습니다. 빵 ㉑개를 만들려면 밀가루 몇 봉지가 필요할까요?

▣▶ **주어진 수에 ○표 하고, 구하는 것에 밑줄 치기**

밀가루 1봉지로 만들 수 있는 빵의 수: 개, 만들어야 할 빵의 수: 개

▣▶ **문제 해결하기**

만들어야 할 빵의 수를 밀가루 1봉지로 만들 수 있는 빵의 수로 (곱합니다 , 나눕니다).

▣▶ **문제 풀기**

(필요한 밀가루 봉지 수)＝(만들어야 할 빵의 수)÷(밀가루 1봉지로 만들 수 있는 빵의 수)

＝   ÷   ＝   (봉지)

▣▶ **답 쓰기**   빵 21개를 만들려면 밀가루   봉지가 필요합니다.

한 상자에 빈 병 4개를 담을 수 있습니다. 빈 병 24개를 담으려면 상자 몇 개가 필요할까요?

▣▶ **주어진 수에 ○표 하고, 구하는 것에 밑줄 치기**

한 상자에 담을 수 있는 빈 병 수: 개, 담아야 할 빈 병 수: 개

▣▶ **문제 해결하기**

담아야 할 빈 병 수를 한 상자에 담을 수 있는 빈 병 수로 (곱합니다 , 나눕니다).

▣▶ **문제 풀기**

(필요한 상자 수)＝(담아야 할 빈 병 수)÷(한 상자에 담을 수 있는 빈 병 수)

＝   ÷   ＝   (개)

▣▶ **답 쓰기**   빈 병 24개를 담으려면 상자   개가 필요합니다.

● ■ 안에 알맞은 수를 써넣고 답을 구하세요.

1 Drill

구슬 35개를 5명이 똑같이 나누어 가지려고 합니다. 한 명이 구슬을 몇 개씩 가질 수 있을까요?

주어진 수에 ○표 하고, 구하는 것에 밑줄 쫙!

풀이 (한 명이 가질 구슬 수)＝(전체 구슬 수)÷(사람 수)

$$= \boxed{} \div \boxed{} = \boxed{} \text{(개)}$$

답 ＿＿＿＿＿＿ 개

2 Drill

배 54개를 9개의 상자에 똑같이 나누어 담으려고 합니다. 한 상자에 배를 몇 개씩 담을 수 있을까요?

풀이 (한 상자에 담을 수 있는 배의 수)＝(전체 배의 수)÷(상자 수)

$$= \boxed{} \div \boxed{} = \boxed{} \text{(개)}$$

답 ＿＿＿＿＿＿ 개

3 Drill

색종이 한 장으로 종이학 3개를 만들 수 있습니다. 종이학 15개를 만들려면 색종이 몇 장이 필요할까요?

풀이 (필요한 색종이 수)＝(만들어야 할 종이학 수)÷(한 장으로 만들 수 있는 종이학 수)

$$= \boxed{} \div \boxed{} = \boxed{} \text{(장)}$$

답 ＿＿＿＿＿＿ 장

4 Drill

한 봉지에 고구마 8개를 담을 수 있습니다. 고구마 56개를 담으려면 봉지 몇 개가 필요할까요?

풀이 (필요한 봉지 수)＝(담아야 할 고구마 수)÷(한 봉지에 담을 수 있는 고구마 수)

$$= \boxed{} \div \boxed{} = \boxed{} \text{(개)}$$

답 ＿＿＿＿＿＿ 개

● 서술형 문제를 읽고 풀이 과정과 답을 쓰세요.

 도전 ①

딱지 72장을 9명이 똑같이 나누어 가지려고 합니다. 한 명이 딱지를 몇 장씩 가질 수 있을까요?

풀이

답 _____

도전 ②

연필 30자루를 5개의 연필꽂이에 똑같이 나누어 꽂으려고 합니다. 한 개의 연필꽂이에 연필을 몇 자루씩 꽂을 수 있을까요?

풀이

답 _____

도전 ③

오렌지 1개로 주스 2컵을 만들 수 있습니다. 주스 8컵을 만들려면 오렌지 몇 개가 필요할까요?

풀이

답 _____

도전 ④

한 접시에 마카롱 6개를 담을 수 있습니다. 마카롱 42개를 담으려면 접시 몇 개가 필요할까요?

풀이

답 _____

형성 평가

정답 24쪽

분   점수   점

[01~02] 각 접시에 구슬을 똑같이 나누어 그리고 나눗셈을 하세요.

01

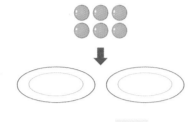

6 ÷ 2 =

02

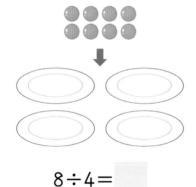

8 ÷ 4 =

[03~04] 곱셈을 이용하여 나눗셈을 하세요.

03

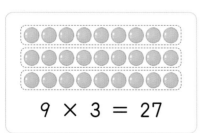

9 × 3 = 27

27 ÷ 3 =

04

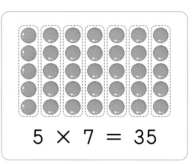

5 × 7 = 35

35 ÷ 5 =

05 곱셈을 이용하여 나눗셈을 하세요.

(1)   12 ÷ 4 =

12 = 4 × ☐

(2)   40 ÷ 5 =

40 = 5 × ☐

(3)   48 ÷ 6 =

(4)   56 ÷ 8 =

(5)   81 ÷ 9 =

[06~07] 그림을 보고 ▨ 안에 알맞은 수를 써 넣으세요.

06

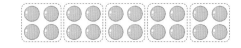

$$20 \div 4 = \boxed{}$$

07

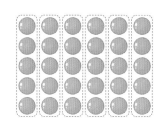

$$30 \div 5 = \boxed{}$$

[08~09] 빈 곳에 알맞은 수를 써넣으세요.

08

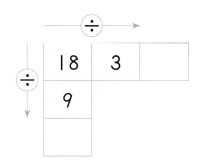

09

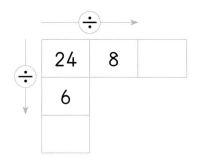

10 빈 곳에 알맞은 수를 써넣으세요.

(1)

(2)

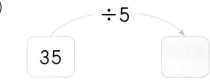

(3)

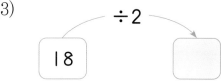

(4)

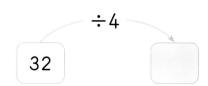

(5)

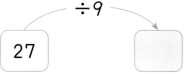

11 빈칸에 알맞은 수를 써넣으세요.

	6	12	18
÷2			
÷3			

[12~13] ▨ 안에 알맞은 수를 써넣으세요.

12

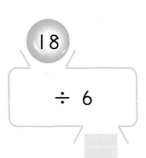

13

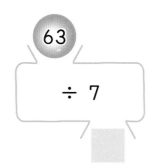

14 관계있는 것끼리 선으로 이어 보세요.

16÷2 •   • 4

20÷5 •   • 3

21÷7 •   • 8

15 ▨ 안에 알맞은 수를 써넣으세요.

(1) 36 ÷ 6 =

(2) 12 ÷ 3 =

(3) 15 ÷ 5 =

(4) 54 ÷ 9 =

(5) 28 ÷ 4 =

16 큰 수를 작은 수로 나눈 몫을 빈 곳에 써넣으세요.

(1)

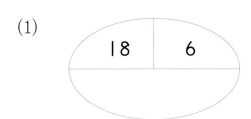

(2)

17 28÷4와 몫이 같은 나눗셈을 찾아 기호를 써 보세요.

ㄱ 32÷8   ㄴ 42÷6

ㄷ 15÷5   ㄹ 54÷9

(   )

18 몫이 가장 큰 것을 찾아 기호를 써 보세요.

ㄱ 24÷3   ㄴ 42÷7

ㄷ 15÷5   ㄹ 24÷6

(   )

[19~20] 빈 곳에 알맞은 수를 써넣으세요.

19

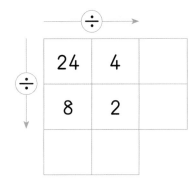

20

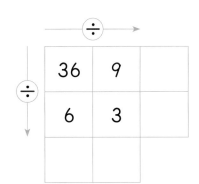

1 그림을 보고 ▨ 안에 알맞은 수를 써넣으세요.

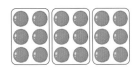

$18 \div 3 =$ ▨

2 나눗셈식으로 나타내어 보세요.

14를 2로 나누면 7과 같습니다.

(　　　　　　　　　)

3 곱셈을 이용하여 나눗셈을 하세요.

$40 \div 5 =$ ▨

4 그림을 보고 ▨ 안에 알맞은 수를 써넣으세요.

$6 \times 3 =$ ▨

▨ $\div 6 = 3$

▨ $\div 3 =$ ▨

5 4의 단 곱셈구구를 이용하여 몫을 구할 수 있는 것은 어느 것일까요? (　　　)

① $16 \div 2$　　② $30 \div 5$

③ $64 \div 8$　　④ $36 \div 4$

⑤ $24 \div 6$

6 안에 알맞은 수를 써넣으세요.

$$45 \div 9 = $$

7 큰 수를 작은 수로 나눈 몫을 구하세요.

6   42

(   )

8 사탕 25개를 5명이 똑같이 나누어 먹으려고 합니다. 한 명이 사탕을 몇 개씩 먹을 수 있을까요?

(   )개

9 나눗셈의 몫을 구하는 데 필요한 곱셈식을 찾아 선으로 이어 보세요.

· 2×8=16

16÷2 ·

· 4×6=24

24÷3 ·

· 8×3=24

10 나눗셈식을 곱셈식으로 바르게 바꾼 것을 모두 찾아 기호를 써 보세요.

$$24 \div 4 = 6$$

㉠ 4×6=24   ㉡ 8×3=24

㉢ 4×7=28   ㉣ 6×4=24

(   )

11 몫이 6인 나눗셈을 찾아 ○표 하세요.

32÷4	18÷9
21÷3	48÷8

12 그림을 보고 곱셈식과 나눗셈식으로 나타내어 보세요.

곱셈식   3× ☐ = ☐

나눗셈식   ☐ ÷ ☐ = ☐

13 빈 곳에 알맞은 수를 써넣으세요.

14 21÷3의 몫을 구하는 곱셈식은 어느 것입니까? (   )

① 4×3=12   ② 6×3=18

③ 3×7=21   ④ 5×4=20

⑤ 2×9=18

15 야구공 30개를 6개의 상자에 똑같이 나누어 담으려고 합니다. 한 상자에 야구공을 몇 개씩 담을 수 있을까요?

(   )개

16 곱셈식을 나눗셈식 2개로 바꿔 보세요.

$$4 \times 7 = 28$$

$$28 \div \boxed{} = \boxed{}$$

$$28 \div \boxed{} = \boxed{}$$

17 몫이 가장 작은 것을 찾아 기호를 써 보세요.

┌─────────────────────────────┐
│ ㉠ 45÷5   ㉡ 28÷4 │
│   │
│ ㉢ 64÷8   ㉣ 18÷9 │
└─────────────────────────────┘

(   )

18 몫의 크기를 비교하여 ○ 안에 >, < 를 알맞게 써넣으세요.

63÷9 ◯ 48÷6

19 사탕 16개를 남김없이 칸마다 똑같이 나누어 담으려고 합니다. 어느 상자에 담아야 하는지 ○표 하세요.

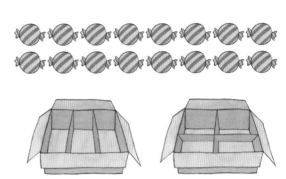

(   )   (   )

20 한 봉지에 감자 9개를 담을 수 있습니다. 감자 72개를 담으려면 봉지 몇 개가 필요할까요?

(   )개

memo

논리적 사고력과 창의적 문제해결력을 키워 주는
매스티안 교재 활용법!

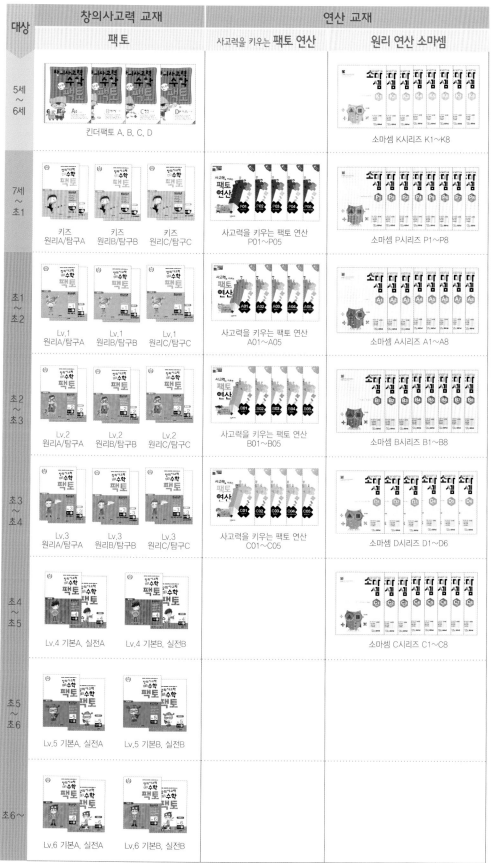

대상	창의사고력 교재			연산 교재	
	팩토			**사고력을 키우는 팩토 연산**	**원리 연산 소마셈**
5세 ~ 6세	킨더팩토 A, B, C, D				소마셈 K시리즈 K1~K8
7세 ~ 초1	키즈 원리A/탐구A	키즈 원리B/탐구B	키즈 원리C/탐구C	사고력을 키우는 팩토 연산 P01~P05	소마셈 P시리즈 P1~P8
초1 ~ 초2	Lv.1 원리A/탐구A	Lv.1 원리B/탐구B	Lv.1 원리C/탐구C	사고력을 키우는 팩토 연산 A01~A05	소마셈 A시리즈 A1~A8
초2 ~ 초3	Lv.2 원리A/탐구A	Lv.2 원리B/탐구B	Lv.2 원리C/탐구C	사고력을 키우는 팩토 연산 B01~B05	소마셈 B시리즈 B1~B8
초3 ~ 초4	Lv.3 원리A/탐구A	Lv.3 원리B/탐구B	Lv.3 원리C/탐구C	사고력을 키우는 팩토 연산 C01~C05	소마셈 D시리즈 D1~D6
초4 ~ 초5	Lv.4 기본A, 실전A	Lv.4 기본B, 실전B			소마셈 C시리즈 C1~C8
초5 ~ 초6	Lv.5 기본A, 실전A	Lv.5 기본B, 실전B			
초6 ~	Lv.6 기본A, 실전A	Lv.6 기본B, 실전B			

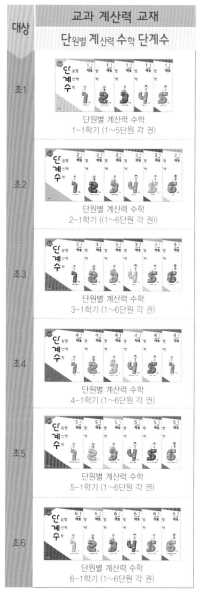

대상	교과 계산력 교재
	단원별 계산력 수학 단계수
초1	단원별 계산력 수학 1-1학기 (1~5단원 각 권)
초2	단원별 계산력 수학 2-1학기 ((1~6단원 각 권))
초3	단원별 계산력 수학 3-1학기 (1~6단원 각 권)
초4	단원별 계산력 수학 4-1학기 (1~6단원 각 권)
초5	단원별 계산력 수학 5-1학기 (1~6단원 각 권)
초6	단원별 계산력 수학 6-1학기 (1~6단원 각 권)

대상	교과 수학 교재	
	1학기	**2학기**
초1	팩토 수학교과서/익힘책 1-1	팩토 수학교과서/익힘책 1-2
초2	팩토 수학교과서/익힘책 2-1	팩토 수학교과서/익힘책 2-2

단계수 학습 순서

매일 학습

단원별로 꼭 알아야 할 개념만 쏙쏙 학습하고 다양한 연산 문제를 통해 연산 과정을 숙달하여 계산력을 쑥쑥 키울 수 있습니다.

도전! 응용문제

응용 문제와 **서술형** 문제를 통해 사고력과 문제해결력을 기를 수 있습니다.

형성 평가

단원의 **복습 단계**로 문제를 풀면서 학습한 내용을 다시 한 번 확인할 수 있습니다.

단원 평가

단원의 **마무리 학습**으로 학교 시험에 자주 나오는 문제를 통해 수시 평가 등 학교 시험에 대비할 수 있습니다.

매스티안 http://www.mathtian.com

자율안전확인신고필증번호 : B361H200-4001
1. 주소 : 06153 서울특별시 강남구 봉은사로 442 (삼성동)
2. 문의전화 : 1588-6066
3. 제조국 : 대한민국
4. 사용연령 : 10세 이상
※ KC마크는 이 제품이 공통안전기준에 적합하였음을 의미합니다.

⚠ 주의
종이, 모서리에 다칠 수 있으니 주의하세요!

초등학교 | 반 | 번

이름

3-1
초등 수학
팩토

단
원별

계
산력

수
학

4 단원

곱셈

매스티안

팩토는 자유롭게 자신감있게 창의적으로 생각하는 주니어수학자입니다.

단원별 계산력 수학

펴낸 곳 (주)타임교육C&P **펴낸이** 이길호 **지은이** 매스티안R&D센터
주소 06153 서울특별시 강남구 봉은사로 442 (삼성동) **문의전화** 1588.6066
팩토카페 http://cafe.naver.com/factos **홈페이지** http://www.mathtian.com

※ 이 책의 모든 내용과 삽화에 대한 저작권은 (주)타임교육C&P에 있으므로 무단 복제와 전송을 금합니다.
※ 정답과 풀이는 온라인 팩토카페(http://cafe.naver.com/factos)를 통해서도 확인할 수 있습니다.

MW2108

생각이 자유로운 사람들! 매스티안R&D센터

매스티안R&D센터의 논리적 사고력과 창의적 문제해결력을 키우는 수학 콘텐츠는 국내외 수많은 교육 현장에서 그 우수성을 높이 평가받고 있습니다.
매스티안R&D센터는 여기에 안주하지 않고 앞으로도 학생, 교사, 학부모 모두가 행복한 수학 시간을 만들 수 있도록 노력하겠습니다.

매스티안 공식 홈페이지 ⋯ (http://www.mathtian.com)

· 매스티안의 다양한 출간 교재 소개

· 출간 교재와 관련된 학습 자료(보충 학습지, 활동지 등) 제공

· 출간 교재와 관련된 평가 시험 및 분석 제공

매스티안 공식 카페 ⋯ 팩토 (http://cafe.naver.com/factos)

· 창의사고력 수학 팩토 무료 동영상 강의 제공

· 출간 교재에 관한 질문 및 답변

· 영재교육원 대비 자료(기출 문제, 예상 문제) 제공

· 초등 수학 비법 및 Q&A

3·1

초등 수학
팩토

단 원별

계 산력

수 학

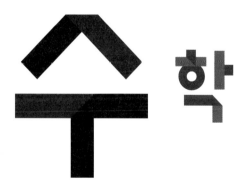

4 단원

곱셈

매스티안

4 곱셈

Teaching Guide

개정 교육과정에서는 계산기를 사용하는 수업을 교과서에 부분적으로 적용시키고 있습니다.
하지만 이 단원에서는 우리 아이들이 곱셈 계산 능력의 기초를 다지고 (두 자리 수)×(한 자리 수)의 계산 원리를 깨닫고 익히는 시기입니다. 따라서 계산 능력과 이 과정에서 함께 기를 수 있는 논리적인 사고력을 키우기 위해 계산기 사용을 권장하지 않습니다.
그러나 계산 실수에 대한 불안을 없애고 학습 동기와 자신감을 부여하기 위하여, 아이 스스로 계산을 한 후에 검토를 하거나 계산 결과를 확인하기 위해 계산기를 사용하는 것은 괜찮습니다.

3. 덧셈과 뺄셈
· 두 자리 수의 덧셈과 뺄셈
· 세 수의 계산

1. 덧셈과 뺄셈
· 세 자리 수의 덧셈과 뺄셈

1. 자연수의 혼합 계산
· 괄호가 없을 때와 있을 때의 덧셈, 뺄셈, 곱셈, 나눗셈의 혼합 계산

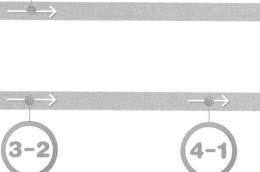

5-1

중학 1-1

정수의 계산

1. 곱셈
· (세 자리 수)×(한 자리 수)
· (두 자리 수)×(두 자리 수)

3-2

2. 나눗셈
· (두 자리 수)÷(한 자리 수)
· (세 자리 수)÷(한 자리 수)

3-2

3. 곱셈과 나눗셈
· (세 자리 수)×(두 자리 수)
· (두 자리 수)÷(두 자리 수)
· (세 자리 수)÷(두 자리 수)

4-1

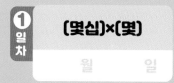
공부한 날짜

❶ 일차 (몇십)×(몇)
월 일

❷ 일차 (몇십몇)×(몇)
월 일

❸ 일차 십의 자리에서 올림이 있는 (몇십몇)×(몇)
월 일

❹ 일차 일의 자리에서 올림이 있는 (몇십몇)×(몇)
월 일

❺ 일차 십의 자리와 일의 자리에서 올림이 있는 (몇십몇)×(몇)
월 일

❻ 일차 응용 문제
월 일

❼ 일차 형성 평가
월 일

❽ 일차 단원 평가
월 일

01 (몇십)×(몇)

정답 26쪽

🍂 30×2 알아보기

$$30 \times 2 = 30 + 30 = 60$$

1 곱셈을 하세요.

20×2= [20] + [20]
=

30×3= [ ] + [ ] + [ ]
=

40×2= [ ] + [ ]
=

20×3= [ ] + [ ] + [ ]
=

50×2= [ ] + [ ]
=

40×3= [ ] + [ ] + [ ]
=

80×2= [ ] + [ ]
=

70×3= [ ] + [ ] + [ ]
=

2 보기 와 같이 곱셈을 하세요.

보기

$$
\begin{array}{r}
6\ 0 \\
\times \quad\ 2 \\
\hline
\quad\quad 0
\end{array}
$$

$0 \times 2 = 0$

➡

$$
\begin{array}{r}
6\ 0 \\
\times \quad\ 2 \\
\hline
1\ 2\ 0
\end{array}
$$

$6 \times 2 = 12$

$$
\begin{array}{r}
2\ 0 \\
\times \quad 3 \\
\hline
\quad\ 0
\end{array}
$$

$$
\begin{array}{r}
1\ 0 \\
\times \quad 7 \\
\hline
\end{array}
$$

$$
\begin{array}{r}
1\ 0 \\
\times \quad 5 \\
\hline
\end{array}
$$

$$
\begin{array}{r}
1\ 0 \\
\times \quad 9 \\
\hline
\end{array}
$$

$$
\begin{array}{r}
2\ 0 \\
\times \quad 4 \\
\hline
\end{array}
$$

$$
\begin{array}{r}
3\ 0 \\
\times \quad 3 \\
\hline
\end{array}
$$

$$
\begin{array}{r}
8\ 0 \\
\times \quad 3 \\
\hline
\end{array}
$$

$$
\begin{array}{r}
2\ 0 \\
\times \quad 6 \\
\hline
\end{array}
$$

$$
\begin{array}{r}
9\ 0 \\
\times \quad 3 \\
\hline
\end{array}
$$

$$
\begin{array}{r}
5\ 0 \\
\times \quad 4 \\
\hline
\end{array}
$$

$$
\begin{array}{r}
6\ 0 \\
\times \quad 5 \\
\hline
\end{array}
$$

$$
\begin{array}{r}
4\ 0 \\
\times \quad 7 \\
\hline
\end{array}
$$

$$
\begin{array}{r}
9\ 0 \\
\times \quad 2 \\
\hline
\end{array}
$$

$$
\begin{array}{r}
8\ 0 \\
\times \quad 8 \\
\hline
\end{array}
$$

$$
\begin{array}{r}
7\ 0 \\
\times \quad 6 \\
\hline
\end{array}
$$

3 와 같이 곱셈을 하세요.

$20 \times 6 = \boxed{ 0}$ → $20 \times 6 = \boxed{1 \; 2 \; 0}$
0 ────↑   12 ────↑

$30 \times 2 = \boxed{ 0}$

$20 \times 2 = \boxed{}$

$20 \times 3 = \boxed{}$

$10 \times 9 = \boxed{}$

$10 \times 5 = \boxed{}$

$40 \times 2 = \boxed{}$

$20 \times 9 = \boxed{}$

$60 \times 6 = \boxed{}$

$50 \times 5 = \boxed{}$

$30 \times 4 = \boxed{}$

$70 \times 4 = \boxed{}$

$80 \times 5 = \boxed{}$

$60 \times 7 = \boxed{}$

$90 \times 4 = \boxed{}$

$40 \times 5 = \boxed{}$

$60 \times 8 = \boxed{}$

4 계산한 값을 표에서 찾아 색칠하여 나오는 글자를 찾아보세요.

	1 0
×	6
6	0

	3 0
×	4

	4 0
×	2

	5 0
×	6

	7 0
×	5

	7 0
×	7

	2 0
×	9

	6 0
×	6

	9 0
×	8

	8 0
×	3

	3 0
×	3

160	70	230	360	440
240	120	30	80	300
630	490	140	90	560
280	460	200	250	640
150	40	60	720	400
420	200	350	180	320

02 (몇십몇)×(몇)

🍂 **13×2 알아보기**

```
    1 3              1 3              1 3
×     2      →    ×     2      →    ×     2
    6                6                6
                   2 0              2 0
                                    2 6
```

🐭 **1** 곱셈을 하세요.

```
        2 1
×         3
              ←1×3
        0     ←20×3
```

```
        4 2
×         2
              ←2×2
        0     ←40×2
```

```
        1 4
×         2
              ←4×2
        0     ←10×2
```

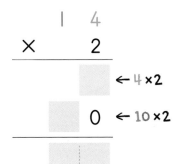

```
        1 3
×         3

        0
```

```
        3 2
×         3

        0
```

```
        2 2
×         3

        0
```

```
        1 2
×         2

        0
```

```
        2 3
×         2

        0
```

```
        1 2
×         4

        0
```

2 보기 와 같이 곱셈을 하세요.

보기

$$3 \times 2 = 6 \qquad\qquad 1 \times 2 = 2$$

$$\begin{array}{r} 1\ 4 \\ \times\quad 2 \\ \hline \quad 8 \end{array}$$

$$\begin{array}{r} 3\ 1 \\ \times\quad 2 \\ \hline \end{array}$$

$$\begin{array}{r} 1\ 1 \\ \times\quad 8 \\ \hline \end{array}$$

$$\begin{array}{r} 4\ 3 \\ \times\quad 2 \\ \hline \end{array}$$

$$\begin{array}{r} 3\ 3 \\ \times\quad 3 \\ \hline \end{array}$$

$$\begin{array}{r} 2\ 1 \\ \times\quad 4 \\ \hline \end{array}$$

$$\begin{array}{r} 1\ 3 \\ \times\quad 3 \\ \hline \end{array}$$

$$\begin{array}{r} 2\ 3 \\ \times\quad 2 \\ \hline \end{array}$$

$$\begin{array}{r} 4\ 1 \\ \times\quad 2 \\ \hline \end{array}$$

$$\begin{array}{r} 2\ 1 \\ \times\quad 2 \\ \hline \end{array}$$

$$\begin{array}{r} 3\ 2 \\ \times\quad 2 \\ \hline \end{array}$$

$$\begin{array}{r} 1\ 2 \\ \times\quad 3 \\ \hline \end{array}$$

$$\begin{array}{r} 4\ 2 \\ \times\quad 2 \\ \hline \end{array}$$

$$\begin{array}{r} 2\ 3 \\ \times\quad 3 \\ \hline \end{array}$$

$$\begin{array}{r} 4\ 4 \\ \times\quad 2 \\ \hline \end{array}$$

3 보기 와 같이 곱셈을 하세요.

보기

$$2\,1 \times 3 = \boxed{\;\vdots\;3}$$
$$\downarrow_{3}$$

➡

$$2\,1 \times 3 = \boxed{6\;\vdots\;3}$$
$$\downarrow_{6}$$

$$1\,3 \times 3 = \boxed{\;\vdots\;9}$$

$$2\,2 \times 3 = \boxed{\;\vdots\;}$$

$$1\,2 \times 4 = \boxed{\;\vdots\;}$$

$$4\,1 \times 2 = \boxed{\;\vdots\;}$$

$$3\,2 \times 2 = \boxed{\;\vdots\;}$$

$$1\,1 \times 4 = \boxed{\;\vdots\;}$$

$$3\,2 \times 3 = \boxed{\;\vdots\;}$$

$$2\,1 \times 4 = \boxed{\;\vdots\;}$$

$$2\,3 \times 3 = \boxed{\;\vdots\;}$$

$$1\,3 \times 2 = \boxed{\;\vdots\;}$$

$$1\,2 \times 2 = \boxed{\;\vdots\;}$$

$$2\,2 \times 2 = \boxed{\;\vdots\;}$$

$$2\,1 \times 2 = \boxed{\;\vdots\;}$$

$$4\,3 \times 2 = \boxed{\;\vdots\;}$$

$$3\,3 \times 2 = \boxed{\;\vdots\;}$$

$$1\,1 \times 5 = \boxed{\;\vdots\;}$$

4 ☐ 안에 알맞은 수를 써넣으세요.

```
        21
   13 × 3
        4          13 × 3

21 × 4
```

```
        32
   12 × 4
        3
```

```
        11
   43 × 2
        4
```

```
        23
   31 × 3
        2
```

```
        34
   12 × 3
        2
```

```
        22
   13 × 2
        3
```

```
        41
   11 × 7
        2
```

```
        42
   32 × 2
        2
```

03 십의 자리에서 올림이 있는 (몇십몇)×(몇)

정답 28쪽

🍂 32×4 알아보기

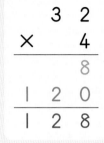

```
        3 2              3 2              3 2
    ×     4          ×     4          ×     4
    ───────          ───────          ───────
          8                8                8
                       1 2 0            1 2 0
                                        1 2 8
```

1 곱셈을 하세요.

```
      5 2                    4 1                    6 2
  ×     3                ×     7                ×     2
  ─────────              ─────────              ─────────
        [ ] ←2×3               [ ] ←1×7               [ ] ←2×2
  [   ] 0 ←50×3          [   ] 0 ←40×7          [   ] 0 ←60×2
  ─────────              ─────────              ─────────
  [   ] [ ]              [   ] [ ]              [   ] [ ]
```

```
      7 1                    3 1                    8 3
  ×     6                ×     9                ×     3
  ─────────              ─────────              ─────────
        [ ]                    [ ]                    [ ]
  [   ] 0                [   ] 0                [   ] 0
  ─────────              ─────────              ─────────
  [   ] [ ]              [   ] [ ]              [   ] [ ]
```

```
      6 4                    7 2                    9 1
  ×     2                ×     3                ×     8
  ─────────              ─────────              ─────────
        [ ]                    [ ]                    [ ]
  [   ] 0                [   ] 0                [   ] 0
  ─────────              ─────────              ─────────
  [   ] [ ]              [   ] [ ]              [   ] [ ]
```

2 보기 와 같이 곱셈을 하세요.

보기

$$\begin{array}{r} 8\ 4 \\ \times\quad 2 \\ \hline 8 \end{array}$$

$4 \times 2 = 8$

➡

$$\begin{array}{r} 8\ 4 \\ \times\quad 2 \\ \hline 1\ 6\ 8 \end{array}$$

$8 \times 2 = 16$

$$\begin{array}{r} 7\ 1 \\ \times\quad 3 \\ \hline 3 \end{array}$$

$$\begin{array}{r} 6\ 2 \\ \times\quad 4 \\ \hline \end{array}$$

$$\begin{array}{r} 5\ 3 \\ \times\quad 2 \\ \hline \end{array}$$

$$\begin{array}{r} 9\ 2 \\ \times\quad 2 \\ \hline \end{array}$$

$$\begin{array}{r} 7\ 2 \\ \times\quad 3 \\ \hline \end{array}$$

$$\begin{array}{r} 8\ 1 \\ \times\quad 4 \\ \hline \end{array}$$

$$\begin{array}{r} 5\ 4 \\ \times\quad 2 \\ \hline \end{array}$$

$$\begin{array}{r} 6\ 3 \\ \times\quad 3 \\ \hline \end{array}$$

$$\begin{array}{r} 5\ 2 \\ \times\quad 4 \\ \hline \end{array}$$

$$\begin{array}{r} 8\ 2 \\ \times\quad 3 \\ \hline \end{array}$$

$$\begin{array}{r} 9\ 1 \\ \times\quad 6 \\ \hline \end{array}$$

$$\begin{array}{r} 3\ 1 \\ \times\quad 7 \\ \hline \end{array}$$

$$\begin{array}{r} 5\ 3 \\ \times\quad 3 \\ \hline \end{array}$$

$$\begin{array}{r} 6\ 4 \\ \times\quad 2 \\ \hline \end{array}$$

$$\begin{array}{r} 7\ 1 \\ \times\quad 5 \\ \hline \end{array}$$

3 보기 와 같이 곱셈을 하세요.

보기

$63 \times 3 = \boxed{ \vdots \vdots 9}$　　➡　　$63 \times 3 = \boxed{1 \vdots 8 \vdots 9}$

9　　　　　　　　　　　　　18

$73 \times 2 = \boxed{ \vdots \vdots 6}$　　　　　$64 \times 2 = \boxed{ \vdots \vdots }$

$82 \times 4 = \boxed{ \vdots \vdots }$　　　　　$41 \times 4 = \boxed{ \vdots \vdots }$

$52 \times 2 = \boxed{ \vdots \vdots }$　　　　　$63 \times 2 = \boxed{ \vdots \vdots }$

$91 \times 8 = \boxed{ \vdots \vdots }$　　　　　$53 \times 3 = \boxed{ \vdots \vdots }$

$32 \times 4 = \boxed{ \vdots \vdots }$　　　　　$61 \times 5 = \boxed{ \vdots \vdots }$

$72 \times 3 = \boxed{ \vdots \vdots }$　　　　　$54 \times 2 = \boxed{ \vdots \vdots }$

$94 \times 2 = \boxed{ \vdots \vdots }$　　　　　$73 \times 3 = \boxed{ \vdots \vdots }$

$81 \times 6 = \boxed{ \vdots \vdots }$　　　　　$51 \times 7 = \boxed{ \vdots \vdots }$

4 곱셈한 값이 큰 쪽의 길을 따라가 집에 도착해 보세요.

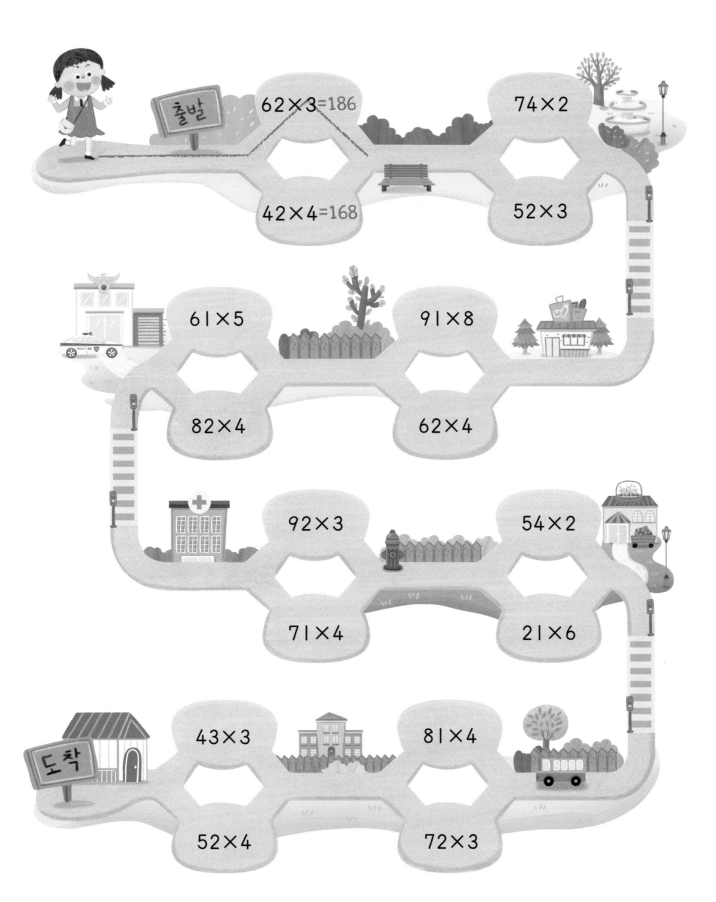

출발

62×3=186

42×4=168

74×2

52×3

61×5

82×4

91×8

62×4

92×3

71×4

54×2

21×6

도착

43×3

52×4

81×4

72×3

04 일의 자리에서 올림이 있는 (몇십몇)×(몇)

🍂 16×4 알아보기

```
    1 6          1 6          1 6
  ×   4        ×   4        ×   4
    2 4          2 4          2 4
                 4 0          4 0
                              6 4
```

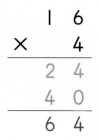

1 곱셈을 하세요.

```
      3 5                    1 7                    2 4
  ×     2                ×     3                ×     3
  ┌─────────┐  ← 5×2     ┌─────────┐  ← 7×3     ┌─────────┐  ← 4×3
  ┌─────┐ 0  ← 30×2     ┌─────┐ 0  ← 10×3     ┌─────┐ 0  ← 20×3
  ┌─────────┐            ┌─────────┐            ┌─────────┐
```

```
      1 8                    4 6                    1 5
  ×     5                ×     2                ×     4
  ┌─────────┐            ┌─────────┐            ┌─────────┐
  ┌─────┐ 0            ┌─────┐ 0            ┌─────┐ 0
  ┌─────────┐            ┌─────────┐            ┌─────────┐
```

```
      2 4                    1 4                    2 7
  ×     4                ×     3                ×     3
  ┌─────────┐            ┌─────────┐            ┌─────────┐
  ┌─────┐ 0            ┌─────┐ 0            ┌─────┐ 0
  ┌─────────┐            ┌─────────┐            ┌─────────┐
```

2 보기 와 같이 곱셈을 하세요.

보기

```
      2  7              2  7
   ×     3    ➡      ×     3
   ─────────         ─────────
         1              8  1
```
7×3=21   6+2=8

```
      1  3
   ×     4
   ─────────
            2
```

```
      1  8
   ×     5
   ─────────
```

```
      3  7
   ×     2
   ─────────
```

```
      2  9
   ×     3
   ─────────
```

```
      2  4
   ×     4
   ─────────
```

```
      1  5
   ×     6
   ─────────
```

```
      1  7
   ×     4
   ─────────
```

```
      2  5
   ×     2
   ─────────
```

```
      3  9
   ×     2
   ─────────
```

```
      2  3
   ×     4
   ─────────
```

```
      3  6
   ×     2
   ─────────
```

```
      2  8
   ×     3
   ─────────
```

3 보기 와 같이 곱셈을 하세요.

보기

$16 \times 3 =$ □ 8 ➡ $16 \times 3 =$ 4 8

18   3 + 1 = 4

$12 \times 5 =$ ① 0

$26 \times 2 =$

$17 \times 2 =$

$15 \times 3 =$

$25 \times 3 =$

$35 \times 2 =$

$38 \times 2 =$

$16 \times 6 =$

$18 \times 4 =$

$19 \times 3 =$

$29 \times 2 =$

$46 \times 2 =$

$14 \times 7 =$

$17 \times 5 =$

$13 \times 5 =$

$27 \times 3 =$

4 안에 알맞은 수를 써넣으세요.

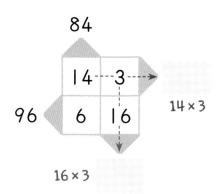

84

14	3
6	16

96

14 × 3

16 × 3

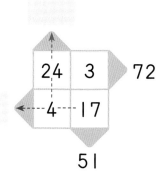

24	3
4	17

72

51

78

26	2
3	18

29	2
3	17

58

15	4
5	19

76

15	3
2	28

25	2
3	19

18	5
4	13

05 십의 자리와 일의 자리에서 올림이 있는 (몇십몇)×(몇)

정답 30쪽

🍂 42×8 알아보기

```
    4 2            4 2            4 2
  ×   8          ×   8          ×   8
  ─────          ─────          ─────
    1 6            1 6            1 6
              ⇒  3 2 0      ⇒  3 2 0
                             ─────────
                               3 3 6
```

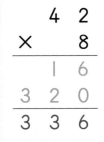

1 곱셈을 하세요.

```
    3 7                    2 6                    4 8
  ×   5                  ×   6                  ×   3
  ─────                  ─────                  ─────
  [    ] ← 7×5           [    ] ← 6×6           [    ] ← 8×3
  [  ] 0 ← 30×5         [  ] 0 ← 20×6         [  ] 0 ← 40×3
  ─────                  ─────                  ─────
  [    ]                 [    ]                 [    ]
```

```
    5 2                    8 6                    5 4
  ×   7                  ×   2                  ×   5
  ─────                  ─────                  ─────
  [    ]                 [    ]                 [    ]
  [  ] 0                 [  ] 0                 [  ] 0
  ─────                  ─────                  ─────
  [    ]                 [    ]                 [    ]
```

```
    6 3                    3 9                    7 6
  ×   9                  ×   6                  ×   4
  ─────                  ─────                  ─────
  [    ]                 [    ]                 [    ]
  [  ] 0                 [  ] 0                 [  ] 0
  ─────                  ─────                  ─────
  [    ]                 [    ]                 [    ]
```

❷ 보기 와 같이 곱셈을 하세요.

보기

$$
\begin{array}{r}
^2 \; 5\;4 \\
\times \quad 7 \\
\hline
8
\end{array}
\quad\Rightarrow\quad
\begin{array}{r}
^2 \; 5\;4 \\
\times \quad 7 \\
\hline
3\;7\;8
\end{array}
$$

$4 \times 7 = 28$ $35 + 2 = 37$

$$
\begin{array}{r}
^4 \; 3\;8 \\
\times \quad 5 \\
\hline
0
\end{array}
\qquad
\begin{array}{r}
4\;7 \\
\times \quad 4 \\
\hline
\end{array}
\qquad
\begin{array}{r}
5\;9 \\
\times \quad 2 \\
\hline
\end{array}
$$

$$
\begin{array}{r}
7\;5 \\
\times \quad 8 \\
\hline
\end{array}
\qquad
\begin{array}{r}
6\;5 \\
\times \quad 4 \\
\hline
\end{array}
\qquad
\begin{array}{r}
9\;4 \\
\times \quad 6 \\
\hline
\end{array}
$$

$$
\begin{array}{r}
8\;4 \\
\times \quad 9 \\
\hline
\end{array}
\qquad
\begin{array}{r}
3\;9 \\
\times \quad 3 \\
\hline
\end{array}
\qquad
\begin{array}{r}
7\;6 \\
\times \quad 3 \\
\hline
\end{array}
$$

$$
\begin{array}{r}
6\;7 \\
\times \quad 8 \\
\hline
\end{array}
\qquad
\begin{array}{r}
8\;2 \\
\times \quad 8 \\
\hline
\end{array}
\qquad
\begin{array}{r}
5\;5 \\
\times \quad 7 \\
\hline
\end{array}
$$

3 보기 와 같이 곱셈을 하세요.

보기

$75 \times 3 = $ [| | 5] ①

$\underbrace{5}$ → 15

➡

$75 \times 3 = $ [2 | 2 | 5] ①

$\underbrace{75}$ $21 + 1 = 22$

②

$24 \times 6 = $ [| | 4]

$33 \times 5 = $ [| |]

$56 \times 8 = $ [| |]

$45 \times 4 = $ [| |]

$37 \times 4 = $ [| |]

$83 \times 6 = $ [| |]

$92 \times 8 = $ [| |]

$54 \times 3 = $ [| |]

$29 \times 8 = $ [| |]

$45 \times 6 = $ [| |]

$53 \times 7 = $ [| |]

$38 \times 6 = $ [| |]

$54 \times 5 = $ [| |]

$94 \times 4 = $ [| |]

$89 \times 3 = $ [| |]

$64 \times 8 = $ [| |]

4 가로세로 퍼즐을 완성해 보세요.

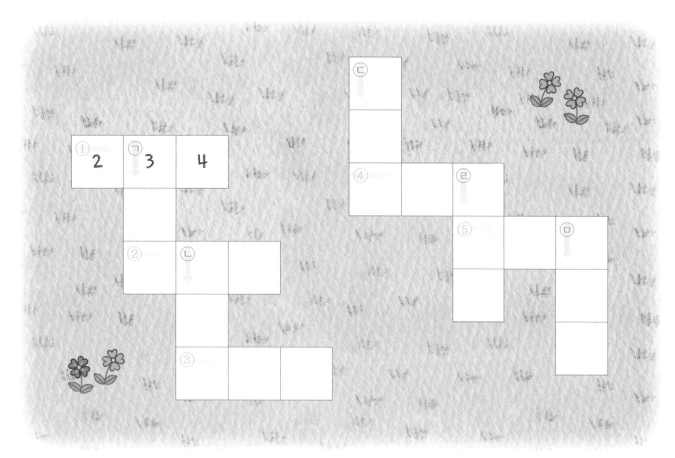

23

유형 1 ⅠⅠⅠⅠⅠⅠⅠⅠⅠⅠⅠⅠⅠⅠⅠⅠⅠⅠⅠⅠⅠⅠⅠⅠⅠⅠⅠⅠⅠⅠⅠⅠⅠⅠⅠ

재민이는 하루에 동화책을 13쪽씩 읽었습니다. 재민이가 3일 동안 읽은 동화책은 모두 몇 쪽일까요?

➡ **주어진 수에 ○표 하고, 구하는 것에 밑줄 치기**

하루에 읽은 동화책 쪽수: ⬜ 쪽, 동화책을 읽은 날수: ⬜ 일

➡ **문제 해결하기**

하루에 동화책을 13쪽씩 3일 동안 읽었으므로 13과 3을 (곱합니다 , 나눕니다).

➡ **문제 풀기**

(3일 동안 읽은 동화책 쪽수)=(하루에 읽은 동화책 쪽수)×(동화책을 읽은 날수)

= ⬜ × ⬜ = ⬜ (쪽)

➡ **답 쓰기**

3일 동안 읽은 동화책은 모두 ⬜ 쪽입니다.

유형+ 1 ⅠⅠⅠⅠⅠⅠⅠⅠⅠⅠⅠⅠⅠⅠⅠⅠⅠⅠⅠⅠⅠⅠⅠⅠⅠⅠⅠⅠⅠⅠⅠⅠⅠⅠⅠ

주아네 학교 3학년 한 반의 학생 수는 32명입니다. 주아네 학교 3학년이 4개 반이라면 3학년 학생은 모두 몇 명일까요?

➡ **주어진 수에 ○표 하고, 구하는 것에 밑줄 치기**

3학년 한 반의 학생 수: ⬜ 명, 3학년 반 수: ⬜ 개

➡ **문제 해결하기**

3학년 한 반의 학생 수가 32명씩이고 4개 반이므로 32와 4를 (곱합니다 , 나눕니다).

➡ **문제 풀기**

(3학년 전체 학생 수)=(3학년 한 반의 학생 수)×(3학년 반 수)

= ⬜ × ⬜ = ⬜ (명)

➡ **답 쓰기**

3학년 학생은 모두 ⬜ 명입니다.

민호는 매일 I 2개씩 윗몸일으키기를 합니다. 민호가 일주일 동안 한 윗몸일으키기는 모두 몇 개일까요?

■▶ 주어진 수에 ○표 하고, 구하는 것에 밑줄 치기

매일 한 윗몸일으키기 수: 개, 일주일의 날수: 일

■▶ 문제 해결하기

윗몸일으키기를 I 2개씩 일주일 동안 하므로 I 2와 7을 (곱합니다 , 나눕니다).

■▶ 문제 풀기

(일주일 동안 한 윗몸일으키기 수)＝(매일 한 윗몸일으키기 수)×(일주일의 날수)

= ___ × ___ = ___ (개)

■▶ 답 쓰기

일주일 동안 한 윗몸일으키기는 모두   개입니다.

극장에 있는 의자는 한 줄에 35명이 앉을 수 있습니다. 의자가 9줄이면 모두 몇 명이 앉을 수 있을까요?

■▶ 주어진 수에 ○표 하고, 구하는 것에 밑줄 치기

의자 한 줄에 앉을 수 있는 사람 수: 명, 의자의 줄 수: 줄

■▶ 문제 해결하기

35명씩 앉을 수 있는 의자는 9줄 있으므로 35와 9를 (곱합니다 , 나눕니다).

■▶ 문제 풀기

(의자에 앉을 수 있는 전체 사람 수)＝(의자 한 줄에 앉을 수 있는 사람 수)×(의자의 줄 수)

= ___ × ___ = ___ (명)

■▶ 답 쓰기

의자에는 모두   명이 앉을 수 있습니다.

● 안에 알맞은 수를 써넣고 답을 구하세요.

1 Drill

어느 꽃집에 장미가 20송이씩 6묶음 있습니다. 장미는 모두 몇 송이 있을까요?

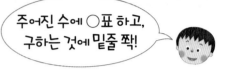
주어진 수에 ○표 하고,
구하는 것에 밑줄 쫙!

풀이 (전체 장미 수)=(한 묶음에 있는 장미 수)×(묶음 수)

= ☐ × ☐ = ☐ (송이)

답 ☐ 송이

2 Drill

사과가 한 상자에 23개씩 들어 있습니다. 2상자에 들어 있는 사과는 모두 몇 개일까요?

풀이 (전체 사과 수)=(한 상자에 들어 있는 사과 수)×(상자 수)

= ☐ × ☐ = ☐ (개)

답 ☐ 개

3 Drill

책꽂이 한 칸에 책이 14권씩 꽂혀 있습니다. 책꽂이 6칸에 꽂혀 있는 책은 모두 몇 권일까요?

풀이 (전체 책 수)=(한 칸에 꽂혀 있는 책 수)×(책꽂이 칸 수)

= ☐ × ☐ = ☐ (권)

답 ☐ 권

4 Drill

버스 한 대에 승객이 56명 탈 수 있다고 합니다. 버스 5대에 탈 수 있는 승객은 모두 몇 명일까요?

풀이 (전체 승객 수)=(한 대에 탈 수 있는 승객 수)×(버스 수)

= ☐ × ☐ = ☐ (명)

답 ☐ 명

26

● 서술형 문제를 읽고 풀이 과정과 답을 쓰세요.

도전 1

수진이의 나이는 11살입니다. 수진이 어머니의 나이는 수진이 나이의 4배입니다. 수진이 어머니의 나이는 몇 살일까요?

풀이

답 _____

도전 2

민수 어머니는 떡을 한 상자에 42개씩 3상자에 담았습니다. 3상자에 담은 떡은 모두 몇 개일까요?

풀이

답 _____

도전 3

아름이는 매일 종이학을 15개씩 접었습니다. 아름이가 5일 동안 접은 종이학은 모두 몇 개일까요?

풀이

답 _____

도전 4

귤이 한 상자에 48개씩 들어 있습니다. 9상자에 들어 있는 귤은 모두 몇 개일까요?

풀이

답 _____

형성 평가

정답 32쪽

분 점

01 곱셈을 하세요.

(1)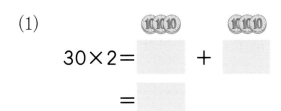

$30 \times 2 = \boxed{} + \boxed{}$

$ = \boxed{}$

(2)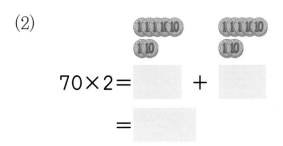

$70 \times 2 = \boxed{} + \boxed{}$

$ = \boxed{}$

02 곱셈을 하세요.

(1)
$$\begin{array}{r} 1\ 0 \\ \times \quad 9 \\ \hline \end{array}$$

(2)
$$\begin{array}{r} 2\ 0 \\ \times \quad 4 \\ \hline \end{array}$$

03 곱셈을 하세요.

$$\begin{array}{r} 7\ 0 \\ \times \quad 6 \\ \hline \end{array}$$

04 곱셈을 하세요.

(1) $60 \times 6 = \boxed{}$

(2) $30 \times 4 = \boxed{}$

05 곱셈을 하세요.

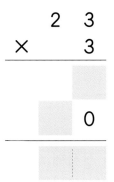
$$\begin{array}{r} 2\ 3 \\ \times \quad 3 \\ \hline \end{array}$$

06 곱셈을 하세요.

(1)
```
      1 3
  ×     2
  -------
```

(2)
```
      4 1
  ×     2
  -------
```

07 곱셈을 하세요.

(1) $21 \times 3 =$

(2) $11 \times 7 =$

(3) $43 \times 2 =$

(4) $13 \times 3 =$

(5) $22 \times 4 =$

08 ☐ 안에 알맞은 수를 써넣으세요.

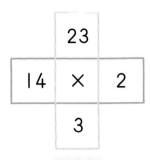

09 곱셈을 하세요.

```
      6 1
  ×     7
  -------
        0
  -------
```

10 곱셈을 하세요.

```
      3 1
  ×     8
  -------
```

11 곱셈을 하세요.

(1) $21 \times 9 =$ ░░░

(2) $74 \times 2 =$ ░░░

(3) $82 \times 3 =$ ░░░

(4) $52 \times 4 =$ ░░░

(5) $61 \times 8 =$ ░░░

12 빈 곳에 알맞은 수를 써넣으세요.

(1)
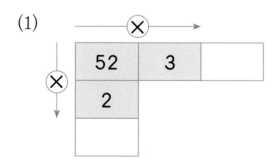

(2)
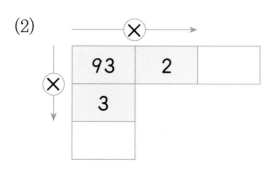

13 곱셈을 하세요.

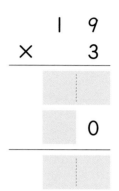

14 곱셈을 하세요.

15 곱셈을 하세요.

(1) $36 \times 2 =$ ░░
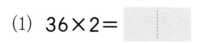

(2) $15 \times 3 =$ ░░

16 안에 알맞은 수를 써넣으세요.

16	2
3	28

17 곱셈을 하세요.

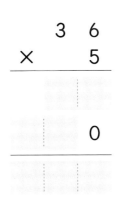

```
    3  6
×      5
─────────
          0
─────────
```

18 곱셈을 하세요.

```
    7  3
×      8
─────────
```

19 곱셈을 하세요.

(1) $34 \times 6 =$

(2) $87 \times 2 =$

(3) $42 \times 8 =$

(4) $26 \times 5 =$

(5) $85 \times 7 =$

20 빈 곳에 알맞은 수를 써넣으세요.

(1)

48 → $\times 7$ →

(2)

58 → $\times 9$ →

점수

분   점

정답 33쪽

1 수 모형을 보고 ▨ 안에 알맞은 수를 써넣으세요.

(1)

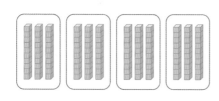

➡ 30 × ▨ = ▨

(2)

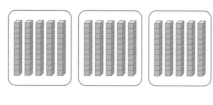

➡ 50 × ▨ = ▨

2 곱셈을 하세요.

```
    2 4
  ×   2
  ─────
```

3 빈 곳에 알맞은 수를 써넣으세요.

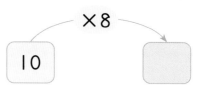

×8

10   ▨

4 곱셈을 하세요.

21 × 9 = ▨

5 계산한 값을 찾아 선으로 이어 보세요.

• 248

53 × 3 •

• 189

62 × 4 •

• 159

6 수직선을 보고 ▨ 안에 알맞은 수를 써넣으세요.

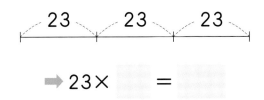

➡ 23× ▨ = ▨

7 빈 곳에 두 수의 곱을 써넣으세요.

(1)

(2)

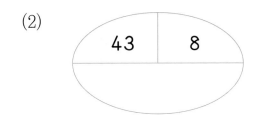

8 빈 곳에 알맞은 수를 써넣으세요.

9 두 수의 곱을 구하세요.

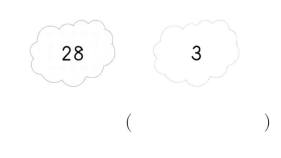

(   )

10 수호는 하루에 동화책을 30쪽씩 읽었습니다. 수호가 5일 동안 읽은 동화책은 모두 몇 쪽일까요?

(   )쪽

11 다음 계산에서 ☐ 안의 숫자 **3**이 실제로 나타내는 수는 얼마일까요?

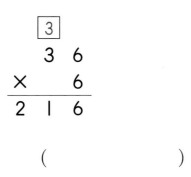

```
      ③
      3  6
   ×     6
   2  1  6
```

(   )

12 곱셈을 하세요.

```
      8  3
   ×     5
```

13 곱의 크기를 비교하여 ◯ 안에 > 또는 <를 알맞게 써넣으세요.

45×4 ◯ 28×7

14 한 상자에 사과가 16개씩 들어 있습니다. 3상자에 들어 있는 사과는 모두 몇 개일까요?

풀이 _____

_____

답 _____ 개

15 계산을 잘못한 사람은 누구일까요?

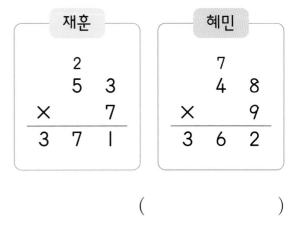

재훈	혜민
2 5 3 × 7 3 7 1	7 4 8 × 9 3 6 2

(   )

16 ㉠과 ㉡의 차를 구하세요.

㉠ 13×2   ㉡ 22×3

(   )

17 계산 결과가 가장 작은 것을 찾아 ○표 하세요.

17×5   14×7   19×3

(   ) (   ) (   )

18 ☐ 안에 알맞은 수를 써넣으세요.

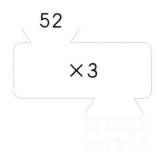

52

×3

19 곱이 큰 것부터 차례로 기호를 쓰세요.

㉠ 57×5

㉡ 46×8

㉢ 84×3

(,   ,   )

20 민정이네 학교 3학년 한 반의 학생 수는 29명입니다. 민정이네 학교 3학년이 5개 반이라면 3학년 학생은 모두 몇 명일까요?

풀이 _____

_____

답 _____ 명

memo

논리적 사고력과 창의적 문제해결력을 키워 주는
매스티안 교재 활용법!

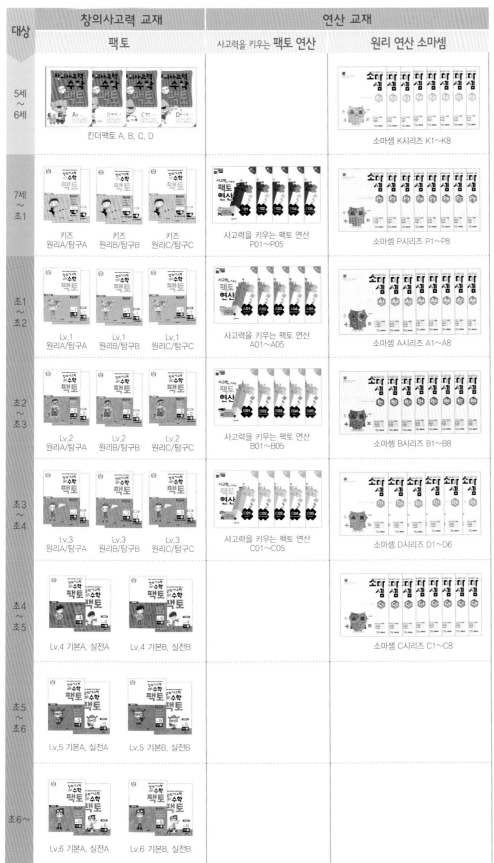

대상	창의사고력 교재		연산 교재	
	팩토	사고력을 키우는 **팩토 연산**	원리 연산 소마셈	
5세~6세	킨더팩토 A, B, C, D		소마셈 K시리즈 K1~K8	
7세~초1	키즈 원리A/탐구A · 키즈 원리B/탐구B · 키즈 원리C/탐구C	사고력을 키우는 팩토 연산 P01~P05	소마셈 P시리즈 P1~P8	
초1~초2	Lv.1 원리A/탐구A · Lv.1 원리B/탐구B · Lv.1 원리C/탐구C	사고력을 키우는 팩토 연산 A01~A05	소마셈 A시리즈 A1~A8	
초2~초3	Lv.2 원리A/탐구A · Lv.2 원리B/탐구B · Lv.2 원리C/탐구C	사고력을 키우는 팩토 연산 B01~B05	소마셈 B시리즈 B1~B8	
초3~초4	Lv.3 원리A/탐구A · Lv.3 원리B/탐구B · Lv.3 원리C/탐구C	사고력을 키우는 팩토 연산 C01~C05	소마셈 D시리즈 D1~D6	
초4~초5	Lv.4 기본A, 실전A · Lv.4 기본B, 실전B		소마셈 C시리즈 C1~C8	
초5~초6	Lv.5 기본A, 실전A · Lv.5 기본B, 실전B			
초6~	Lv.6 기본A, 실전A · Lv.6 기본B, 실전B			

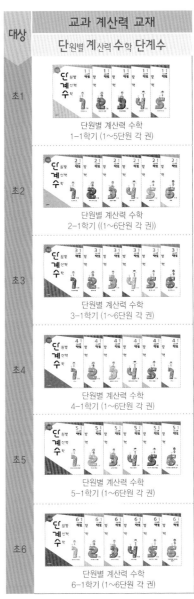

대상	교과 계산력 교재
	단원별 **계**산력 **수**학 **단계수**
초1	단원별 계산력 수학 1-1학기 (1~5단원 각 권)
초2	단원별 계산력 수학 2-1학기 ((1~6단원 각 권))
초3	단원별 계산력 수학 3-1학기 (1~6단원 각 권)
초4	단원별 계산력 수학 4-1학기 (1~6단원 각 권)
초5	단원별 계산력 수학 5-1학기 (1~6단원 각 권)
초6	단원별 계산력 수학 6-1학기 (1~6단원 각 권)

대상	교과 수학 교재	
	1학기	2학기
초1	팩토 수학교과서/익힘책 1-1	팩토 수학교과서/익힘책 1-2
초2	팩토 수학교과서/익힘책 2-1	팩토 수학교과서/익힘책 2-2

단계수 학습 순서

매일 학습

단원별로 꼭 알아야 할 개념만 쏙쏙 학습하고 다양한 연산 문제를 통해 연산 과정을 숙달하여 계산력을 쑥쑥 키울 수 있습니다.

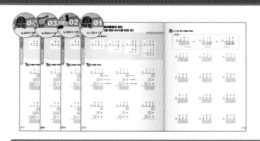

도전! 응용문제

응용 문제와 **서술형** 문제를 통해 사고력과 문제해결력을 기를 수 있습니다.

형성 평가

단원의 **복습 단계**로 문제를 풀면서 학습한 내용을 다시 한 번 확인할 수 있습니다.

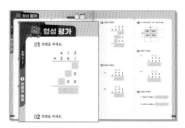

단원 평가

단원의 **마무리 학습**으로 학교 시험에 자주 나오는 문제를 통해 수시 평가 등 학교 시험에 대비할 수 있습니다.

메스티안 http://www.mathtian.com

	초등학교	반	번
이름			

FACTO
school

3-1
초등 수학
팩토

단원별

단
계
수

산력

학

S
단원

길이와 시간

매스티안

팩토는 자유롭게 자신감있게 창의적으로 생각하는 주니어수학자입니다.

단원별 **계**산력 **수**학

펴낸 곳 (주)타임교육C&P   펴낸이 이길호   지은이 매스티안R&D센터

주소 06153 서울특별시 강남구 봉은사로 442 (삼성동)   문의전화 1588.6066

팩토카페 http://cafe.naver.com/factos   홈페이지 http://www.mathtian.com

※ 이 책의 모든 내용과 삽화에 대한 저작권은 (주)타임교육C&P에 있으므로 무단 복제와 전송을 금합니다.

※ 정답과 풀이는 온라인 팩토카페(http://cafe.naver.com/factos)를 통해서도 확인할 수 있습니다.

MW2108

생각이 자유로운 사람들! 매스티안R&D센터

매스티안R&D센터의 논리적 사고력과 창의적 문제해결력을 키우는 수학 콘텐츠는 국내외 수많은 교육 현장에서 그 우수성을 높이 평가받고 있습니다.

매스티안R&D센터는 여기에 안주하지 않고 앞으로도 학생, 교사, 학부모 모두가 행복한 수학 시간을 만들 수 있도록 노력하겠습니다.

매스티안 공식 홈페이지 … (http://www.mathtian.com)

· 매스티안의 다양한 출간 교재 소개

· 출간 교재와 관련된 학습 자료(보충 학습지, 활동지 등) 제공

· 출간 교재와 관련된 평가 시험 및 분석 제공

매스티안 공식 카페 … 팩토 (http://cafe.naver.com/factos)

· 창의사고력 수학 팩토 무료 동영상 강의 제공

· 출간 교재에 관한 질문 및 답변

· 영재교육원 대비 자료(기출 문제, 예상 문제) 제공

· 초등 수학 비법 및 Q&A

FACTO school

3-1

초등 수학
팩토

단원별 산력 계수학

5단원

길이와 시간

매스티안

4. 비교하기
· 길이, 무게, 넓이, 들이 비교하기

1-1

4. 길이 재기
· 길이 비교하기
· 1cm와 '자' 활용하기
· 길이 어림하기, 길이 재기

2-1

1-2

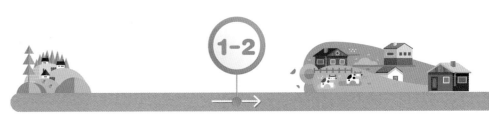

5. 시계 보기와 규칙 찾기
· '몇 시', '몇 시 30분'
· 물체, 무늬, 수 배열에서 규칙 찾기

5 길이와 시간

Teaching Guide

· 이 단원에서는 km를 도입하기 위해 지도상의 거리를 주로 다루고 있습니다.
  km에 대한 양감을 기르는 가장 좋은 방법은 아이와의 외출을 기회 삼아 1km의 거리를 걸어 보는 것입니다.
  길이에 대한 양감을 기르는 데 매우 효과적입니다.

· 시각과 시간은 수학적으로 분명히 다른 개념이지만 일상생활에서는 구별하지 않고 사용하는 경우가 많습니다.
  시각은 한 시점을 가리키는 말이고, 시간은 시각과 시각 사이의 양을 나타내는 말이므로 측정에 대해 이야기
  할 때에는 시각보다는 시간에 주안점을 두어야 합니다.

5. 들이와 무게
· 들이와 무게 비교하기
· 들이와 무게의 덧셈과 뺄셈

3-2

3. 길이 재기
· 1m=100cm
· 길이의 합과 차
· 길이 어림하기

2-2

3-1

5. 길이와 시간
· 1cm=10mm, 1km=1000m
· 길이 어림하고 재어 보기
· 시간의 덧셈과 뺄셈

2-2

4. 시각과 시간
· 시각을 분 단위로 읽기
· 1일=24시간, 1주일=7일,
  1년=12개월

공부한 날짜

1 일차 1cm보다 작은 단위
월   일

2 일차 1m보다 큰 단위
월   일

3 일차 1분보다 작은 단위
월   일

4 일차 시간의 덧셈과 뺄셈
월   일

5 일차 응용 문제
월   일

6 일차 형성 평가
월   일

7 일차 단원 평가
월   일

01 1cm보다 작은 단위

초등 3-1
❺ 길이와 시간

🌿 **1mm 알아보기**

1mm: 1cm를 10칸으로 똑같이 나누었을 때 작은 눈금 한 칸의 길이

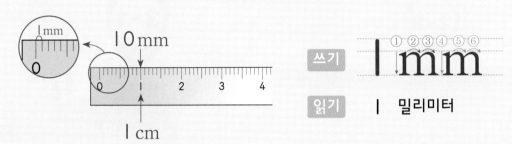

쓰기 1 mm

읽기 1 밀리미터

1 색 테이프의 길이를 쓰고 읽어 보세요.

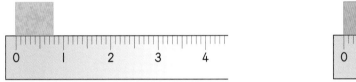

쓰기 8 mm

읽기 (8 밀리미터)

쓰기 2 cm 6 mm

읽기 (2 센티미터 6 밀리미터)

쓰기 7 mm

읽기 (7 밀리미터)

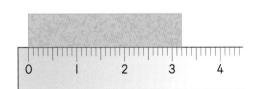

쓰기 3 cm 2 mm

읽기 (3 센티미터 2 밀리미터)

2 그림을 보고 안에 알맞은 수를 써넣으세요.

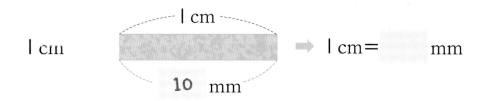

| cm ➡ | cm = ___ mm

(1 cm / 10 mm)

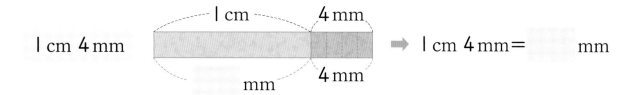

| cm 4 mm ➡ | cm 4 mm = ___ mm

(1 cm, 4 mm / ___ mm, 4 mm)

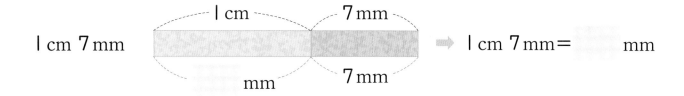

| cm 7 mm ➡ | cm 7 mm = ___ mm

(1 cm, 7 mm / ___ mm, 7 mm)

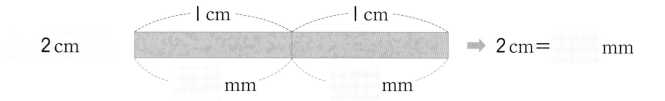

2 cm ➡ 2 cm = ___ mm

(1 cm, 1 cm / ___ mm, ___ mm)

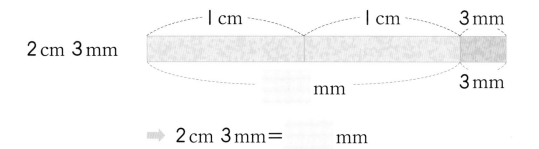

2 cm 3 mm

(1 cm, 1 cm, 3 mm / ___ mm, 3 mm)

➡ 2 cm 3 mm = ___ mm

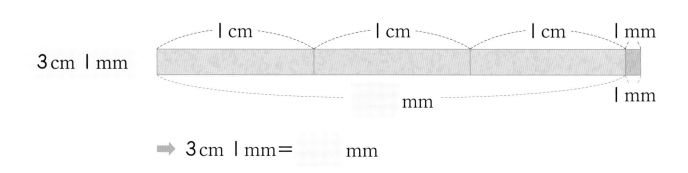

3 cm | mm

(1 cm, 1 cm, 1 cm, 1 mm / ___ mm, 1 mm)

➡ 3 cm | mm = ___ mm

3 그림을 보고 🔲 안에 알맞은 수를 써넣으세요.

10 mm

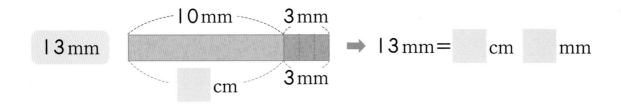

➡ 10 mm = 🔲 cm

13 mm

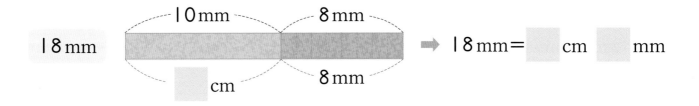

➡ 13 mm = 🔲 cm 🔲 mm

18 mm

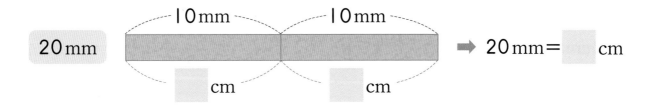

➡ 18 mm = 🔲 cm 🔲 mm

20 mm

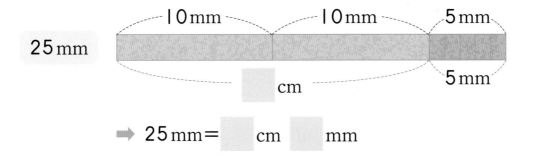

➡ 20 mm = 🔲 cm

25 mm

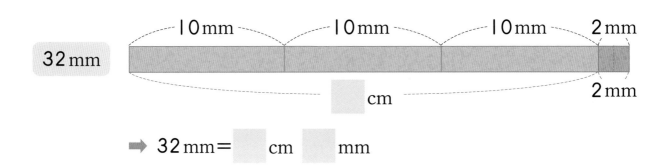

➡ 25 mm = 🔲 cm 🔲 mm

32 mm

➡ 32 mm = 🔲 cm 🔲 mm

4 안에 알맞은 수를 써넣으세요.

1 cm 4 mm

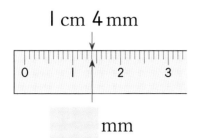

☐☐ mm

3 cm 2 mm

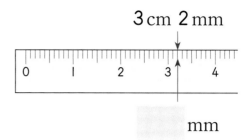

☐☐ mm

☐ cm ☐ mm

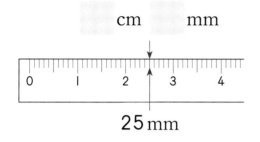

25 mm

☐ cm ☐ mm

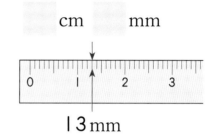

13 mm

2 cm 4 mm

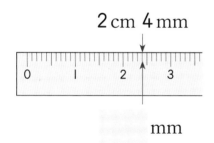

☐☐ mm

3 cm 8 mm

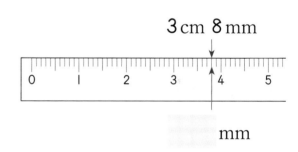

☐☐ mm

☐ cm ☐ mm

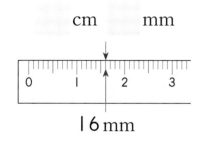

16 mm

☐ cm ☐ mm

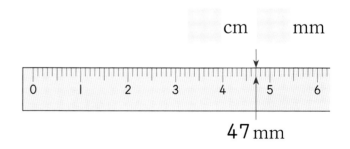

47 mm

4 cm 3 mm

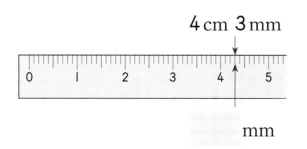

☐☐ mm

2 cm 6 mm

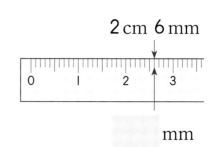

☐☐ mm

02 1m보다 큰 단위

초등 3-1
⑤ 길이와 시간

🌿 1km 알아보기

$$1000m = 1km$$

쓰기 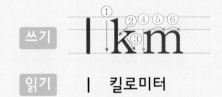 1km

읽기 1 킬로미터

1 집에서 학교, 서점, 경찰서, 소방서까지의 거리를 쓰고 읽어 보세요.

1km

쓰기 1km

읽기 (1 킬로미터)

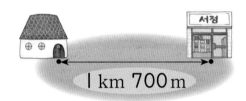

1km 700m

쓰기 1km 700m

읽기 (1 킬로미터 700 미터)

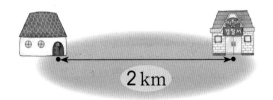

2km

쓰기 2km

읽기 (2 킬로미터)

2km 400m

쓰기 2km 400m

읽기 (2 킬로미터 400 미터)

2 그림을 보고 ☐ 안에 알맞은 수를 써넣으세요.

1 km
┌─ 1 km ─┐
│   │
└─ 1000 m ┘
➡ 1 km= ☐ m

1 km 300 m
┌─ 1 km ─┐┌300 m┐
│   ││   │
└── m ──┘└300 m┘
➡ 1 km 300 m= ☐ m

1 km 600 m
┌─ 1 km ─┐┌─600 m─┐
│   ││   │
└── m ──┘└─600 m─┘
➡ 1 km 600 m= ☐ m

2 km
┌─ 1 km ─┐┌─ 1 km ─┐
│   ││   │
└── m ──┘└── m ──┘
➡ 2 km= ☐ m

2 km 500 m
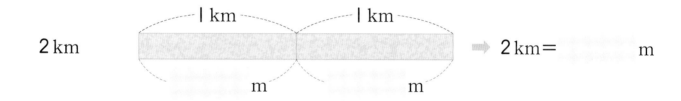
➡ 2 km 500 m= ☐ m

3 km 100 m
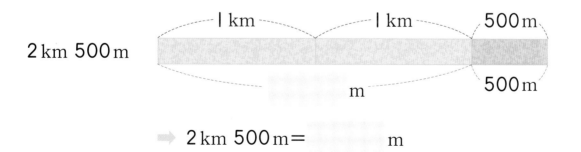
➡ 3 km 100 m= ☐ m

3 그림을 보고 ▨ 안에 알맞은 수를 써넣으세요.

1000m

~~1000m~~

1 km

➡ 1000m= ▨ km

1400m

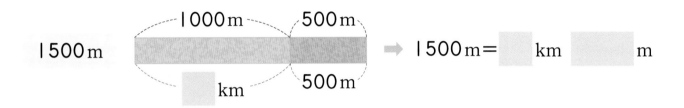

1000m   400m

km   400m

➡ 1400m= ▨ km ▨ m

1500m

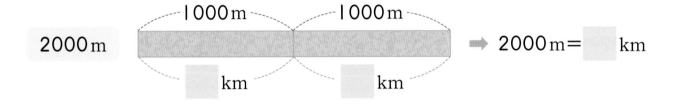

1000m   500m

km   500m

➡ 1500m= ▨ km ▨ m

2000m

1000m   1000m

km   km

➡ 2000m= ▨ km

2900m

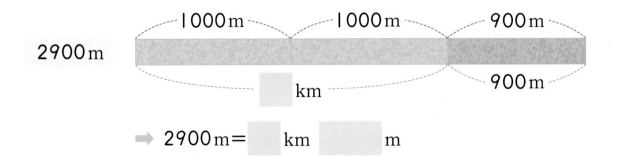

1000m   1000m   900m

km   900m

➡ 2900m= ▨ km ▨ m

3200m

1000m   1000m   1000m   200m

km   200m

➡ 3200m= ▨ km ▨ m

4 안에 알맞은 수를 써넣으세요.

1 km = ⬚ m   3 km = ⬚ m

4 km = ⬚ m   7 km = ⬚ m

1 km 300 m = 1 km + 300 m
= ⬚ m + 300 m
= ⬚ m

2 km 800 m = 2 km + 800 m
= ⬚ m + 800 m
= ⬚ m

3 km 500 m = 3 km + 500 m
= ⬚ m + 500 m
= ⬚ m

4 km 100 m = 4 km + 100 m
= ⬚ m + 100 m
= ⬚ m

2000 m = ⬚ km   5000 m = ⬚ km

6000 m = ⬚ km   9000 m = ⬚ km

1400 m = 1000 m + 400 m
= ⬚ km + 400 m
= ⬚ km ⬚ m

2300 m = 2000 m + 300 m
= ⬚ km + 300 m
= ⬚ km ⬚ m

3800 m = 3000 m + 800 m
= ⬚ km + ⬚ m
= ⬚ km ⬚ m

4200 m = 4000 m + 200 m
= ⬚ km + ⬚ m
= ⬚ km ⬚ m

03 1분보다 작은 단위

초등 3-1
⑤ 길이와 시간

🍂 |초, 60초 알아보기

|초: 초바늘이 작은 눈금 한 칸을
가는 동안 걸리는 시간

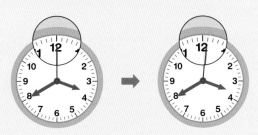

작은 눈금 한 칸 = |초

60초: 초바늘이 시계를 한 바퀴
도는 데 걸리는 시간

60초 = |분

 1 시계에서 각각의 수가 몇 초를 나타내는지 써넣으세요.

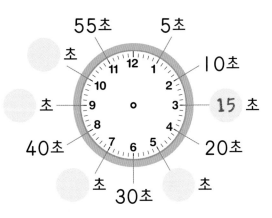

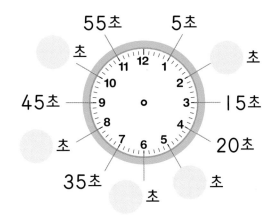

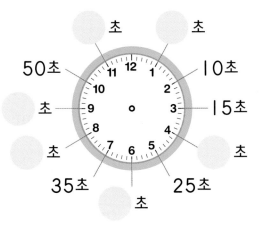

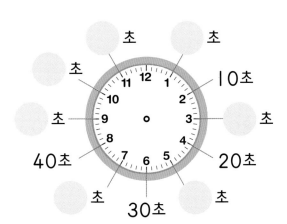

12

2 시각을 읽어 보고 　 안에 알맞은 수를 써넣으세요.

2시 30분　　초

11시 35분　　초

8시 32분　　초

10시 13분　　초

5시 25분　　초

1시 20분　　초

12시 54분　　초

7시 45분　　초

3시 8분　　초

8시 16분　　초

6시 50분　　초

4시 31분　　초

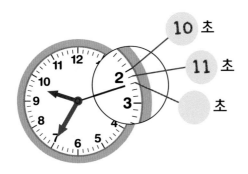

9시 35분 ☐ 초

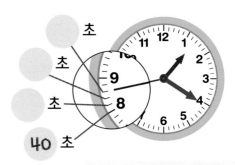

1시 20분 ☐ 초

7시 46분 ☐ 초

3시 5분 ☐ 초

6시 25분 ☐ 초

5시 13분 ☐ 초

2시 37분 ☐ 초

4시 57분 ☐ 초

4 안에 알맞은 수를 써넣으세요.

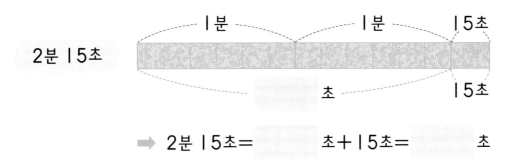

1분   ⟶ 1분 = [ ] 초

1분 20초   ⟶ 1분 20초 = [ ] 초＋20초
　　　　　　　　　　　　＝ [ ] 초

2분 15초   ⟶ 2분 15초 = [ ] 초＋15초 = [ ] 초

60초   ⟶ 60초 = [ ] 분

90초   ⟶ 90초 = [ ] 분＋30초
　　　　　　　＝ [ ] 분 [ ] 초

170초   ⟶ 170초 = [ ] 분＋50초 = [ ] 분 [ ] 초

04 시간의 덧셈과 뺄셈

🍂 시간의 덧셈 알아보기

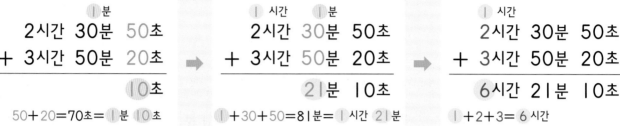

	① 분		
	2시간	30분	50초
+	3시간	50분	20초
			① 0 초

50+20=70초=①분①0초

	① 시간	① 분	
	2시간	30분	50초
+	3시간	50분	20초
		2①분	①0초

①+30+50=8①분=①시간 2①분

	① 시간		
	2시간	30분	50초
+	3시간	50분	20초
	6시간	2①분	①0초

①+2+3= 6 시간

1 계산해 보세요.

	① 분	
	4 분	30 초
+	2 분	35 초
	분	5 초

	13 분	40 초
+	5 분	35 초
	분	초

	20 분	25 초
+	3 분	55 초
	분	초

	3 시	45 분
+	1 시간	30 분
	시	분

	2 시	50 분
+	5 시간	20 분
	시	분

	3 시	35 분
+	7 시간	55 분
	시	분

	1 시	30 분	25 초
+	2 시간	13 분	40 초
	시	분	초

	3 시간	25 분	35 초
+	2 시간	47 분	20 초
	시간	분	초

	5 시	10 분	40 초
+	1 시간	9 분	30 초
	시	분	초

	2 시간	46 분	15 초
+	5 시간	28 분	22 초
	시간	분	초

2 계산해 보세요.

	시간	분	
1 시	30 분	25 초
+ 2 시간	52 분	45 초
시	분	**10** 초

5 시간	40 분	40 초
+ 1 시간	25 분	35 초
시간	분	초

3 시	40 분	52 초
+ 2 시간	30 분	40 초
시	분	초

2 시간	45 분	45 초
+ 5 시간	35 분	32 초
시간	분	초

2 시	53 분	45 초
+ 2 시간	16 분	40 초
시	분	초

1 시간	40 분	45 초
+ 4 시간	48 분	35 초
시간	분	초

1 시	30 분	47 초
+ 1 시간	47 분	40 초
시	분	초

6 시간	50 분	35 초
+ 2 시간	19 분	36 초
시간	분	초

3 시	45 분	55 초
+ 2 시간	42 분	47 초
시	분	초

2 시간	26 분	44 초
+ 5 시간	40 분	50 초
시간	분	초

3 시	53 분	46 초
+ 1 시간	26 분	29 초
시	분	초

2 시간	38 분	58 초
+ 6 시간	39 분	45 초
시간	분	초

🍂 시간의 뺄셈 알아보기

		14 분	60 초				60 분					3 시간		
						3 시간	14 분							

$$\begin{array}{r} 6시간\ 1\!\!\!/5분\ 1\!\!\!/8초 \\ -\ 2시간\ 43분\ 30초 \\ \hline 48초 \end{array}$$

$60+18-30=48$ 초

$$\begin{array}{r} \cancel{6}시간\ 1\!\!\!/5분\ 18초 \\ -\ 1시간\ 43분\ 30초 \\ \hline 31분\ 48초 \end{array}$$

$60+14-43=31$ 분

$$\begin{array}{r} \cancel{6}시간\ 15분\ 18초 \\ -\ 1시간\ 43분\ 30초 \\ \hline 2시간\ 31분\ 48초 \end{array}$$

$3-1=2$ 시간

3 계산해 보세요.

$$\begin{array}{r} 7분\quad 60초 \\ \cancel{8}\ 분\ 20\ 초 \\ -\ 2\ 분\ 40\ 초 \\ \hline \boxed{}\ 분\ \boxed{40}\ 초 \end{array}$$

$$\begin{array}{r} 10\ 분\ 10\ 초 \\ -\ 7\ 분\ 35\ 초 \\ \hline \boxed{}\ 분\ \boxed{}\ 초 \end{array}$$

$$\begin{array}{r} 14\ 분\ 15\ 초 \\ -\ 6\ 분\ 30\ 초 \\ \hline \boxed{}\ 분\ \boxed{}\ 초 \end{array}$$

$$\begin{array}{r} 5\ 시\ 23\ 분 \\ -\ 1\ 시\ 30\ 분 \\ \hline \boxed{}\ 시간\ \boxed{}\ 분 \end{array}$$

$$\begin{array}{r} 7\ 시\ 8\ 분 \\ -\ 4\ 시\ 25\ 분 \\ \hline \boxed{}\ 시간\ \boxed{}\ 분 \end{array}$$

$$\begin{array}{r} 10\ 시\ 17\ 분 \\ -\ 3\ 시\ 45\ 분 \\ \hline \boxed{}\ 시간\ \boxed{}\ 분 \end{array}$$

$$\begin{array}{r} 4\ 시간\ 20\ 분\ 25\ 초 \\ -\ 2\ 시간\ 12\ 분\ 40\ 초 \\ \hline \boxed{}\ 시간\ \boxed{}\ 분\ \boxed{}\ 초 \end{array}$$

$$\begin{array}{r} 5\ 시\ 16\ 분\ 45\ 초 \\ -\ 3\ 시\ 36\ 분\ 13\ 초 \\ \hline \boxed{}\ 시간\ \boxed{}\ 분\ \boxed{}\ 초 \end{array}$$

$$\begin{array}{r} 5\ 시\ 46\ 분\ 29\ 초 \\ -\ 1\ 시간\ 24\ 분\ 56\ 초 \\ \hline \boxed{}\ 시\ \boxed{}\ 분\ \boxed{}\ 초 \end{array}$$

$$\begin{array}{r} 9\ 시간\ 3\ 분\ 35\ 초 \\ -\ 5\ 시간\ 10\ 분\ 27\ 초 \\ \hline \boxed{}\ 시간\ \boxed{}\ 분\ \boxed{}\ 초 \end{array}$$

4 계산해 보세요.

8 시간   60 분   60 초
~~9~~ 시간   2̶4̶ 분   15 초
− 1 시간   30 분   40 초
———————————
    시간   분   35 초

   4 시   13 분   10 초
− 2 시간   36 분   30 초
———————————
    시   분   초

   5 시   7 분   22 초
− 2 시   18 분   50 초
———————————
    시간   분   초

   7 시간   18 분   20 초
− 3 시간   42 분   55 초
———————————
    시간   분   초

   6 시   25 분   19 초
− 1 시간   44 분   36 초
———————————
    시   분   초

   8 시   15 분   8 초
− 2 시   53 분   13 초
———————————
    시간   분   초

   6 시간   3 분   16 초
− 2 시간   50 분   28 초
———————————
    시간   분   초

   3 시   30 분   39 초
− 1 시간   34 분   52 초
———————————
    시   분   초

   9 시   32 분   13 초
− 2 시   48 분   56 초
———————————
    시간   분   초

   8 시간   12 분   24 초
− 5 시간   36 분   34 초
———————————
    시간   분   초

   7 시   16 분   20 초
− 3 시간   58 분   55 초
———————————
    시   분   초

   9 시   26 분   17 초
− 3 시   38 분   52 초
———————————
    시간   분   초

도전! 응용 문제

길이의 단위에 맞게 나타내기

 17 mm

 25 cm

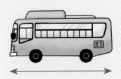 약 12 m

 약 140 km

응용 ❶ 'mm', 'cm', 'm', 'km' 중에서 알맞은 길이 단위를 ▢ 안에 써넣으세요.

15 ▢

24 ▢

약 4 ▢

약 6 ▢

호수 공원

약 1 ▢

지우개

4 ▢

약 57 ▢

13 ▢

성냥개비

45 ▢

응용 2 보기 와 같이 밑줄 친 단위를 바르게 고쳐 보세요.

보기

연필의 길이는 16 mm입니다.

➡ (16 cm)

집에서 학교까지의 거리는 약 2 m입니다.

➡ ( )

손톱의 길이는 10 m입니다.

➡ ( )

젓가락의 길이는 20 km입니다.

➡ ( )

연필심의 길이는 4 cm입니다.

➡ ( )

책의 두께는 2 mm입니다.

➡ ( )

지우개의 길이는 6 m입니다.

➡ ( )

연못 둘레는 약 80 km입니다.

➡ ( )

등산로의 길이는 약 3 cm입니다.

➡ ( )

교실 문의 높이는 약 2 cm입니다.

➡ ( )

한라산의 높이는 약 1950 mm입니다.

➡ ( )

클립 긴 쪽의 길이는 40 km입니다.

➡ ( )

시간의 단위에 맞게 나타내기

양치하는 시간
180초

그림 그리는 시간
30분

TV 보는 시간
1시간

응용 3 '시간', '분', '초' 중에서 알맞은 시간 단위를 　 안에 써넣으세요.

식사를 하는 시간

30

색종이 자르는 시간

60

학원에 다녀온 시간

2

잠을 자는 시간

8

쿠키 1개 먹는 시간

40

영화 보는 시간

90

공부하는 시간

60

수영하는 시간

1

버스에서 내리는 시간

20

응용 **4** 보기 와 같이 밑줄 친 단위를 바르게 고쳐 보세요.

보기

축구를 하는 시간은 1분입니다.

➡ (1시간   )

박수를 한 번 치는 시간은 1분입니다.

➡ (   )

세수를 하는 시간은 30시간입니다.

➡ (   )

목욕하는 시간은 40초입니다.

➡ (   )

책을 한 권 읽는 시간은 30초입니다.

➡ (   )

놀이동산을 다녀온 시간은 6분입니다.

➡ (   )

하품을 하는 시간은 4분입니다.

➡ (   )

숙제를 하는 시간은 20시간입니다.

➡ (   )

등산을 하는 시간은 2분입니다.

➡ (   )

물 한 잔을 마시는 시간은 5분입니다.

➡ (   )

자전거를 탄 시간은 35초입니다.

➡ (   )

손을 씻는 시간은 40분입니다.

➡ (   )

01 색 테이프의 길이를 쓰고 읽어 보세요.

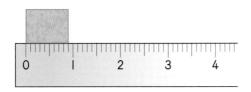

쓰기 9 mm

읽기 (9 밀리미터)

[02~03] 그림을 보고 ☐ 안에 알맞은 수를 써 넣으세요.

02

I cm 3 mm

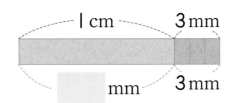

I cm ⋯ 3 mm

☐ mm   3 mm

➡ I cm 3 mm= ☐ mm

03

I 5 mm

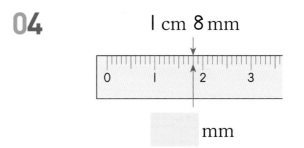

I 0 mm   5 mm

☐ cm   5 mm

➡ I 5 mm= ☐ cm ☐ mm

[04~05] ☐ 안에 알맞은 수를 써넣으세요.

04

I cm 8 mm

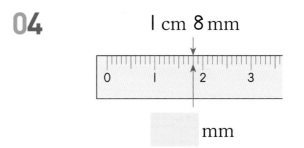

☐ mm

05

☐ cm ☐ mm

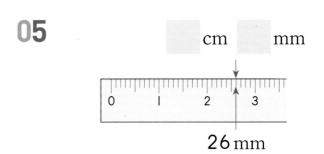

26 mm

06 집에서 학교까지의 거리를 쓰고 읽어 보세요.

1 km

쓰기 _____

읽기 (   )

[07~08] 그림을 보고 ☐ 안에 알맞은 수를 써 넣으세요.

07

1 km 200 m

1 km   200 m

☐ m   200 m

➡ 1 km 200 m = ☐ m

08

1700 m

1000 m   700 m

☐ km   700 m

➡ 1700 m = ☐ km ☐ m

[09~10] ☐ 안에 알맞은 수를 써넣으세요.

09 (1) 1 km 400 m = ☐ m

(2) 2 km 900 m = ☐ m

10 (1) 2700 m = ☐ km ☐ m

(2) 3200 m = ☐ km ☐ m

11 시계에서 각각의 수가 몇 초를 나타내는지 써넣으세요.

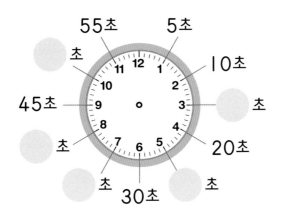

12 시각을 읽어 보고 ⬜ 안에 알맞은 수를 써넣으세요.

(1)

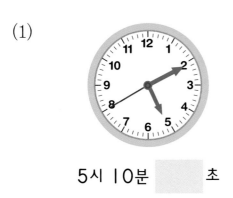

5시 10분 ⬜ 초

(2)

10시 48분 ⬜ 초

[13~14] ⬤ 안에 알맞은 수를 써넣어 시계가 나타내는 시각을 읽어 보세요.

13

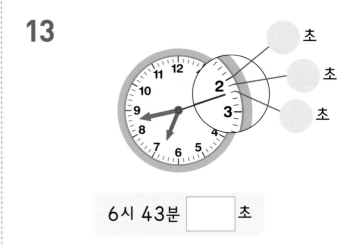

6시 43분 ⬜ 초

14

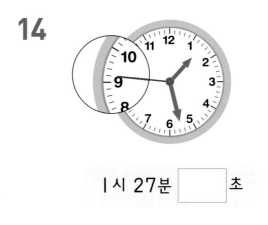

1시 27분 ⬜ 초

15 그림을 보고 ⬜ 안에 알맞은 수를 써넣으세요.

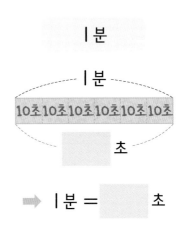

1분

1분

10초 10초 10초 10초 10초 10초

⬜ 초

➡ 1분 = ⬜ 초

16

```
      4 시   45 분
 +  2 시간   20 분
        시        분
```

17

```
    1 시간  55 분  40 초
 + 3 시간  40 분  37 초
      시간     분      초
```

18

```
   10 시      15 분
 -  7 시      30 분
       시간         분
```

19

```
    5 시   26 분   15 초
 - 2 시간  40 분   42 초
      시        분        초
```

20 　 안에 알맞은 수를 써넣으세요.

(1) 6시 45분 20초

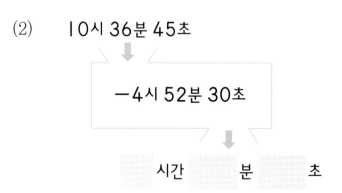

+1시간 35분 12초

　 시 　 분 　 초

(2) 10시 36분 45초

-4시 52분 30초

　 시간 　 분 　 초

1 　안에 알맞은 수를 써넣으세요.

$1\,cm =$ 　mm

2 시각을 읽어 보고 　안에 알맞은 수를 써넣으세요.

8시 16분 　초

3 　안에 알맞은 수를 써넣으세요.

(1) $3\,cm\ 4\,mm =$ 　mm

(2) $17\,mm =$ 　cm 　mm

4 1 km 400m를 쓰고 읽어 보세요.

쓰기

읽기 (　　　　　　　　)

5 계산해 보세요.

```
    3 시  25 분
+   2 시간 50 분
──────────────
    　 시   　 분
```

6 초바늘이 시계를 1바퀴 도는 데 걸리는 시간은 얼마일까요? ( )

① 5초 ② 20초

③ 30초 ④ 60초

⑤ 80초

7 같은 길이끼리 이어 보세요.

2 cm 6 mm • • 62 mm

6 cm 2 mm • • 16 mm

1 cm 6 mm • • 26 mm

8 계산해 보세요.

$$
\begin{array}{r}
6 \text{ 시} \quad 15 \text{ 분} \\
- 2 \text{ 시} \quad 20 \text{ 분} \\
\hline
\quad\text{시간} \quad\quad \text{분}
\end{array}
$$

9 'mm', 'cm', 'm', 'km' 중에서 알맞은 길이 단위를 ☐ 안에 써넣으세요.

30

10 ☐ 안에 알맞은 수를 써넣으세요.

(1) 1 km 600 m = ☐ m

(2) 2300 m = ☐ km ☐ m

11 밑줄 친 단위를 바르게 고쳐 보세요.

운동장 한 바퀴를 도는 데
걸리는 시간은 <u>3초</u>입니다.

(   )

12 수직선을 보고 ▨ 안에 알맞은 수를 써넣으세요.

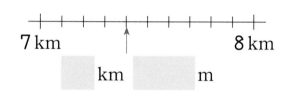

□ km □ m

13 시각에 맞게 초바늘을 그려 보세요.

4시 35분 55초

14 알맞은 길이끼리 선으로 이어 보세요.

산책로의 길이 •　　　　• 약 20 cm

쌀 한 톨의 길이 •　　　　• 약 4 mm

책 긴 쪽의 길이 •　　　　• 약 1 km

15 계산해 보세요.

$$
\begin{array}{r}
7 \text{ 시간} \quad 28 \text{ 분} \quad 15 \text{ 초} \\
- \ 3 \text{ 시간} \quad 40 \text{ 분} \quad 29 \text{ 초} \\
\hline
\end{array}
$$

□ 시간 □ 분 □ 초

16 바른 문장을 찾아 기호를 쓰세요.

　⊙ 80 mm는 6 cm입니다.
　ⓛ 지우개의 길이는 4 mm입니다.
　ⓒ 50 mm는 5 cm입니다.

(　　　　　)

17 시각을 읽고 　 안에 알맞은 수를 써넣으세요.

시 　　　 분 　　　 초

18 길이를 비교하여 　 안에 > 또는 <를 알맞게 써넣으세요.

6340 m 　　　 6 km 50 m

19 '시간', '분', '초' 중에서 알맞은 시간 단위를 　 안에 써넣으세요.

(1)

쇼핑을 하는 시간

40

(2)

운동을 하는 시간

|

20 미선이가 수학 문제를 푸는 데 1분 15초 걸렸습니다. 미선이가 수학 문제를 푸는 데 걸린 시간은 몇 초일까요?

(　　　　　)초

memo

논리적 사고력과 창의적 문제해결력을 키워 주는
매스티안 교재 활용법!

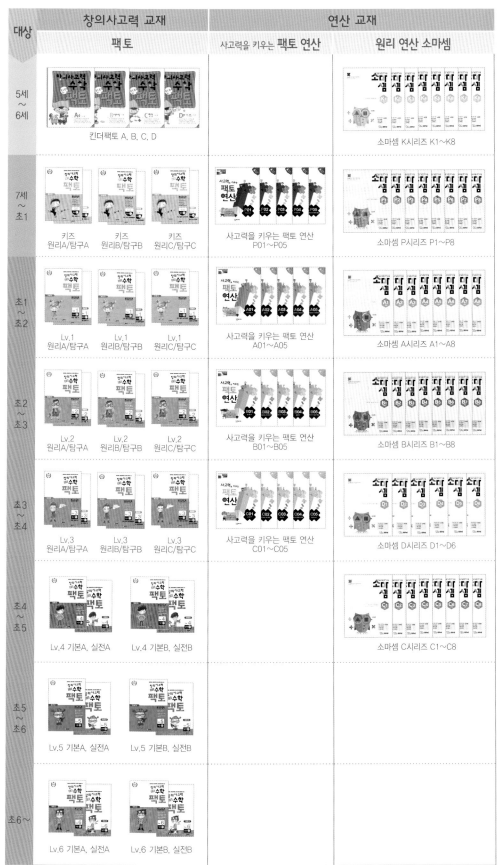

대상	창의사고력 교재		연산 교재	
	팩토		**사고력을 키우는 팩토 연산**	**원리 연산 소마셈**
5세 ~ 6세	킨더팩토 A, B, C, D			소마셈 K시리즈 K1~K8
7세 ~ 초1	키즈 원리A/탐구A	키즈 원리B/탐구B	키즈 원리C/탐구C · 사고력을 키우는 팩토 연산 P01~P05	소마셈 P시리즈 P1~P8
초1 ~ 초2	Lv.1 원리A/탐구A	Lv.1 원리B/탐구B	Lv.1 원리C/탐구C · 사고력을 키우는 팩토 연산 A01~A05	소마셈 A시리즈 A1~A8
초2 ~ 초3	Lv.2 원리A/탐구A	Lv.2 원리B/탐구B	Lv.2 원리C/탐구C · 사고력을 키우는 팩토 연산 B01~B05	소마셈 B시리즈 B1~B8
초3 ~ 초4	Lv.3 원리A/탐구A	Lv.3 원리B/탐구B	Lv.3 원리C/탐구C · 사고력을 키우는 팩토 연산 C01~C05	소마셈 D시리즈 D1~D6
초4 ~ 초5	Lv.4 기본A, 실전A	Lv.4 기본B, 실전B		소마셈 C시리즈 C1~C8
초5 ~ 초6	Lv.5 기본A, 실전A	Lv.5 기본B, 실전B		
초6~	Lv.6 기본A, 실전A	Lv.6 기본B, 실전B		

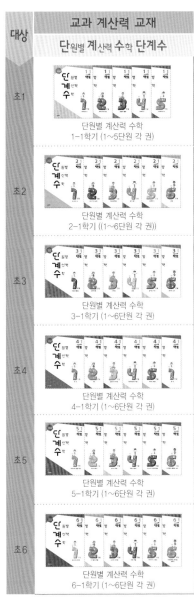

대상	교과 계산력 교재
	단원별 계산력 수학 단계수
초1	단원별 계산력 수학 1-1학기 (1~5단원 각 권)
초2	단원별 계산력 수학 2-1학기 ((1~6단원 각 권))
초3	단원별 계산력 수학 3-1학기 (1~6단원 각 권)
초4	단원별 계산력 수학 4-1학기 (1~6단원 각 권)
초5	단원별 계산력 수학 5-1학기 (1~6단원 각 권)
초6	단원별 계산력 수학 6-1학기 (1~6단원 각 권)

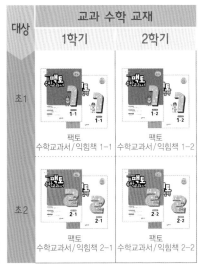

대상	교과 수학 교재	
	1학기	**2학기**
초1	팩토 수학교과서/익힘책 1-1	팩토 수학교과서/익힘책 1-2
초2	팩토 수학교과서/익힘책 2-1	팩토 수학교과서/익힘책 2-2

단계수 학습 순서

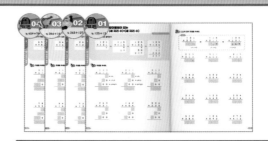

매일 학습

단원별로 꼭 알아야 할 개념만 쏙쏙 학습하고 다양한 연산 문제를 통해 연산 과정을 숙달하여 계산력을 쑥쑥 키울 수 있습니다.

도전! 응용문제

응용 문제와 **서술형** 문제를 통해 사고력과 문제해결력을 기를 수 있습니다.

형성 평가

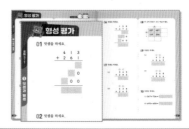

단원의 **복습 단계**로 문제를 풀면서 학습한 내용을 다시 한 번 확인할 수 있습니다.

단원 평가

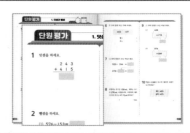

단원의 **마무리 학습**으로 학교 시험에 자주 나오는 문제를 통해 수시 평가 등 학교 시험에 대비할 수 있습니다.

 매스티안 http://www.mathtian.com

자율안전확인신고필증번호 : B361H200-4001
1. 주소 : 06153 서울특별시 강남구 봉은사로 442 (삼성동)
2. 문의전화 : 1588-6066
3. 제조국 : 대한민국
4. 사용연령 : 10세 이상
※ KC마크는 이 제품이 공통안전기준에 적합하였음을 의미합니다.

 ⚠ 주의
종이, 모서리에 다칠 수 있으니 주의하세요!

	초등학교	반	번
이름			

단원별

단계

산력

수학

6 단원

분수와 소수

팩토는 자유롭게 자신감있게 창의적으로 생각하는 주니어수학자입니다.

단계별 원별산력 수학

펴낸 곳 (주)타임교육C&P   **펴낸이** 이길호   **지은이** 매스티안R&D센터
주소 06153 서울특별시 강남구 봉은사로 442 (삼성동)   **문의전화** 1588.6066
팩토카페 http://cafe.naver.com/factos   **홈페이지** http://www.mathtian.com

MW2108

생각이 자유로운 사람들! 매스티안R&D센터

매스티안R&D센터의 논리적 사고력과 창의적 문제해결력을 키우는 수학 콘텐츠는 국내외 수많은 교육 현장에서 그 우수성을 높이 평가받고 있습니다.
매스티안R&D센터는 여기에 안주하지 않고 앞으로도 학생, 교사, 학부모 모두가 행복한 수학 시간을 만들 수 있도록 노력하겠습니다.

매스티안 공식 홈페이지 … (http://www.mathtian.com)

· 매스티안의 다양한 출간 교재 소개

· 출간 교재와 관련된 학습 자료(보충 학습지, 활동지 등) 제공

· 출간 교재와 관련된 평가 시험 및 분석 제공

매스티안 공식 카페 … 팩토 (http://cafe.naver.com/factos)

· 창의사고력 수학 팩토 무료 동영상 강의 제공

· 출간 교재에 관한 질문 및 답변

· 영재교육원 대비 자료(기출 문제, 예상 문제) 제공

· 초등 수학 비법 및 Q&A

FACTO school

3 1
초등 수학
팩토

단 원별
계 산력
수 학

6 단원

분수와 소수

매스티안

4. 분수
· 진분수, 가분수, 대분수
· 분모가 같은 분수의
  크기 비교

1. 분수의 덧셈과 뺄셈
· 분모가 같은 진분수,
  대분수의 덧셈과 뺄셈

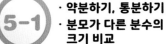

4. 약분과 통분
· 약분하기, 통분하기
· 분모가 다른 분수의
  크기 비교

6. 분수와 소수
· 분수와 소수
· 분수와 소수의 크기 비교

3. 소수의 덧셈과 뺄셈
· 소수 두 자리 수, 소수 세 자리 수
· 소수의 덧셈과 뺄셈

4. 소수의 곱셈
· (소수)×(자연수)
· (소수)×(소수)

6 분수와 소수

Teaching Guide

· 아이가 처음으로 분수를 접하는 이 단원에서는 분수의 기초 개념을 이해시켜야 합니다. 분수의 기초 개념은 전체와 부분의 개념에서 출발합니다. 분수를 처음 접하는 아이에게는 시각적 이해를 돕는 사과, 색종이 같은 물건을 이용하여 똑같이 나누는 활동을 하게 합니다. 예를 들어, 차츰 분수의 개념에 익숙해지면 똑같이 6개로 나눈 것 중 4개에 해당하는 것을 각각 분모, 분자로 하여 $\frac{4}{6}$로 나타낸다는 것을 지도합니다.

· 분모가 같은 분수의 크기를 비교할 때에 단순히 분자의 수의 크기만 비교하지 말고, 단위분수의 개수를 활용하는 분수의 개념을 통한 크기 비교가 되도록 지도해 줍니다.

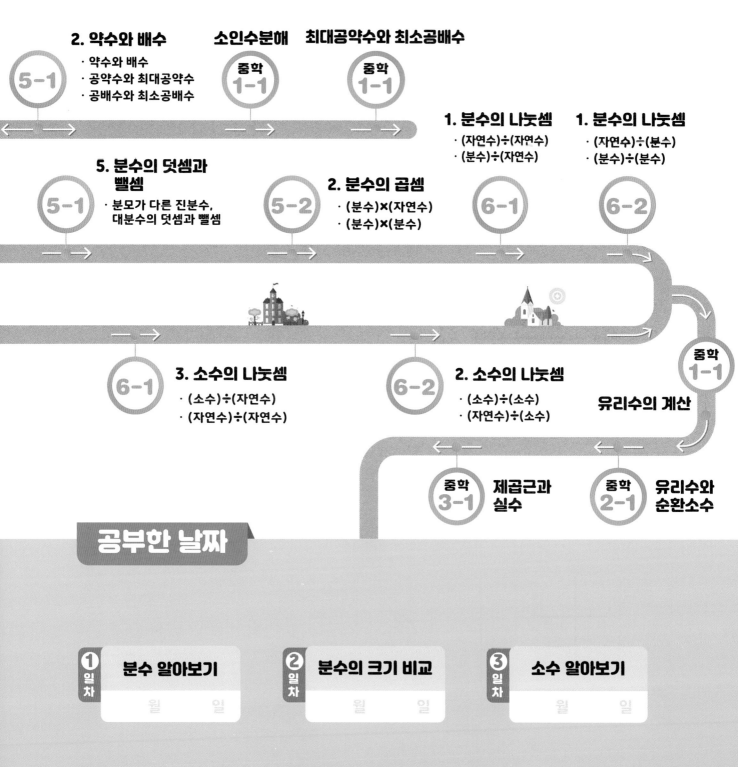

2. 약수와 배수
- 약수와 배수
- 공약수와 최대공약수
- 공배수와 최소공배수

5-1

소인수분해

중학 1-1

최대공약수와 최소공배수

중학 1-1

1. 분수의 나눗셈
- (자연수)÷(자연수)
- (분수)÷(자연수)

1. 분수의 나눗셈
- (자연수)÷(분수)
- (분수)÷(분수)

5. 분수의 덧셈과 뺄셈
- 분모가 다른 진분수, 대분수의 덧셈과 뺄셈

5-1

2. 분수의 곱셈
- (분수)×(자연수)
- (분수)×(분수)

5-2

6-1

6-2

3. 소수의 나눗셈
- (소수)÷(자연수)
- (자연수)÷(자연수)

6-1

2. 소수의 나눗셈
- (소수)÷(소수)
- (자연수)÷(소수)

6-2

중학 1-1

유리수의 계산

중학 3-1 제곱근과 실수

중학 2-1 유리수와 순환소수

공부한 날짜

① 일차 분수 알아보기
월 일

② 일차 분수의 크기 비교
월 일

③ 일차 소수 알아보기
월 일

④ 일차 소수의 크기 비교
월 일

⑤ 일차 응용 문제
월 일

⑥ 일차 형성 평가
월 일

⑦ 일차 단원 평가
월 일

01 분수 알아보기

색칠한 부분과 전체 알아보기

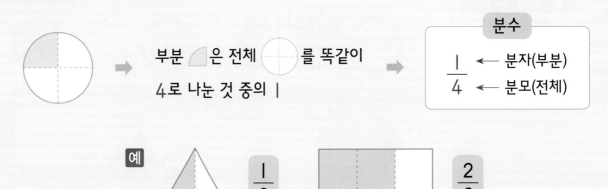

1 보기 와 같이 점을 이용하여 주어진 개수만큼 똑같은 모양으로 나누어 보세요.

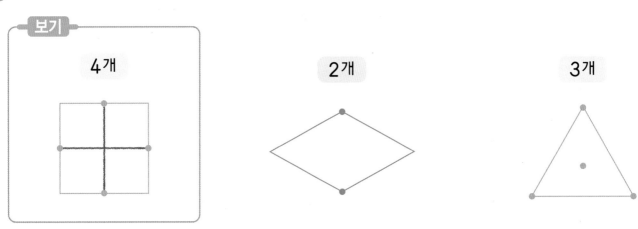

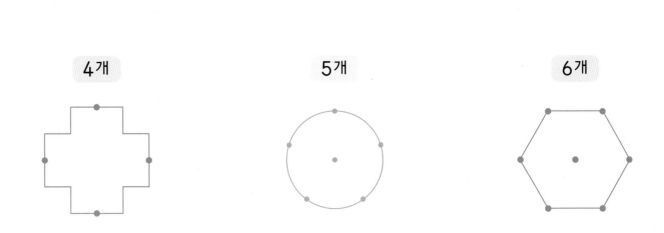

2 ☐ 안에 알맞은 수를 써넣고 분수로 나타내거나 분수만큼 색칠해 보세요.

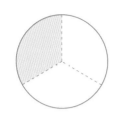 ➡ 전체를 똑같이 3으로
나눈 것 중의 ☐1 ➡

 ➡ 전체를 똑같이 4로
나눈 것 중의 ☐ ➡

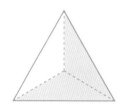 ➡ 전체를 똑같이 3으로
나눈 것 중의 ☐ ➡

$\dfrac{3}{6}$ ➡ 전체를 똑같이 6으로
나눈 것 중의 ☐3 ➡

$\dfrac{2}{3}$ ➡ 전체를 똑같이 3으로
나눈 것 중의 ☐ ➡

$\dfrac{3}{4}$ ➡ 전체를 똑같이 4로
나눈 것 중의 ☐ ➡

$\dfrac{5}{8}$ ➡ 전체를 똑같이 8로
나눈 것 중의 ☐ ➡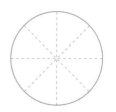

색칠한 부분을 분수로 나타내어 보세요.

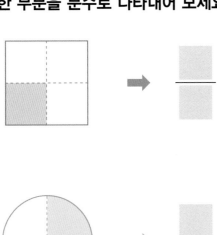

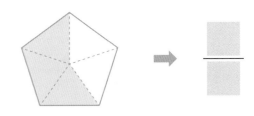

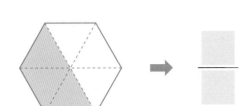

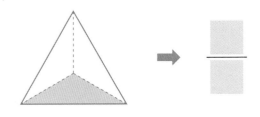

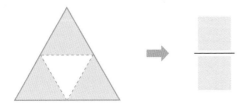

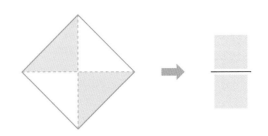

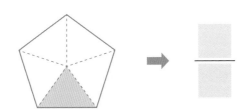

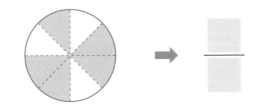

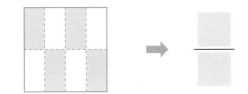

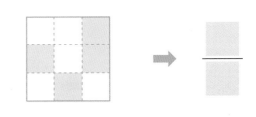

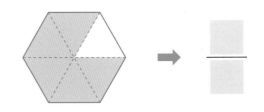

4 분수만큼 색칠해 보세요.

$\dfrac{1}{2}$ ➡

$\dfrac{3}{4}$ ➡

$\dfrac{2}{3}$ ➡

$\dfrac{5}{6}$ ➡

$\dfrac{4}{9}$ ➡

$\dfrac{3}{8}$ ➡

$\dfrac{2}{4}$ ➡

$\dfrac{4}{5}$ ➡

$\dfrac{3}{6}$ ➡

$\dfrac{6}{8}$ ➡

$\dfrac{7}{10}$ ➡

$\dfrac{5}{12}$ ➡

02 분수의 크기 비교

정답 42쪽

초등 3-1

❻ 분수와 소수

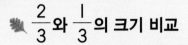

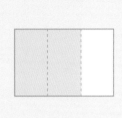 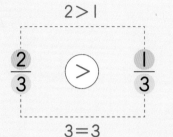 

1 분수의 크기만큼 색칠하고 크기를 비교하여 ⬤ 안에 >, =, <를 알맞게 써넣은 후, 알 수 있는 사실에 ◯표 하세요.

$\dfrac{2}{4}$ ⬤ $\dfrac{3}{4}$

$\dfrac{4}{5}$ ⬤ $\dfrac{3}{5}$

$\dfrac{5}{6}$ ⬤ $\dfrac{4}{6}$

$\dfrac{5}{8}$ ⬤ $\dfrac{7}{8}$

$\dfrac{4}{7}$ ⬤ $\dfrac{5}{7}$

$\dfrac{4}{9}$ ⬤ $\dfrac{6}{9}$

> **알 수 있는 사실**
>
> 두 분수의 분모가 같은 경우, 분자가 (클수록 , 작을수록) 큰 수입니다.

08

2 두 분수의 크기를 비교하여 ◯ 안에 >, =, <를 알맞게 써넣으세요.

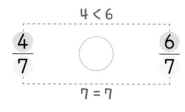

$$\frac{4}{7} \bigcirc \frac{6}{7}$$

$$\frac{8}{9} \bigcirc \frac{7}{9}$$

$$\frac{5}{10} \bigcirc \frac{8}{10}$$

$$\frac{2}{8} \bigcirc \frac{5}{8}$$

$$\frac{5}{6} \bigcirc \frac{3}{6}$$

$$\frac{6}{13} \bigcirc \frac{9}{13}$$

$$\frac{9}{11} \bigcirc \frac{5}{11}$$

$$\frac{4}{5} \bigcirc \frac{2}{5}$$

$$\frac{4}{9} \bigcirc \frac{7}{9}$$

$$\frac{13}{14} \bigcirc \frac{10}{14}$$

$$\frac{5}{12} \bigcirc \frac{8}{12}$$

$$\frac{3}{7} \bigcirc \frac{6}{7}$$

$$\frac{7}{8} \bigcirc \frac{6}{8}$$

$$\frac{12}{16} \bigcirc \frac{15}{16}$$

3 분수의 크기만큼 색칠하고 크기를 비교하여 ⬤ 안에 >, =, <를 알맞게 써넣은 후, 알 수 있는 사실에 ○표 하세요.

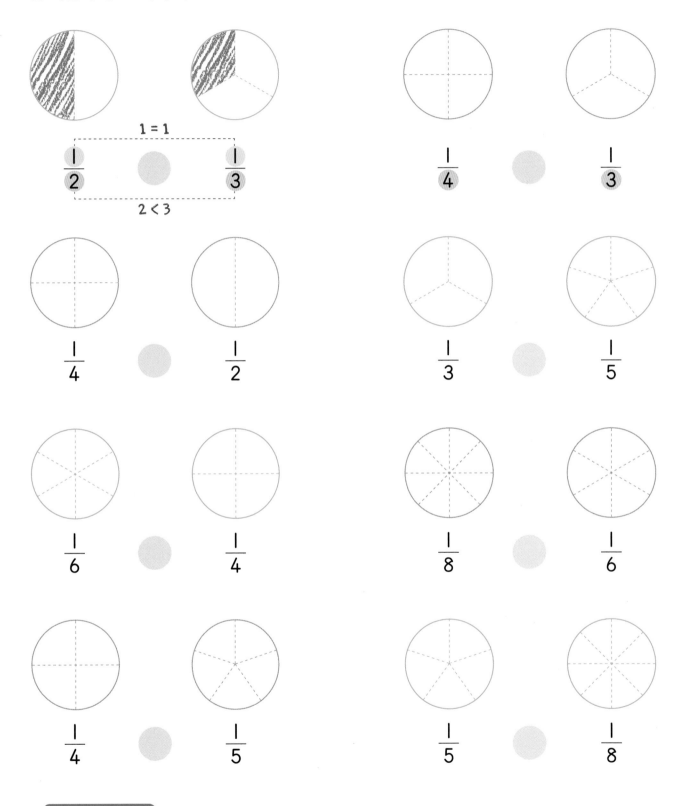

알 수 있는 사실

두 분수의 분자가 1인 경우, 분모가 (클수록 , 작을수록) 큰 수입니다.

$\dfrac{1}{5}$ ◯ $\dfrac{1}{2}$ 1 = 1   5 > 2

$\dfrac{1}{4}$ ◯ $\dfrac{1}{8}$ 4 < 8

$\dfrac{1}{3}$ ◯ $\dfrac{1}{7}$ $\dfrac{1}{6}$ ◯ $\dfrac{1}{3}$

$\dfrac{1}{2}$ ◯ $\dfrac{1}{4}$ $\dfrac{1}{8}$ ◯ $\dfrac{1}{9}$

$\dfrac{1}{6}$ ◯ $\dfrac{1}{5}$ $\dfrac{1}{11}$ ◯ $\dfrac{1}{10}$

$\dfrac{1}{7}$ ◯ $\dfrac{1}{8}$ $\dfrac{1}{8}$ ◯ $\dfrac{1}{5}$

$\dfrac{1}{10}$ ◯ $\dfrac{1}{9}$ $\dfrac{1}{12}$ ◯ $\dfrac{1}{13}$

$\dfrac{1}{9}$ ◯ $\dfrac{1}{7}$ $\dfrac{1}{15}$ ◯ $\dfrac{1}{14}$

🍂 **소수 알아보기**

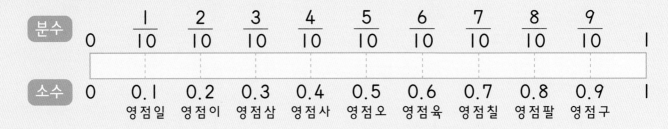

분수	0	$\frac{1}{10}$	$\frac{2}{10}$	$\frac{3}{10}$	$\frac{4}{10}$	$\frac{5}{10}$	$\frac{6}{10}$	$\frac{7}{10}$	$\frac{8}{10}$	$\frac{9}{10}$	1
소수	0	0.1	0.2	0.3	0.4	0.5	0.6	0.7	0.8	0.9	1
		영점일	영점이	영점삼	영점사	영점오	영점육	영점칠	영점팔	영점구	

1 ☐ 안에 알맞은 수를 써넣으세요.

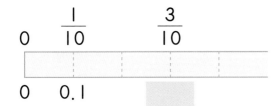

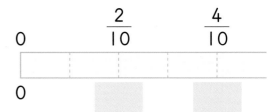

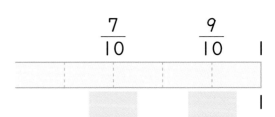

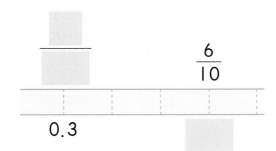

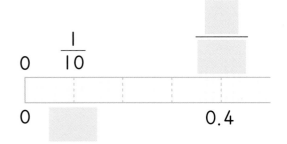

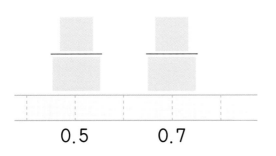

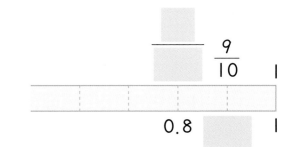

분수를 소수로, 소수를 분수로 나타내어 보세요.

$\frac{3}{10} =$ 　　　　　　　$\frac{6}{10} =$ 　　　　　　　$\frac{1}{10} =$

$\frac{5}{10} =$ 　　　　　　　$\frac{7}{10} =$ 　　　　　　　$\frac{4}{10} =$

$\frac{2}{10} =$ 　　　　　　　$\frac{9}{10} =$ 　　　　　　　$\frac{8}{10} =$

$0.4 = \overline{}$ 　　　　$0.7 = \overline{}$ 　　　　$0.2 = \overline{}$

$0.6 = \overline{}$ 　　　　$0.8 = \overline{}$ 　　　　$0.5 = \overline{}$

$0.9 = \overline{}$ 　　　　$0.1 = \overline{}$ 　　　　$0.3 = \overline{}$

mm와 cm 나타내기

0	1mm	2mm	3mm	4mm	5mm	6mm	7mm	8mm	9mm	10mm

0	0.1cm	0.2cm	0.3cm	0.4cm	0.5cm	0.6cm	0.7cm	0.8cm	0.9cm	1cm

3 안에 알맞은 수를 써넣으세요.

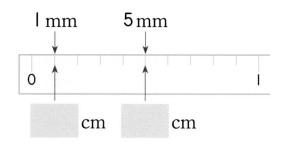

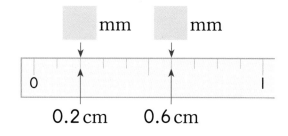

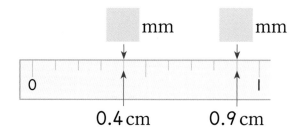

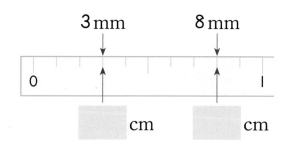

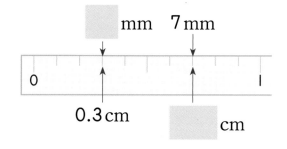

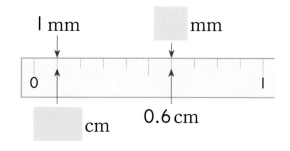

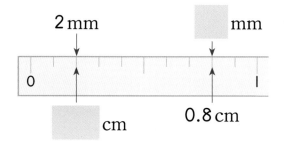

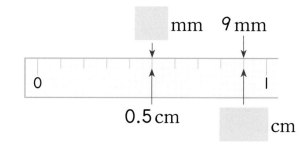

4 안에 알맞은 소수를 써넣으세요.

1 cm 3 mm = ⬚ cm

1 cm 0.3 cm

3 cm 6 mm = ⬚ cm

3 cm 0.6 cm

4 cm 2 mm = ⬚ cm

2 cm 7 mm = ⬚ cm

3 cm 1 mm = ⬚ cm

5 cm 3 mm = ⬚ cm

1 cm 9 mm = ⬚ cm

8 cm 4 mm = ⬚ cm

15 mm = ⬚ cm

10 mm 5 mm

1 cm 0.5 cm

24 mm = ⬚ cm

20 mm 4 mm

2 cm 0.4 cm

35 mm = ⬚ cm

48 mm = ⬚ cm

28 mm = ⬚ cm

55 mm = ⬚ cm

92 mm = ⬚ cm

76 mm = ⬚ cm

04 소수의 크기 비교

🍂 소수의 크기 비교

① 일의 자리가 다른 경우

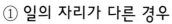
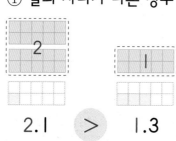

2.1   **>**   1.3

② 일의 자리가 같은 경우

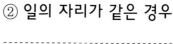
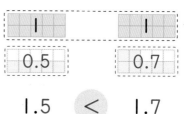

1.5   **<**   1.7

 1 두 소수의 크기를 비교하여 ◯ 안에 > 또는 <를 알맞게 써넣으세요.

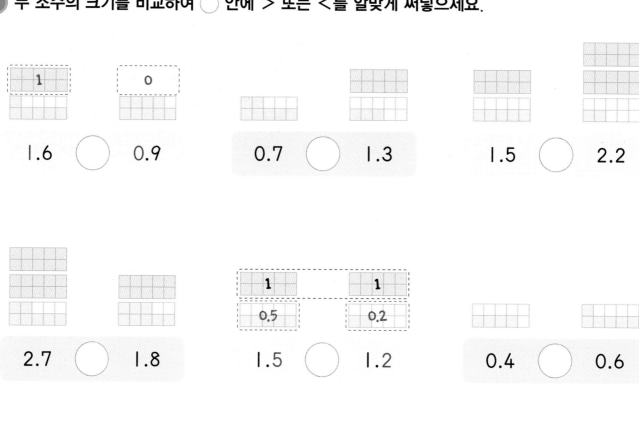

1.6 ◯ 0.9   0.7 ◯ 1.3   1.5 ◯ 2.2

2.7 ◯ 1.8   1.5 ◯ 1.2   0.4 ◯ 0.6

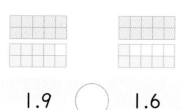
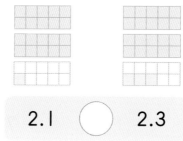
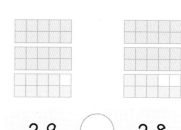

1.9 ◯ 1.6   2.1 ◯ 2.3   2.9 ◯ 2.8

2 두 소수의 크기를 비교하여 ◯ 안에 >, =, <를 알맞게 써넣으세요.

3 > 2

3.6 ◯ 2.9

0 < 1

0.7 ◯ 1.5

2.3 ◯ 0.6

5.2 ◯ 3.4

1.7 ◯ 2.5

3.8 ◯ 4.6

2.9 ◯ 3.2

3.3 ◯ 2.4

6.1 ◯ 5.4

1.7 ◯ 2.2

4.2 ◯ 3.5

3.9 ◯ 2.5

0.9 ◯ 1.6

4.3 ◯ 3.7

3 두 소수의 크기를 비교하여 ◯ 안에 >, =, <를 알맞게 써넣으세요.

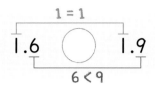

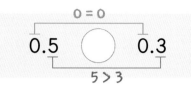

0.7 ◯ 0.4

2.4 ◯ 2.5

0.9 ◯ 0.6

1.4 ◯ 1.5

2.3 ◯ 2.7

0.6 ◯ 0.3

1.5 ◯ 1.1

3.2 ◯ 3.8

4.5 ◯ 4.7

1.9 ◯ 1.4

2.8 ◯ 2.6

5.5 ◯ 5.2

4 갈림길에서 **더 큰 소수를** 따라가 친구를 만나러 가세요.

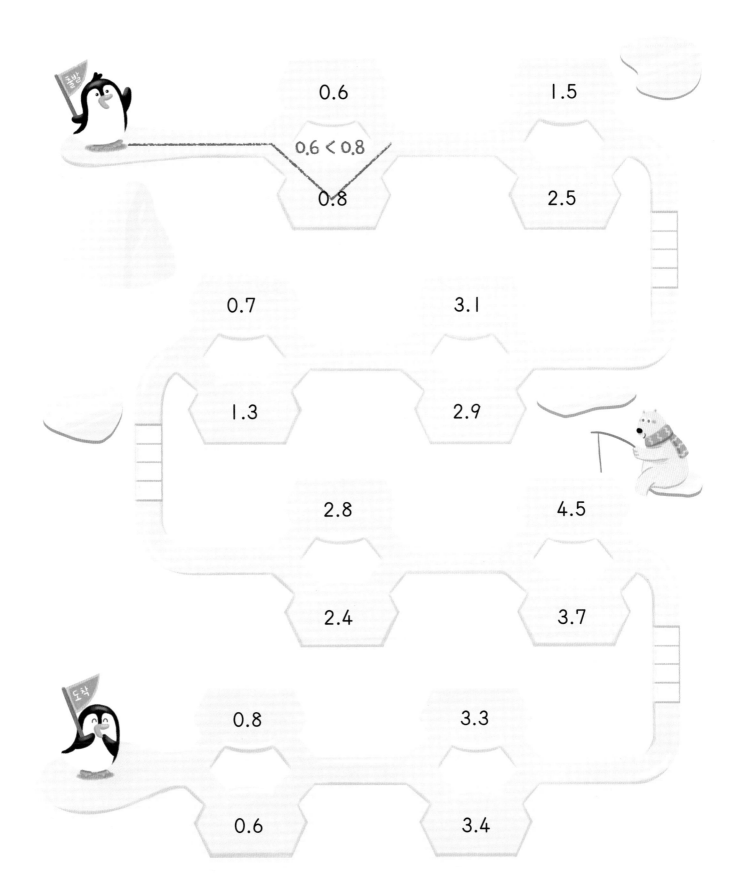

0.6

1.5

0.6 < 0.8

0.8

2.5

0.7

3.1

1.3

2.9

2.8

4.5

2.4

3.7

0.8

3.3

0.6

3.4

정답 45쪽

🌿 똑같은 개수만큼 나누어 보기

2개

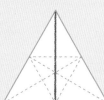

3개

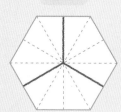

 응용 1 보기 와 같이 점선을 이용하여 주어진 개수만큼 똑같은 모양으로 나누어 보세요.

보기

예 2개

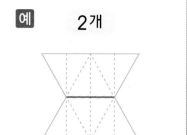

4개

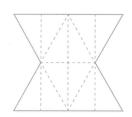

6개

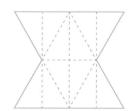

2개

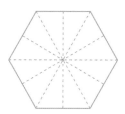

4개

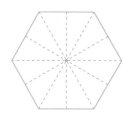

6개

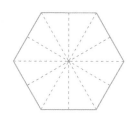

2개

3개

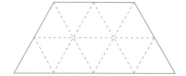

4개

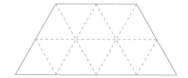

🍂 똑같이 나누어 $\dfrac{1}{4}$ 만큼 색칠하기

응용 ② 점을 이용하여 똑같은 모양으로 나누고 주어진 분수만큼 색칠해 보세요.

$\dfrac{1}{6}$

$\dfrac{2}{4}$

$\dfrac{3}{8}$

$\dfrac{1}{4}$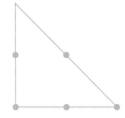

$\dfrac{2}{3}$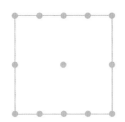

$\dfrac{4}{9}$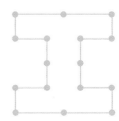

$\dfrac{5}{12}$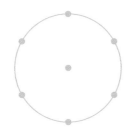

$\dfrac{3}{5}$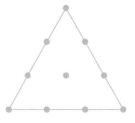

① 조각 옮기기　② 분수로 나타내기

이동

색칠한 가장 작은 사각형의 수 → 2
가장 작은 사각형의 전체 수 → 6

응용 ③ 전체에 대하여 색칠한 부분의 크기를 분수로 나타내어 보세요.

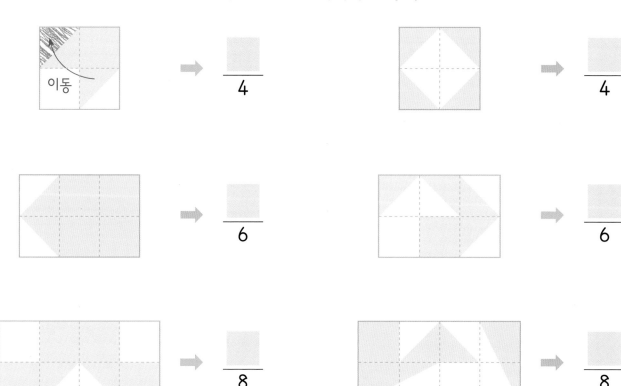

이동

⬜ / 4

⬜ / 4

⬜ / 6

⬜ / 6

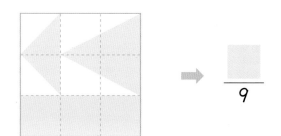

⬜ / 8

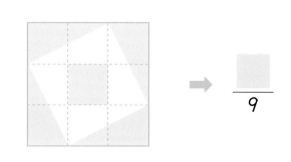

⬜ / 8

⬜ / 9

⬜ / 9

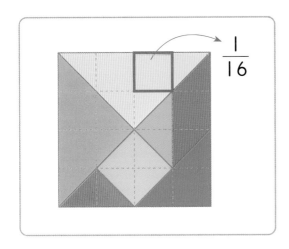

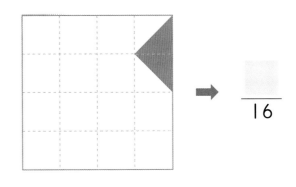

$$\frac{}{16}$$

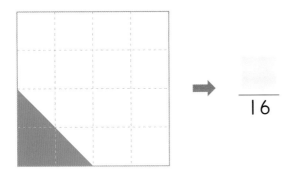

$$\frac{}{16}$$

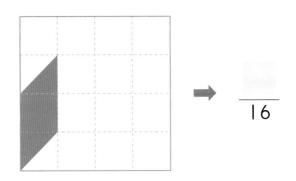

$$\frac{}{16}$$

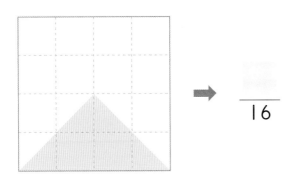

$$\frac{}{16}$$

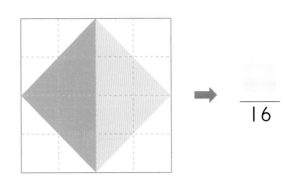

$$\frac{}{16}$$

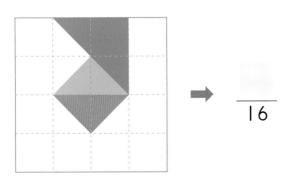

$$\frac{}{16}$$

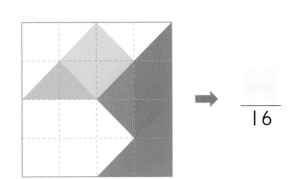

$$\frac{}{16}$$

정답 46쪽

분

점

초등 3-1

❻ 분수와 소수

01 점을 이용하여 주어진 개수만큼 똑같은 모양으로 나누어 보세요.

3개

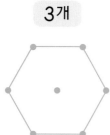

[02~03] ☐ 안에 알맞은 수를 써넣고 분수로 나타내거나 분수만큼 색칠해 보세요.

02

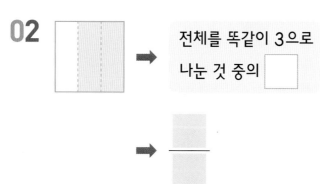

전체를 똑같이 3으로 나눈 것 중의 ☐

➡ ―――

03

$\frac{1}{4}$

➡ 전체를 똑같이 4로 나눈 것 중의 ☐

04 색칠한 부분을 분수로 나타내어 보세요.

(1)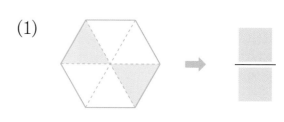

➡ ―――

(2)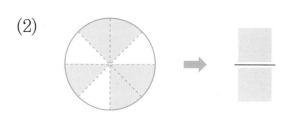

➡ ―――

05 분수만큼 색칠해 보세요.

(1) $\frac{3}{5}$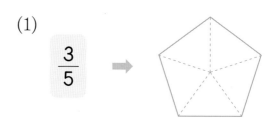

(2) $\frac{2}{6}$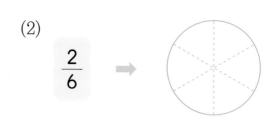

24

[06~07] 분수의 크기만큼 색칠하고 크기를 비교하여 ⬤ 안에 >, =, <를 알맞게 써넣으세요.

06

$$\frac{3}{5}$$

$$\frac{2}{5}$$

07

$$\frac{4}{6}$$

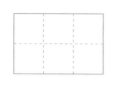

$$\frac{5}{6}$$

08 두 분수의 크기를 비교하여 ◯ 안에 >, =, <를 알맞게 써넣으세요.

(1)

$$\frac{9}{10} \bigcirc \frac{8}{10}$$

(2)

$$\frac{6}{8} \bigcirc \frac{7}{8}$$

[09~10] 분수의 크기만큼 색칠하고 크기를 비교하여 ⬤ 안에 >, =, <를 알맞게 써넣으세요.

09

$$\frac{1}{5}$$

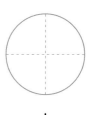

$$\frac{1}{4}$$

10

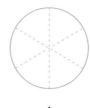

$$\frac{1}{6}$$

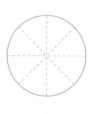

$$\frac{1}{8}$$

11 두 분수의 크기를 비교하여 ◯ 안에 >, =, <를 알맞게 써넣으세요.

(1)

$$\frac{1}{6} \bigcirc \frac{1}{5}$$

(2)

$$\frac{1}{9} \bigcirc \frac{1}{8}$$

12 🔲 안에 알맞은 수를 써넣으세요.

(1)

               $\dfrac{2}{10}$

0

0

(2)

$\dfrac{\square}{\square}$ $\dfrac{8}{10}$

0.5

13 분수를 소수로 나타내어 보세요.

(1) $\dfrac{3}{10} = \boxed{}$

(2) $\dfrac{6}{10} = \boxed{}$

(3) $\dfrac{7}{10} = \boxed{}$

(4) $\dfrac{2}{10} = \boxed{}$

(5) $\dfrac{8}{10} = \boxed{}$

14 소수를 분수로 나타내어 보세요.

(1) $0.1 = \dfrac{\square}{\square}$

(2) $0.5 = \dfrac{\square}{\square}$

(3) $0.6 = \dfrac{\square}{\square}$

(4) $0.4 = \dfrac{\square}{\square}$

(5) $0.9 = \dfrac{\square}{\square}$

15 🔲 안에 알맞은 수를 써넣으세요.

(1)

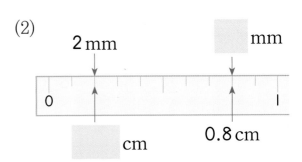

$\boxed{}$ mm

0.3 cm

(2)

2 mm $\boxed{}$ mm

$\boxed{}$ cm   0.8 cm

16 (1) 1 cm 7 mm = ▨ cm

(2) 4 cm 8 mm = ▨ cm

17 (1) 36 mm = ▨ cm

(2) 52 mm = ▨ cm

19 두 소수의 크기를 비교하여 ◯ 안에 >, =, <를 알맞게 써넣으세요.

(1)
1.4 ◯ 2.3

(2)
4.3 ◯ 3.8

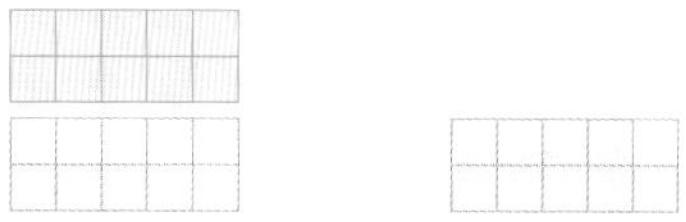

18 두 소수의 크기를 비교하여 ◯ 안에 >, =, <를 알맞게 써넣으세요.

(1)
1.3 ◯ 0.9

(2)
0.8 ◯ 0.6

20 두 소수의 크기를 비교하여 ◯ 안에 >, =, <를 알맞게 써넣으세요.

(1)
1.5 ◯ 1.7

(2)
2.6 ◯ 2.9

1 똑같이 셋으로 나누어진 도형을 찾아 기호를 써 보세요.

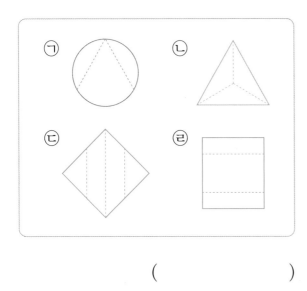

(   )

2 ☐ 안에 알맞은 수를 써넣으세요.

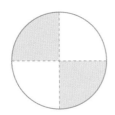

색칠한 부분은 전체를 똑같이 ☐로 나눈 것 중의 ☐입니다.

3 색칠한 부분을 분수로 나타내어 보세요.

(1)

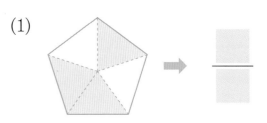

(2)

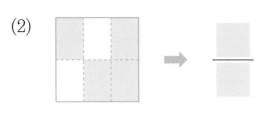

4 분수의 크기만큼 색칠하고 크기를 비교하여 ◯ 안에 >, =, <를 알맞게 써넣으세요.

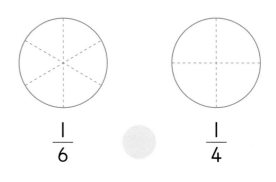

$\dfrac{1}{6}$ ◯ $\dfrac{1}{4}$

5 두 분수의 크기를 비교하여 ◯ 안에 >, =, <를 알맞게 써넣으세요.

$\dfrac{3}{7}$ ◯ $\dfrac{4}{7}$

6 안에 알맞은 소수를 써넣으세요.

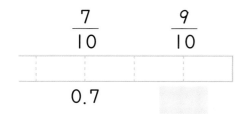

$$\frac{7}{10} \qquad \frac{9}{10}$$

0.7

7 분수를 소수로, 소수를 분수로 나타내어 보세요.

(1) $\dfrac{3}{10} =$

(2) $0.6 = \dfrac{}{}$

8 두 소수의 크기를 비교하여 ○ 안에 >, =, <를 알맞게 써넣으세요.

$$2.9 \ \bigcirc \ 3.2$$

9 민정이는 빵을 전체의 $\dfrac{3}{8}$을 먹었고, 현민이는 전체의 $\dfrac{5}{8}$를 먹었습니다. 빵을 더 많이 먹은 사람은 누구일까요?

( )

10 색칠한 부분과 색칠하지 않은 부분을 분수로 써 보세요.

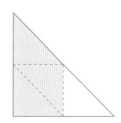

(1) 색칠한 부분: $\dfrac{}{}$

(2) 색칠하지 않은 부분: $\dfrac{}{}$

11 관계있는 것끼리 선으로 이어 보세요.

$\frac{2}{10}$ •   • 0.4 •   • 영 점 팔

$\frac{4}{10}$ •   • 0.2 •   • 영 점 이

$\frac{8}{10}$ •   • 0.8 •   • 영 점 사

12 두 소수의 크기를 비교하여 ◯ 안에 >, =, <를 알맞게 써넣으세요.

4.5 ◯ 4.7

13 ▨ 안에 알맞은 수를 써넣으세요.

0.1이 6개이면 ▨ 입니다.

14 가장 큰 수와 가장 작은 수를 각각 찾아 써 보세요.

$\frac{3}{9}$ $\frac{8}{9}$ $\frac{5}{9}$

가장 큰 수 (   )

가장 작은 수 (   )

15 점선을 이용하여 주어진 개수만큼 똑같은 모양으로 나누어 보세요.

3개

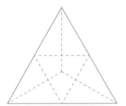

16 다음 중 가장 작은 수를 찾아 써 보세요.

$$0.8 \quad 1.5 \quad 0.3 \quad 3.1$$

(   )

17 클립의 길이는 몇 cm인지 소수로 나타내어 보세요.

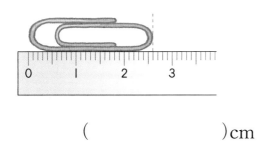

(   )cm

18 철사를 수진이는 1.8 m 가지고 있고, 동원이는 2.2 m 가지고 있습니다. 누구의 철사가 더 길까요?

(   )

19 전체에 대하여 색칠한 부분의 크기를 분수로 나타내어 보세요.

 ➡ $\dfrac{}{8}$

20 칠교 조각의 전체를 1로 할 때, 주어진 모양의 넓이를 분수로 나타내어 보세요.

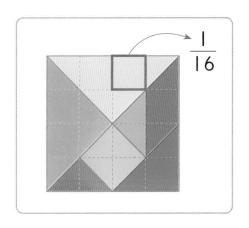

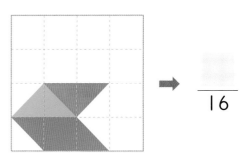 ➡ $\dfrac{}{16}$

memo

논리적 사고력과 창의적 문제해결력을 키워 주는
매스티안 교재 활용법!

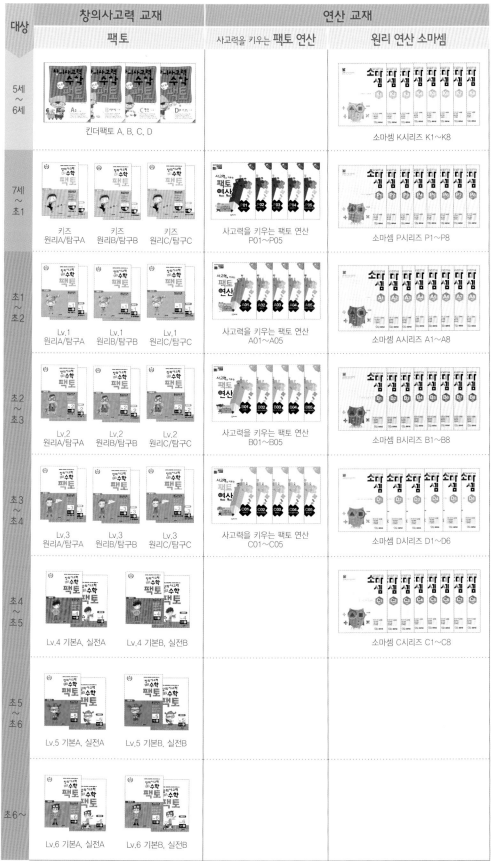

대상	창의사고력 교재			연산 교재	
	팩토			사고력을 키우는 **팩토 연산**	원리 연산 소마셈
5세 ~ 6세	킨더팩토 A, B, C, D				소마셈 K시리즈 K1~K8
7세 ~ 초1	키즈 원리A/탐구A	키즈 원리B/탐구B	키즈 원리C/탐구C	사고력을 키우는 팩토 연산 P01~P05	소마셈 P시리즈 P1~P8
초1 ~ 초2	Lv.1 원리A/탐구A	Lv.1 원리B/탐구B	Lv.1 원리C/탐구C	사고력을 키우는 팩토 연산 A01~A05	소마셈 A시리즈 A1~A8
초2 ~ 초3	Lv.2 원리A/탐구A	Lv.2 원리B/탐구B	Lv.2 원리C/탐구C	사고력을 키우는 팩토 연산 B01~B05	소마셈 B시리즈 B1~B8
초3 ~ 초4	Lv.3 원리A/탐구A	Lv.3 원리B/탐구B	Lv.3 원리C/탐구C	사고력을 키우는 팩토 연산 C01~C05	소마셈 D시리즈 D1~D6
초4 ~ 초5	Lv.4 기본A, 실전A	Lv.4 기본B, 실전B			
초5 ~ 초6	Lv.5 기본A, 실전A	Lv.5 기본B, 실전B			소마셈 C시리즈 C1~C8
초6~	Lv.6 기본A, 실전A	Lv.6 기본B, 실전B			

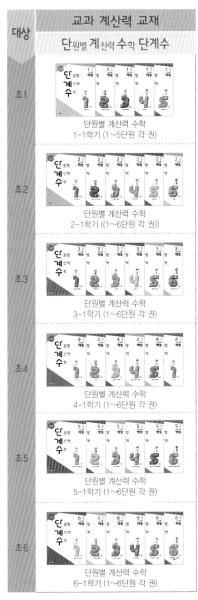

대상	교과 계산력 교재
	단원별 계산력 수학 단계수
초1	단원별 계산력 수학 1-1학기 (1~5단원 각 권)
초2	단원별 계산력 수학 2-1학기 ((1~6단원 각 권))
초3	단원별 계산력 수학 3-1학기 (1~6단원 각 권)
초4	단원별 계산력 수학 4-1학기 (1~6단원 각 권)
초5	단원별 계산력 수학 5-1학기 (1~6단원 각 권)
초6	단원별 계산력 수학 6-1학기 (1~6단원 각 권)

대상	교과 수학 교재	
	1학기	2학기
초1	팩토 수학교과서/익힘책 1-1	팩토 수학교과서/익힘책 1-2
초2	팩토 수학교과서/익힘책 2-1	팩토 수학교과서/익힘책 2-2

단계수 학습 순서

매일 학습

단원별로 꼭 알아야 할 개념만 쏙쏙 학습하고 다양한 연산 문제를 통해 연산 과정을 숙달하여 계산력을 쑥쑥 키울 수 있습니다.

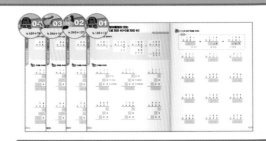

도전! 응용문제

응용 문제와 **서술형** 문제를 통해 사고력과 문제해결력을 기를 수 있습니다.

형성 평가

단원의 **복습 단계**로 문제를 풀면서 학습한 내용을 다시 한 번 확인할 수 있습니다.

단원 평가

단원의 **마무리 학습**으로 학교 시험에 자주 나오는 문제를 통해 수시 평가 등 학교 시험에 대비할 수 있습니다.

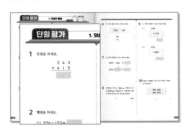

 매스티안 http://www.mathtian.com

 자율안전확인신고필증번호 : B361H200-4001

1. 주소 : 06153 서울특별시 강남구 봉은사로 442 (삼성동)
2. 문의전화 : 1588-6066
3. 제조국 : 대한민국
4. 사용연령 : 10세 이상

※ KC마크는 이 제품이 공통안전기준에 적합하였음을 의미합니다.

⚠ 주의

종이, 모서리에 다칠 수 있으니 주의하세요!

	초등학교	반	번
이름			

3-1
초등 수학
팩토

단 원별

계 산력

수 학

정답

매스티안

팩토는 자유롭게 자신감있게 창의적으로 생각하는 주니어 수학자입니다.

단원별 산력수학

펴낸 곳 (주)타임교육C&P   **펴낸이** 이길호   **지은이** 매스티안R&D센터

주소 06153 서울특별시 강남구 봉은사로 442 (삼성동)   **문의전화** 1588.6066

팩토카페 http://cafe.naver.com/factos   **홈페이지** http://www.mathtian.com

MW2108

생각이 자유로운 사람들! 매스티안R&D센터

매스티안R&D센터의 논리적 사고력과 창의적 문제해결력을 키우는 수학 콘텐츠는 국내외 수많은 교육 현장에서 그 우수성을 높이 평가받고 있습니다.
매스티안R&D센터는 여기에 안주하지 않고 앞으로도 학생, 교사, 학부모 모두가 행복한 수학 시간을 만들 수 있도록 노력하겠습니다.

매스티안 공식 홈페이지 ··· (http://www.mathtian.com)

· 매스티안의 다양한 출간 교재 소개

· 출간 교재와 관련된 학습 자료(보충 학습지, 활동지 등) 제공

· 출간 교재와 관련된 평가 시험 및 분석 제공

매스티안 공식 카페 ··· 팩토 (http://cafe.naver.com/factos)

· 창의사고력 수학 팩토 무료 동영상 강의 제공

· 출간 교재에 관한 질문 및 답변

· 영재교육원 대비 자료(기출 문제, 예상 문제) 제공

· 초등 수학 비법 및 Q&A

단계수

단원별 산력 수학

초등 수학
팩토

3-1

정답

매스티안

01 받아올림이 없는 (세 자리 수)+(세 자리 수)

정답 02쪽

125+134 알아보기

	1 2 5		1 2 5		1 2 5		1 2 5
+	1 3 4	+	1 3 4	+	1 3 4	+	1 3 4
	9		9		9		9
			5 0		5 0		5 0
					2 0 0		2 0 0
							2 5 9

1 덧셈을 하세요.

```
  1 3 3
+ 2 1 2
      5   ← 3+2
    4 0   ← 30+10
  3 0 0   ← 100+200
  3 4 5
```

```
  2 6 1
+ 2 3 6
      7   ← 1+6
    9 0   ← 60+30
  4 0 0   ← 200+200
  4 9 7
```

```
  3 2 2
+ 5 4 1
      3
    6 0
  8 0 0
  8 6 3
```

```
  2 4 3
+ 4 3 1
      4
    7 0
  6 0 0
  6 7 4
```

```
  1 4 2
+ 4 0 4
      6
    4 0
  5 0 0
  5 4 6
```

```
  5 3 4
+ 2 3 5
      9
    6 0
  7 0 0
  7 6 9
```

2 보기 와 같이 덧셈을 하세요.

보기
```
  1 3 6        1 3 6        1 3 6
+ 2 3 1   ⇒  + 2 3 1   ⇒  + 2 3 1
      7          6 7        3 6 7
  6+1=7        3+3=6        1+2=3
```

```
  2 2 3
+ 2 4 3
  4 6 6
```

```
  3 2 1
+ 4 0 2
  7 2 3
```

```
  2 2 5
+ 1 5 3
  3 7 8
```

```
  1 4 3
+ 5 4 6
  6 8 9
```

```
  6 5 2
+ 2 0 4
  8 5 6
```

```
  7 3 6
+ 2 3 1
  9 6 7
```

```
  3 1 4
+ 1 1 5
  4 2 9
```

```
  1 2 3
+ 4 4 0
  5 6 3
```

```
  2 0 4
+ 3 1 4
  5 1 8
```

```
  4 1 2
+ 3 8 6
  7 9 8
```

```
  1 0 4
+ 8 9 2
  9 9 6
```

```
  2 7 3
+ 4 1 2
  6 8 5
```

3 보기 와 같이 덧셈을 하세요.

보기
```
127+142= [ ]9  ⇒  127+142= [6]9  ⇒  127+142= 2 6 9
         9                  6                  2
```

231+452= 6 8 3

425+343= 7 6 8

227+341= 5 6 8

183+302= 4 8 5

352+623= 9 7 5

137+150= 2 8 7

162+710= 8 7 2

641+242= 8 8 3

230+259= 4 8 9

542+216= 7 5 8

721+241= 9 6 2

256+120= 3 7 6

106+241= 3 4 7

461+434= 8 9 5

4 덧셈을 하여 빈 곳에 써넣으세요.

134
225
359
134+225

361
412
773

150
114
264

243
215
458

501
324
825

462
131
593

334
450
784

124
513
637

613
341
954

232
361
593

340
132
472

452
413
865

245
123
368

153
421
574

324
373
697

02　받아올림이 한 번 있는
(세 자리 수)+(세 자리 수)

정답 03쪽

◆ 245+127 알아보기

$$
\begin{array}{r}
2\,4\,5 \\
+\ 1\,2\,7 \\
\hline
1\,2 \\
\end{array}
\Rightarrow
\begin{array}{r}
2\,4\,5 \\
+\ 1\,2\,7 \\
\hline
1\,2 \\
6\,0 \\
\end{array}
\Rightarrow
\begin{array}{r}
2\,4\,5 \\
+\ 1\,2\,7 \\
\hline
1\,2 \\
6\,0 \\
3\,0\,0 \\
\end{array}
\Rightarrow
\begin{array}{r}
2\,4\,5 \\
+\ 1\,2\,7 \\
\hline
1\,2 \\
6\,0 \\
3\,0\,0 \\
\hline
3\,7\,2 \\
\end{array}
$$

1 덧셈을 하세요.

```
  3 2 8
+ 2 5 2
─────────
   1 0   ← 8+2
   7 0   ← 20+50
 5 0 0   ← 300+200
─────────
 5 8 0
```

```
  1 5 4
+ 2 3 7
─────────
   1 1   ← 4+7
   8 0   ← 50+30
 3 0 0   ← 100+200
─────────
 3 9 1
```

```
  4 2 8
+ 3 0 6
─────────
   1 4
   2 0
 7 0 0
─────────
 7 3 4
```

```
  7 2 7
+ 1 3 5
─────────
   1 2
   5 0
 8 0 0
─────────
 8 6 2
```

```
  2 0 8
+ 4 7 3
─────────
   1 1
   7 0
 6 0 0
─────────
 6 8 1
```

```
  3 4 5
+ 6 1 5
─────────
   1 0
   5 0
 9 0 0
─────────
 9 6 0
```

2 보기와 같이 덧셈을 하세요.

보기

$$
\begin{array}{r}
{}^{1} \\
1\,2\,8 \\
+\ 2\,5\,3 \\
\hline
\end{array}
\Rightarrow
\begin{array}{r}
{}^{1} \\
1\,2\,8 \\
+\ 2\,5\,3 \\
\hline
8\,1 \\
\end{array}
\Rightarrow
\begin{array}{r}
1 \\
1\,2\,8 \\
+\ 2\,5\,3 \\
\hline
3\,8\,1 \\
\end{array}
$$

8+3=11　　　1+2+5=8　　　1+2=3

```
    1
  2 1 7
+ 2 7 5
─────────
  4 9 2
```

```
  3 4 6
+ 4 0 9
─────────
  7 5 5
```

```
    1
  4 3 5
+ 2 1 5
─────────
  6 5 0
```

```
    1
  1 4 6
+ 5 4 7
─────────
  6 9 3
```

```
    1
  8 5 5
+ 1 0 8
─────────
  9 6 3
```

```
    1
  2 6 7
+ 1 2 4
─────────
  3 9 1
```

```
    1
  6 3 8
+ 1 3 4
─────────
  7 7 2
```

```
    1
  5 1 4
+ 4 2 9
─────────
  9 4 3
```

```
    1
  4 3 6
+ 1 4 5
─────────
  5 8 1
```

```
    1
  7 1 3
+ 2 1 9
─────────
  9 3 2
```

```
    1
  3 2 8
+ 3 4 7
─────────
  6 7 5
```

```
    1
  3 3 2
+ 4 1 8
─────────
  7 5 0
```

3 보기와 같이 덧셈을 하세요.

보기

$$218+146=\ \fbox{4}\ \Rightarrow\ 218+146=\ \fbox{6 4}\ \Rightarrow\ 218+146=\fbox{3 6 4}$$

14　　　5+1=6　　　3

124+457= **5 8 1**

315+545= **8 6 0**

238+403= **6 4 1**

629+338= **9 6 7**

347+126= **4 7 3**

436+205= **6 4 1**

156+638= **7 9 4**

428+136= **5 6 4**

224+459= **6 8 3**

317+265= **5 8 2**

476+516= **9 9 2**

519+212= **7 3 1**

269+106= **3 7 5**

528+318= **8 4 6**

4 가로세로 퍼즐을 완성해 보세요.

가로 열쇠		세로 열쇠	

```
①  3 6 7      ②  3 4 5      ㉠  1 3 8      ㉡  1 0 6
  + 2 1 5        + 4 2 8        + 1 2 9        + 2 5 4
  ─────────      ─────────      ─────────      ─────────
    5 8 2          7 7 3          2 6 7          3 6 0
```

③ 212+429= **6 4 1**　　㉢ 247+518= **7 6 5**

④ 136+447= **5 8 3**　　㉣ 269+125= **3 9 4**

⑤ 427+528= **9 5 5**　　㉤ 178+406= **5 8 4**

03 받아올림이 두 번 있는 (세 자리 수)+(세 자리 수)

정답 04쪽

346+168 알아보기

$$
\begin{array}{r}
3\;4\;6 \\
+\;1\;6\;8 \\
\hline
1\;4
\end{array}
\;\rightarrow\;
\begin{array}{r}
3\;4\;6 \\
+\;1\;6\;8 \\
\hline
1\;4 \\
1\;0\;0
\end{array}
\;\rightarrow\;
\begin{array}{r}
3\;4\;6 \\
+\;1\;6\;8 \\
\hline
1\;4 \\
1\;0\;0 \\
4\;0\;0
\end{array}
\;\rightarrow\;
\begin{array}{r}
3\;4\;6 \\
+\;1\;6\;8 \\
\hline
1\;4 \\
1\;0\;0 \\
4\;0\;0 \\
\hline
5\;1\;4
\end{array}
$$

1 덧셈을 하세요.

$$
\begin{array}{r}
1\;4\;8 \\
+\;3\;6\;3 \\
\hline
1\;1 \quad \leftarrow 8+3 \\
1\;0\;0 \quad \leftarrow 40+60 \\
4\;0\;0 \quad \leftarrow 100+300 \\
\hline
5\;1\;1
\end{array}
\qquad
\begin{array}{r}
2\;9\;4 \\
+\;1\;6\;8 \\
\hline
1\;2 \quad \leftarrow 4+8 \\
1\;5\;0 \quad \leftarrow 90+60 \\
3\;0\;0 \quad \leftarrow 200+100 \\
\hline
4\;6\;2
\end{array}
\qquad
\begin{array}{r}
4\;2\;8 \\
+\;3\;9\;6 \\
\hline
1\;4 \\
1\;1\;0 \\
7\;0\;0 \\
\hline
8\;2\;4
\end{array}
$$

$$
\begin{array}{r}
5\;4\;7 \\
+\;1\;6\;5 \\
\hline
1\;2 \\
1\;0\;0 \\
6\;0\;0 \\
\hline
7\;1\;2
\end{array}
\qquad
\begin{array}{r}
2\;8\;8 \\
+\;6\;5\;3 \\
\hline
1\;1 \\
1\;3\;0 \\
8\;0\;0 \\
\hline
9\;4\;1
\end{array}
\qquad
\begin{array}{r}
4\;6\;5 \\
+\;1\;8\;9 \\
\hline
1\;4 \\
1\;4\;0 \\
5\;0\;0 \\
\hline
6\;5\;4
\end{array}
$$

2 보기 와 같이 덧셈을 하세요.

보기

$$
\begin{array}{r}
\overset{1}{2}\;8\;6 \\
+\;1\;4\;4 \\
\hline
0
\end{array}
\;\rightarrow\;
\begin{array}{r}
\overset{1}{2}\;\overset{1}{8}\;6 \\
+\;1\;4\;4 \\
\hline
3\;0
\end{array}
\;\rightarrow\;
\begin{array}{r}
\overset{1}{2}\;\overset{1}{8}\;6 \\
+\;1\;4\;4 \\
\hline
4\;3\;0
\end{array}
$$

$6+4=10$ $1+8+4=13$ $1+2+1=4$

$$
\begin{array}{r}
4\;5\;8 \\
+\;2\;7\;3 \\
\hline
7\;3\;1
\end{array}
\qquad
\begin{array}{r}
3\;4\;4 \\
+\;5\;8\;9 \\
\hline
9\;3\;3
\end{array}
\qquad
\begin{array}{r}
1\;9\;5 \\
+\;4\;1\;5 \\
\hline
6\;1\;0
\end{array}
$$

$$
\begin{array}{r}
2\;7\;6 \\
+\;3\;4\;8 \\
\hline
6\;2\;4
\end{array}
\qquad
\begin{array}{r}
4\;6\;7 \\
+\;3\;4\;6 \\
\hline
8\;1\;3
\end{array}
\qquad
\begin{array}{r}
2\;6\;9 \\
+\;6\;5\;2 \\
\hline
9\;2\;1
\end{array}
$$

$$
\begin{array}{r}
5\;9\;5 \\
+\;1\;3\;6 \\
\hline
7\;3\;1
\end{array}
\qquad
\begin{array}{r}
2\;8\;6 \\
+\;4\;2\;9 \\
\hline
7\;1\;5
\end{array}
\qquad
\begin{array}{r}
1\;7\;4 \\
+\;2\;4\;9 \\
\hline
4\;2\;3
\end{array}
$$

$$
\begin{array}{r}
4\;5\;7 \\
+\;3\;6\;5 \\
\hline
8\;2\;2
\end{array}
\qquad
\begin{array}{r}
3\;3\;8 \\
+\;1\;9\;7 \\
\hline
5\;3\;5
\end{array}
\qquad
\begin{array}{r}
2\;4\;6 \\
+\;3\;7\;8 \\
\hline
6\;2\;4
\end{array}
$$

3 보기 와 같이 덧셈을 하세요.

보기

$479+256=\underset{15}{}5$ → $479+256=\underset{12+1=13}{}35$ → $479+256=\underset{6+1=7}{7}35$

$286+237=523$

$258+363=621$

$168+572=740$

$248+368=616$

$267+355=622$

$148+287=435$

$165+347=512$

$165+536=701$

$387+438=825$

$579+394=973$

$173+659=832$

$189+137=326$

$537+296=833$

$489+168=657$

4 빈 곳에 알맞은 수를 써넣으세요.

+		377+259
377	259	636
356	168	524
733	427	

377+356

+		
495	188	683
245	297	542
740	485	

+		
183	249	432
457	165	622
640	414	

+		
258	473	731
194	169	363
452	642	

+		
359	565	924
278	176	454
637	741	

+		
673	189	862
237	284	521
910	473	

+		
575	248	823
336	479	815
911	727	

+		
466	478	944
295	335	630
761	813	

04　받아올림이 세 번 있는 (세 자리 수)+(세 자리 수)

459+786 알아보기

$$
\begin{array}{r}
4\;5\;9 \\
+\;7\;8\;6 \\
\hline
1\;5
\end{array}
\Rightarrow
\begin{array}{r}
4\;5\;9 \\
+\;7\;8\;6 \\
\hline
1\;5 \\
1\;3\;0
\end{array}
\Rightarrow
\begin{array}{r}
4\;5\;9 \\
+\;7\;8\;6 \\
\hline
1\;5 \\
1\;3\;0 \\
1\;1\;0\;0
\end{array}
\Rightarrow
\begin{array}{r}
4\;5\;9 \\
+\;7\;8\;6 \\
\hline
1\;5 \\
1\;3\;0 \\
1\;1\;0\;0 \\
\hline
1\;2\;4\;5
\end{array}
$$

1 덧셈을 하세요.

```
    5 3 8              4 6 7              3 5 9
  + 6 7 6            + 9 6 3            + 7 8 4
  ───────            ───────            ───────
    1 4  ←8+6           1 0  ←7+3          1 3
  1 0 0  ←30+70       1 2 0  ←60+60      1 3 0
1 1 0 0  ←500+600   1 3 0 0 ←400+900   1 0 0 0
─────────           ─────────          ─────────
1 2 1 4             1 4 3 0            1 1 4 3


    7 8 7              9 6 3              4 8 8
  + 5 5 8            + 8 7 9            + 7 4 9
  ───────            ───────            ───────
    1 5                1 2                1 7
  1 3 0              1 3 0              1 2 0
1 2 0 0            1 7 0 0            1 1 0 0
─────────          ─────────          ─────────
1 3 4 5            1 8 4 2            1 2 3 7
```

2 보기 와 같이 덧셈을 하세요.

> **보기**
> ```
>      7 6 8           7 6 8           7 6 8
>    + 4 7 4         + 4 7 4         + 4 7 4
>    ───────         ───────         ───────
>          2            4 2        1 2 4 2
>    8+4=12        1+6+7=14       1+7+4=12
> ```

```
    7 4 9              6 7 5              1 9 6
  + 3 8 3            + 5 7 9            + 8 3 4
  ───────            ───────            ───────
1 1 3 2            1 2 5 4            1 0 3 0


    6 5 8              8 5 2              9 9 7
  + 7 4 5            + 4 8 9            + 7 4 5
  ───────            ───────            ───────
1 4 0 3            1 3 4 1            1 7 4 2


    9 6 5              5 4 4              2 9 8
  + 2 8 6            + 9 8 9            + 9 1 5
  ───────            ───────            ───────
1 2 5 1            1 5 3 3            1 2 1 3


    4 5 7              8 5 9              9 7 8
  + 8 6 3            + 7 8 6            + 9 8 3
  ───────            ───────            ───────
1 3 2 0            1 6 4 5            1 9 6 1
```

3 보기 와 같이 덧셈을 하세요.

> **보기**
> ```
> 549+864=    → 549+864=    3 → 549+864= 1 4 1 3
>        13         10+1=11      13+1=14
> ```

```
858+367= 1 2 2 5        694+927= 1 6 2 1

938+493= 1 4 3 1        669+338= 1 0 0 7

587+926= 1 5 1 3        937+485= 1 4 2 2

956+678= 1 6 3 4        489+746= 1 2 3 5

269+859= 1 1 2 8        387+964= 1 3 5 1

676+559= 1 2 3 5        839+764= 1 6 0 3

978+938= 1 9 1 6        739+988= 1 7 2 7
```

4 빈 곳에 알맞은 수를 써넣으세요.

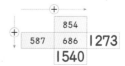

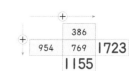

05 받아내림이 없는 (세 자리 수)-(세 자리 수)

정답 06쪽

🐵 257-125 알아보기

$$
\begin{array}{r}
2\ 5\ 7 \\
-\ 1\ 2\ 5 \\
\hline
2
\end{array}
\Rightarrow
\begin{array}{r}
2\ 5\ 7 \\
-\ 1\ 2\ 5 \\
\hline
2 \\
3\ 0
\end{array}
\Rightarrow
\begin{array}{r}
2\ 5\ 7 \\
-\ 1\ 2\ 5 \\
\hline
2 \\
3\ 0 \\
1\ 0\ 0
\end{array}
\Rightarrow
\begin{array}{r}
2\ 5\ 7 \\
-\ 1\ 2\ 5 \\
\hline
2 \\
3\ 0 \\
1\ 0\ 0 \\
\hline
1\ 3\ 2
\end{array}
$$

1 뺄셈을 하세요.

$$
\begin{array}{r}
5\ 3\ 4 \\
-\ 2\ 2\ 1 \\
\hline
3 \quad \leftarrow 4-1 \\
1\ 0 \quad \leftarrow 30-20 \\
3\ 0\ 0 \quad \leftarrow 500-200 \\
\hline
3\ 1\ 3
\end{array}
\qquad
\begin{array}{r}
6\ 8\ 7 \\
-\ 4\ 5\ 2 \\
\hline
5 \quad \leftarrow 7-2 \\
3\ 0 \quad \leftarrow 80-50 \\
2\ 0\ 0 \quad \leftarrow 600-400 \\
\hline
2\ 3\ 5
\end{array}
\qquad
\begin{array}{r}
8\ 2\ 4 \\
-\ 1\ 0\ 3 \\
\hline
1 \\
2\ 0 \\
7\ 0\ 0 \\
\hline
7\ 2\ 1
\end{array}
$$

$$
\begin{array}{r}
9\ 7\ 2 \\
-\ 4\ 3\ 0 \\
\hline
2 \\
4\ 0 \\
5\ 0\ 0 \\
\hline
5\ 4\ 2
\end{array}
\qquad
\begin{array}{r}
8\ 4\ 8 \\
-\ 3\ 1\ 4 \\
\hline
4 \\
3\ 0 \\
5\ 0\ 0 \\
\hline
5\ 3\ 4
\end{array}
\qquad
\begin{array}{r}
6\ 9\ 7 \\
-\ 3\ 1\ 5 \\
\hline
2 \\
8\ 0 \\
3\ 0\ 0 \\
\hline
3\ 8\ 2
\end{array}
$$

2 보기와 같이 덧셈을 하세요.

보기

$$
\begin{array}{r}
5\ 8\ 4 \\
-\ 1\ 6\ 3 \\
\hline
1
\end{array}
\Rightarrow
\begin{array}{r}
5\ 8\ 4 \\
-\ 1\ 6\ 3 \\
\hline
2\ 1
\end{array}
\Rightarrow
\begin{array}{r}
5\ 8\ 4 \\
-\ 1\ 6\ 3 \\
\hline
4\ 2\ 1
\end{array}
$$
4-3=① 　 8-6=② 　 5-1=④

$$
\begin{array}{r}
4\ 8\ 3 \\
-\ 1\ 5\ 1 \\
\hline
3\ 3\ 2
\end{array}
\qquad
\begin{array}{r}
6\ 7\ 9 \\
-\ 2\ 0\ 8 \\
\hline
4\ 7\ 1
\end{array}
\qquad
\begin{array}{r}
2\ 6\ 8 \\
-\ 1\ 3\ 2 \\
\hline
1\ 3\ 6
\end{array}
$$

$$
\begin{array}{r}
7\ 5\ 4 \\
-\ 4\ 1\ 3 \\
\hline
3\ 4\ 1
\end{array}
\qquad
\begin{array}{r}
9\ 8\ 6 \\
-\ 3\ 4\ 6 \\
\hline
6\ 4\ 0
\end{array}
\qquad
\begin{array}{r}
6\ 7\ 9 \\
-\ 4\ 3\ 6 \\
\hline
2\ 4\ 3
\end{array}
$$

$$
\begin{array}{r}
9\ 6\ 9 \\
-\ 1\ 3\ 4 \\
\hline
8\ 3\ 5
\end{array}
\qquad
\begin{array}{r}
3\ 1\ 7 \\
-\ 1\ 1\ 5 \\
\hline
2\ 0\ 2
\end{array}
\qquad
\begin{array}{r}
8\ 8\ 5 \\
-\ 3\ 2\ 4 \\
\hline
5\ 6\ 1
\end{array}
$$

$$
\begin{array}{r}
5\ 7\ 8 \\
-\ 1\ 0\ 2 \\
\hline
4\ 7\ 6
\end{array}
\qquad
\begin{array}{r}
6\ 8\ 9 \\
-\ 5\ 2\ 1 \\
\hline
1\ 6\ 8
\end{array}
\qquad
\begin{array}{r}
8\ 8\ 5 \\
-\ 1\ 7\ 0 \\
\hline
7\ 1\ 5
\end{array}
$$

3 보기와 같이 뺄셈을 하세요.

보기

$$752-231= \boxed{1} \Rightarrow 752-231= \boxed{2\ 1} \Rightarrow 752-231= \boxed{5\ 2\ 1}$$

$368-104=\boxed{2\ 6\ 4}$ 　 $646-321=\boxed{3\ 2\ 5}$

$584-252=\boxed{3\ 3\ 2}$ 　 $489-138=\boxed{3\ 5\ 1}$

$795-231=\boxed{5\ 6\ 4}$ 　 $835-615=\boxed{2\ 2\ 0}$

$563-421=\boxed{1\ 4\ 2}$ 　 $659-311=\boxed{3\ 4\ 8}$

$975-302=\boxed{6\ 7\ 3}$ 　 $956-121=\boxed{8\ 3\ 5}$

$689-213=\boxed{4\ 7\ 6}$ 　 $585-372=\boxed{2\ 1\ 3}$

$857-702=\boxed{1\ 5\ 5}$ 　 $946-412=\boxed{5\ 3\ 4}$

4 안에 알맞은 수를 써넣으세요.

546
-115
546-115 431

408
-302
106

826
-213
613

454
-313
141

547
-223
324

758
-137
621

687
-412
275

754
-120
634

648
-213
435

993
-510
483

874
-520
354

392
-230
162

472
-221
251

958
-346
612

769
-231
538

06 받아내림이 한 번 있는 (세 자리 수)-(세 자리 수)

초등 3-1 ① 덧셈과 뺄셈

정답 07쪽

464-138 알아보기

$$
\begin{array}{r} {}^{5}\!\!\!\!\!^{10} \\ 4\;6\;4 \\ -\;1\;3\;8 \\ \hline 6 \end{array}
\Rightarrow
\begin{array}{r} {}^{5}\!\!\!\!\!^{10} \\ 4\;\not{6}\;4 \\ -\;1\;3\;8 \\ \hline 6 \\ 2\;0 \end{array}
\Rightarrow
\begin{array}{r} 4\;6\;4 \\ -\;1\;3\;8 \\ \hline 6 \\ 2\;0 \\ 3\;0\;0 \end{array}
\Rightarrow
\begin{array}{r} 4\;6\;4 \\ -\;1\;3\;8 \\ \hline 6 \\ 2\;0 \\ 3\;0\;0 \\ \hline 3\;2\;6 \end{array}
$$

10-8+4=6

1 뺄셈을 하세요.

$$
\begin{array}{r} {}^{4}\!\!\!\!\!^{3}\;{}^{10} \\ 5\;4\;3 \\ -\;3\;2\;5 \\ \hline 8 \quad \leftarrow 10-5+3 \\ 1\;0 \quad \leftarrow 30-20 \\ 2\;0\;0 \quad \leftarrow 500-300 \\ \hline 2\;1\;8 \end{array}
\qquad
\begin{array}{r} {}^{5}\;{}^{10} \\ 7\;6\;1 \\ -\;2\;4\;4 \\ \hline 7 \quad \leftarrow 10-4+1 \\ 1\;0 \quad \leftarrow 50-40 \\ 5\;0\;0 \quad \leftarrow 700-200 \\ \hline 5\;1\;7 \end{array}
\qquad
\begin{array}{r} {}^{7}\;{}^{10} \\ 3\;8\;2 \\ -\;1\;0\;6 \\ \hline 6 \\ 7\;0 \\ 2\;0\;0 \\ \hline 2\;7\;6 \end{array}
$$

$$
\begin{array}{r} 6\;5\;3 \\ -\;1\;2\;9 \\ \hline 4 \\ 2\;0 \\ 5\;0\;0 \\ \hline 5\;2\;4 \end{array}
\qquad
\begin{array}{r} 8\;5\;5 \\ -\;4\;1\;6 \\ \hline 9 \\ 3\;0 \\ 4\;0\;0 \\ \hline 4\;3\;9 \end{array}
\qquad
\begin{array}{r} 6\;9\;1 \\ -\;3\;0\;6 \\ \hline 5 \\ 8\;0 \\ 3\;0\;0 \\ \hline 3\;8\;5 \end{array}
$$

24

2 보기와 같이 뺄셈을 하세요.

보기

$$
\begin{array}{r} {}^{4}\;{}^{10} \\ 6\;5\;3 \\ -\;2\;3\;9 \\ \hline 4 \end{array}
\Rightarrow
\begin{array}{r} {}^{4} \\ 6\;\not{5}\;3 \\ -\;2\;3\;9 \\ \hline 1\;4 \end{array}
\Rightarrow
\begin{array}{r} 6\;5\;3 \\ -\;2\;3\;9 \\ \hline 4\;1\;4 \end{array}
$$

10-9+3=4 ／ 4-3=1 ／ 6-2=4

$$
\begin{array}{r} {}^{6}\;{}^{10} \\ 4\;7\;1 \\ -\;1\;4\;5 \\ \hline 3\;2\;6 \end{array}
\qquad
\begin{array}{r} {}^{3}\;{}^{10} \\ 5\;4\;8 \\ -\;4\;0\;9 \\ \hline 1\;3\;9 \end{array}
\qquad
\begin{array}{r} {}^{6}\;{}^{10} \\ 4\;7\;2 \\ -\;1\;3\;8 \\ \hline 3\;3\;4 \end{array}
$$

$$
\begin{array}{r} 5\;7\;3 \\ -\;4\;2\;5 \\ \hline 1\;4\;8 \end{array}
\qquad
\begin{array}{r} 9\;9\;4 \\ -\;6\;3\;6 \\ \hline 3\;5\;8 \end{array}
\qquad
\begin{array}{r} 5\;8\;6 \\ -\;3\;7\;9 \\ \hline 2\;0\;7 \end{array}
$$

$$
\begin{array}{r} 4\;7\;1 \\ -\;2\;2\;8 \\ \hline 2\;4\;3 \end{array}
\qquad
\begin{array}{r} 9\;5\;6 \\ -\;3\;1\;7 \\ \hline 6\;3\;9 \end{array}
\qquad
\begin{array}{r} 6\;3\;4 \\ -\;1\;0\;7 \\ \hline 5\;2\;7 \end{array}
$$

$$
\begin{array}{r} 8\;6\;0 \\ -\;5\;0\;3 \\ \hline 3\;5\;7 \end{array}
\qquad
\begin{array}{r} 3\;5\;1 \\ -\;2\;4\;2 \\ \hline 1\;0\;9 \end{array}
\qquad
\begin{array}{r} 7\;8\;3 \\ -\;1\;5\;8 \\ \hline 6\;2\;5 \end{array}
$$

25

3 보기와 같이 뺄셈을 하세요.

보기

$$386-147 = \boxed{9} \Rightarrow 386-147 = \boxed{3\;9} \Rightarrow 386-147 = \boxed{2\;3\;9}$$

10-7+6=9

$$
{}^{5}\;{}^{10} \\
662-124 = \mathbf{5\;3}\,8
$$
$$
{}^{3}\;{}^{10} \\
741-524 = \mathbf{2\;1\;7}
$$

$$575-229 = \mathbf{3\;4\;6} \qquad 567-138 = \mathbf{4\;2\;9}$$

$$341-235 = \mathbf{1\;0\;6} \qquad 883-626 = \mathbf{2\;5\;7}$$

$$950-423 = \mathbf{5\;2\;7} \qquad 658-319 = \mathbf{3\;3\;9}$$

$$730-305 = \mathbf{4\;2\;5} \qquad 581-447 = \mathbf{1\;3\;4}$$

$$953-218 = \mathbf{7\;3\;5} \qquad 784-516 = \mathbf{2\;6\;8}$$

$$641-327 = \mathbf{3\;1\;4} \qquad 880-459 = \mathbf{4\;2\;1}$$

26

4 가로세로 퍼즐을 완성해 보세요.

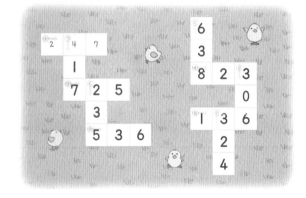

가로 열쇠			세로 열쇠		
① $\begin{array}{r}4\;8\;4\\-\;2\;3\;7\\\hline 2\;4\;7\end{array}$	② $\begin{array}{r}9\;4\;3\\-\;2\;1\;8\\\hline 7\;2\;5\end{array}$		③ $\begin{array}{r}5\;7\;1\\-\;1\;5\;4\\\hline 4\;1\;7\end{array}$	④ $\begin{array}{r}3\;6\;0\\-\;1\;2\;5\\\hline 2\;3\;5\end{array}$	
③ $865-329 = \mathbf{5\;3\;6}$			⑤ $842-204 = \mathbf{6\;3\;8}$		
④ $980-157 = \mathbf{8\;2\;3}$			⑥ $524-218 = \mathbf{3\;0\;6}$		
⑤ $572-436 = \mathbf{1\;3\;6}$			⑥ $751-427 = \mathbf{3\;2\;4}$		

27

07

07 받아내림이 두 번 있는 (세 자리 수)-(세 자리 수)

정답 08쪽

❋ 326 − 159 알아보기

$$
\begin{array}{r} 3\ 2\ 6 \\ -\ 1\ 5\ 9 \\ \hline 7 \end{array}
\Rightarrow
\begin{array}{r} 3\ 2\ 6 \\ -\ 1\ 5\ 9 \\ \hline 7 \\ 6\ 0 \end{array}
\Rightarrow
\begin{array}{r} 3\ 2\ 6 \\ -\ 1\ 5\ 9 \\ \hline 7 \\ 6\ 0 \\ 1\ 0\ 0 \end{array}
\Rightarrow
\begin{array}{r} 3\ 2\ 6 \\ -\ 1\ 5\ 9 \\ \hline 7 \\ 6\ 0 \\ 1\ 0\ 0 \\ \hline 1\ 6\ 7 \end{array}
$$

$10-9+6=7$ 　 $10-5+1=6$

1 뺄셈을 하세요.

$$
\begin{array}{r} 6\ 2\ 2 \\ -\ 3\ 3\ 7 \\ \hline 5 \\ 8\ 0 \\ 2\ 0\ 0 \\ \hline 2\ 8\ 5 \end{array}
$$
5 ← 10−7+2　8 0 ← 100−30+10　2 0 0 ← 500−300

$$
\begin{array}{r} 5\ 4\ 5 \\ -\ 1\ 4\ 9 \\ \hline 6 \\ 9\ 0 \\ 3\ 0\ 0 \\ \hline 3\ 9\ 6 \end{array}
$$
6 ← 10−9+5　9 0 ← 100−40+30　3 0 0 ← 400−100

$$
\begin{array}{r} 8\ 1\ 3 \\ -\ 2\ 6\ 4 \\ \hline 9 \\ 4\ 0 \\ 5\ 0\ 0 \\ \hline 5\ 4\ 9 \end{array}
$$

$$
\begin{array}{r} 8\ 1\ 2 \\ -\ 1\ 5\ 3 \\ \hline 9 \\ 5\ 0 \\ 6\ 0\ 0 \\ \hline 6\ 5\ 9 \end{array}
\qquad
\begin{array}{r} 6\ 3\ 4 \\ -\ 4\ 7\ 6 \\ \hline 8 \\ 5\ 0 \\ 1\ 0\ 0 \\ \hline 1\ 5\ 8 \end{array}
\qquad
\begin{array}{r} 7\ 5\ 0 \\ -\ 4\ 6\ 7 \\ \hline 3 \\ 8\ 0 \\ 2\ 0\ 0 \\ \hline 2\ 8\ 3 \end{array}
$$

2 보기와 같이 뺄셈을 하세요.

보기

$$
\begin{array}{r} 4\ 7\ 3 \\ -\ 1\ 9\ 5 \\ \hline 8 \end{array}
\Rightarrow
\begin{array}{r} 4\ 7\ 3 \\ -\ 1\ 9\ 5 \\ \hline 7\ 8 \end{array}
\Rightarrow
\begin{array}{r} 4\ 7\ 3 \\ -\ 1\ 9\ 5 \\ \hline 2\ 7\ 8 \end{array}
$$
$10-5+3=8$ 　 $10-9+6=7$ 　 $3-1=2$

$$
\begin{array}{r} 5\ 2\ 0 \\ -\ 1\ 6\ 4 \\ \hline 3\ 5\ 6 \end{array}
\qquad
\begin{array}{r} 3\ 3\ 7 \\ -\ 1\ 4\ 8 \\ \hline 1\ 8\ 9 \end{array}
\qquad
\begin{array}{r} 7\ 3\ 2 \\ -\ 3\ 5\ 9 \\ \hline 3\ 7\ 3 \end{array}
$$

$$
\begin{array}{r} 6\ 5\ 3 \\ -\ 4\ 9\ 5 \\ \hline 1\ 5\ 8 \end{array}
\qquad
\begin{array}{r} 7\ 2\ 4 \\ -\ 2\ 2\ 7 \\ \hline 4\ 9\ 7 \end{array}
\qquad
\begin{array}{r} 4\ 3\ 5 \\ -\ 1\ 5\ 6 \\ \hline 2\ 7\ 9 \end{array}
$$

$$
\begin{array}{r} 8\ 3\ 1 \\ -\ 2\ 4\ 8 \\ \hline 5\ 8\ 3 \end{array}
\qquad
\begin{array}{r} 5\ 1\ 2 \\ -\ 3\ 9\ 5 \\ \hline 1\ 1\ 7 \end{array}
\qquad
\begin{array}{r} 9\ 4\ 1 \\ -\ 2\ 9\ 6 \\ \hline 6\ 4\ 5 \end{array}
$$

$$
\begin{array}{r} 9\ 3\ 4 \\ -\ 3\ 6\ 8 \\ \hline 5\ 6\ 6 \end{array}
\qquad
\begin{array}{r} 6\ 3\ 2 \\ -\ 2\ 4\ 7 \\ \hline 3\ 8\ 5 \end{array}
\qquad
\begin{array}{r} 8\ 2\ 5 \\ -\ 3\ 4\ 9 \\ \hline 4\ 7\ 6 \end{array}
$$

3 보기와 같이 덧셈을 하세요.

보기

$542-278=$ 　 4 　 ⇒ 　 $542-278=$ 6 4 　 ⇒ 　 $542-278=$ 2 6 4

$10-8+2=4$ 　 $10-7+3=6$ 　 $4-2=2$

$631-283=$ 3 4 8 　　 $455-276=$ 1 7 9

$743-158=$ 5 8 5 　　 $996-499=$ 4 9 7

$624-256=$ 3 6 8 　　 $821-547=$ 2 7 4

$330-183=$ 1 4 7 　　 $932-376=$ 5 5 6

$723-459=$ 2 6 4 　　 $378-179=$ 1 9 9

$823-687=$ 1 3 6 　　 $934-249=$ 6 8 5

$735-297=$ 4 3 8 　　 $871-497=$ 3 7 4

4 빈 곳에 알맞은 수를 써넣으세요.

−		
	362	
740	178	562 ← 740−178
560	376	184 ← 362−178
364 ← 740−376		

−		
	624	
613	267	346
725	368	357
245		

−		
	332	
805	159	646
531	358	173
447		

−		
	654	
430	256	174
546	148	398
282		

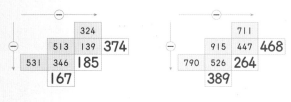

−		
	324	
513	139	374
531	346	185
167		

−		
	711	
915	447	468
790	526	264
389		

−		
	931	
636	258	378
870	197	673
439		

−		
	454	
827	169	658
643	358	285
469		

도전! 응용 문제

정답 09쪽

초등 3-1
❶ 덧셈과 뺄셈

 유형 1 ‖‖‖‖‖‖‖‖‖‖‖‖‖‖‖‖‖‖‖‖‖‖‖‖‖‖‖‖‖‖‖‖

색종이를 지원이는 241장, 준호는 324장 가지고 있습니다. 두 사람이 가지고 있는 색종이는 모두 몇 장일까요?

▪▪ • 주어진 수에 ○표 하고, 구하는 것에 밑줄 치기
지원이의 색종이 수: 241 장, 준호의 색종이 수: 324 장

▪▪ • 문제 해결하기
지원이가 가지고 있는 색종이 수와 준호가 가지고 있는 색종이 수를 (더합니다 , 뺍니다).

▪▪ • 문제 풀기
(전체 색종이 수)=(지원이의 색종이 수)+(준호의 색종이 수)
= 241 + 324 = 565 (장)

▪▪ • 답 쓰기
색종이는 모두 565 장입니다.

유형+1 ‖‖‖‖‖‖‖‖‖‖‖‖‖‖‖‖‖‖‖‖‖‖‖‖‖‖‖‖‖‖

정후는 주스를 어제는 180 mL, 오늘은 230 mL 마셨습니다. 정후가 어제와 오늘 마신 주스는 모두 몇 mL일까요?

▪▪ • 주어진 수에 ○표 하고, 구하는 것에 밑줄 치기
어제 마신 주스의 양: 180 mL, 오늘 마신 주스의 양: 230 mL

▪▪ • 문제 해결하기
정후가 어제와 오늘 마신 주스의 양을 (더합니다 , 뺍니다).

▪▪ • 문제 풀기
(어제와 오늘 마신 주스의 양)=(어제 마신 주스의 양)+(오늘 마신 주스의 양)
= 180 + 230 = 410 (mL)

▪▪ • 답 쓰기
정후가 어제와 오늘 마신 주스의 양은 모두 410 mL입니다.

32

 유형 2 ‖‖‖‖‖‖‖‖‖‖‖‖‖‖‖‖‖‖‖‖‖‖‖‖‖‖‖‖‖‖

민서는 구슬 257개를 가지고 있었습니다. 동생에게 132개를 주었다면 남은 구슬은 몇 개일까요?

▪▪ • 주어진 수에 ○표 하고, 구하는 것에 밑줄 치기
민서가 가지고 있던 구슬 수: 257 개, 동생에게 준 구슬 수: 132 개

▪▪ • 문제 해결하기
민서가 가지고 있던 구슬 수에서 동생에게 준 구슬 수를 (더합니다 , 뺍니다).

▪▪ • 문제 풀기
(남은 구슬 수)=(민서가 가지고 있던 구슬 수)−(동생에게 준 구슬 수)
= 257 − 132 = 125 (개)

▪▪ • 답 쓰기
남은 구슬은 125 개입니다.

유형+2 ‖‖‖‖‖‖‖‖‖‖‖‖‖‖‖‖‖‖‖‖‖‖‖‖‖‖‖‖‖‖

배에 남자가 356명, 여자가 139명 탔습니다. 배에 탄 남자는 여자보다 몇 명 더 많을까요?

▪▪ • 주어진 수에 ○표 하고, 구하는 것에 밑줄 치기
배에 탄 남자 수: 356 명, 배에 탄 여자 수: 139 명

▪▪ • 문제 해결하기
배에 탄 남자 수에서 배에 탄 여자 수를 (더합니다 , 뺍니다).

▪▪ • 문제 풀기
(여자보다 배에 더 탄 남자 수)=(배에 탄 남자 수)−(배에 탄 여자 수)
= 356 − 139 = 217 (명)

▪▪ • 답 쓰기
배에 탄 남자는 여자보다 217 명 더 많습니다.

33

● 안에 알맞은 수를 써넣고 답을 구하세요.

1 Drill
영화관에 남자는 157명, 여자는 314명 입장했습니다. 영화관에 입장한 사람은 모두 몇 명일까요?

주어진 수에 ○표 하고, 구하는 것에 밑줄 쫙!

풀이 (영화관에 입장한 사람 수)=(입장한 남자 수)+(입장한 여자 수)
= 157 + 314 = 471 (명)
답 471 명

2 Drill
과일 가게에 빨간 사과가 357개, 초록 사과가 268개 있습니다. 과일 가게에 있는 사과는 모두 몇 개일까요?

풀이 (전체 사과 수)=(빨간 사과 수)+(초록 사과 수)
= 357 + 268 = 625 (개)
답 625 개

3 Drill
정우는 색종이를 535장 가지고 있었습니다. 동생에게 231장을 주었다면 남은 색종이는 몇 장일까요?

풀이 (남은 색종이 수)=(정우가 가지고 있던 색종이 수)−(동생에게 준 색종이 수)
= 535 − 231 = 304 (장)
답 304 장

4 Drill
823명이 타고 가던 지하철에서 347명이 내렸습니다. 지하철에는 몇 명이 남았을까요?

풀이 (남은 사람 수)=(타고 가던 사람 수)−(내린 사람 수)
= 823 − 347 = 476 (명)
답 476 명

34

● 서술형 문제를 읽고 풀이 과정과 답을 쓰세요.

도전 1
과수원에서 수박 135개, 참외 262개를 수확했습니다. 수확한 수박과 참외는 모두 몇 개일까요?

예 풀이 (수확한 과일 수)=(수박 수)+(참외 수)
=135+262=397(개)
답 397개

도전 2
도서관에 소설책 975권, 만화책 368권이 있습니다. 도서관에 있는 소설책과 만화책은 모두 몇 권일까요?

예 풀이 (소설책과 만화책 수)=(소설책 수)+(만화책 수)
=975+368=1343(권)
답 1343권

도전 3
철사 864cm가 있었습니다. 그중에서 251cm를 사용했다면 남은 철사는 몇 cm일까요?

예 풀이 (남은 철사 길이)=(가지고 있던 철사 길이)−(사용한 철사 길이)
=864−251=613(cm)
답 613cm

도전 4
기차에 617명이 타고 있었습니다. 이번 역에서 248명이 내렸다면 기차에 남아 있는 사람은 몇 명일까요?

예 풀이 (남은 사람 수)=(타고 있던 사람 수)−(내린 사람 수)
=617−248=369(명)
답 369명

35

형성 평가

정답 10쪽

01 덧셈을 하세요.

```
    4 1 3
  + 2 6 1
    4
  7   0
  6 0 0
  6 7 4
```

02 덧셈을 하세요.

(1) 304+182= **486**

(2) 345+223= **568**

03 덧셈을 하세요.

134
435
569

04 덧셈을 하세요.

(1)
```
    1
  1 3 8
+ 7 2 4
  8 6 2
```

(2)
```
    1
  2 4 6
+ 3 2 5
  5 7 1
```

05 덧셈을 하세요.

(1) 359+402= **761**

(2) 263+127= **390**

(3) 216+249= **465**

(4) 145+826= **971**

(5) 347+235= **582**

06 덧셈을 하세요.

```
    1 5 8
  + 3 7 3
    1 1
    1 2 0
    4 0 0
    5 3 1
```

07 덧셈을 하세요.

(1)
```
    1 1
    3 4 5
  + 2 8 5
    6 3 0
```

(2)
```
    1 1
    4 3 8
  + 2 6 5
    7 0 3
```

08 빈 곳에 알맞은 수를 써넣으세요.

+		
257	487	**744**
169	356	**525**
426	**843**	

09 덧셈을 하세요.

(1)
```
    1 1
    9 7 3
  + 5 6 9
  1 5 4 2
```

(2)
```
    1 1
    3 6 8
  + 8 4 6
  1 2 1 4
```

10 덧셈을 하세요.

(1) 567+736= **1303**

(2) 695+458= **1153**

11 빈 곳에 알맞은 수를 써넣으세요.

+		
	783	**1310**
952	358	
1141		

12 뺄셈을 하세요.

(1)
```
    3 4 7
  - 2 1 5
    1 3 2
```

(2)
```
    9 6 3
  - 1 2 0
    8 4 3
```

13 뺄셈을 하세요.

(1) 598-132= **466**

(2) 753-241= **512**

14 안에 알맞은 수를 써넣으세요.

(1)
847
−310
537

(2)
495
−132
363

15 뺄셈을 하세요.

```
    6 5 7
  - 1 3 9
        8
      1 0
    5 0 0
    5 1 8
```

16 뺄셈을 하세요.

(1)
```
    4 8 3
  - 3 4 5
    1 3 8
```

(2)
```
    6 4 2
  - 4 3 9
    2 0 3
```

17 뺄셈을 하세요.

(1) 480-124= **356**

(2) 974-459= **515**

18 뺄셈을 하세요.

(1)
```
    7 4 1
  - 4 6 8
    2 7 3
```

(2)
```
    5 2 3
  - 3 7 6
    1 4 7
```

19 뺄셈을 하세요.

(1) 813-135= **678**

(2) 924-348= **576**

(3) 657-298= **359**

(4) 346-198= **148**

(5) 560-285= **275**

20 빈 곳에 알맞은 수를 써넣으세요.

−		
	652	
724	368	**356**
430	146	**284**
	578	

1 덧셈을 하세요.

$$\begin{array}{r} 2\ 4\ 3 \\ +\ 4\ 1\ 5 \\ \hline 6\ 5\ 8 \end{array}$$

2 뺄셈을 하세요.

(1) $576-153=$ **423**

(2) $748-239=$ **509**

3 빈 곳에 두 수의 차를 써넣으세요.

763 347

416

4 계산한 값을 찾아 선으로 이어 보세요.

281+315 • • 560

• 596

421+139 • • 550

5 다음 계산에서 ㉠에 알맞은 숫자와 ㉠이 실제로 나타내는 수를 각각 쓰세요.

$$\begin{array}{r} ㉠\ 10 \\ 8\ 2\ 9 \\ -\ 3\ 5\ 4 \\ \hline 4\ 7\ 5 \end{array}$$

㉠ (**7**)

㉠이 나타내는 수 (**700**)

6 두 수의 합과 차를 구해 보세요.

453   137

합 (**590**)

차 (**316**)

7 안에 알맞은 수를 써넣으세요.

$523-246=$ **277**

$473-$ **277** $=196$

8 수영이는 주스를 150 mL, 세호는 주스를 270 mL 마셨습니다. 수영이와 세호가 마신 주스는 모두 몇 mL일까요?

(**420**)mL

$150+270=420$(mL)

9 안에 알맞은 수를 써넣으세요.

(1) 458

+173

631

(2) 874

+589

1463

10 $723-238$을 바르게 계산한 사람은 누구일까요?

재은: 485
동희: 495

(**재은**)

11 빈 곳에 알맞은 수를 써넣으세요.

327 →+142→ **469**

12 가장 큰 수와 가장 작은 수의 합을 구해 보세요.

367   595   428

(**962**)

$595+367=962$

13 안에 알맞은 수를 써넣으세요.

673

412   **261**

$673-412=261$

14 미술 시간에 사용할 색종이를 475장 준비했습니다. 이 중에서 학생들이 148장을 사용했다면 남은 색종이는 몇 장일까요?

예 풀이 (준비한 색종이)-(사용한 색종이)= $475-148=327$(장)

답 **327** 장

15 안에 >, =, <를 알맞게 써넣으세요.

(1) $378+216$ = 594
$=594$

(2) $431-178$ < $857-589$
$=253$ $=268$

16 계산 결과가 작은 것부터 안에 번호를 써넣으세요.

$473-180$ = 293 ③

$410-172$ = 238 ①

$526-248$ = 278 ②

17 사각형 안에 있는 수의 합을 구해 보세요.

184 762 826

694 947 459

(**1221**)

$762+459=1221$

18 기차에 531명이 타고 있었습니다. 이번 역에서 189명이 내렸다면 지금 기차에 타고 있는 사람은 몇 명일까요?

(**342**)명

$531-189=342$(명)

19 빈 곳에 알맞은 수를 써넣으세요.

584

230 348 **578**

932

20 빨간색 색종이 873장, 노란색 색종이 748장이 있습니다. 색종이는 모두 몇 장일까요?

(**1621**)장

$873+748=1621$(장)

01 선의 종류 알아보기

정답 12쪽

선분, 반직선, 직선 알아보기

선분: 두 점을 곧게 이은 선

반직선: 한 점에서 시작하여 한쪽으로 끝없이 늘인 곧은 선

직선: 선분을 양쪽으로 끝없이 늘인 곧은 선

• 선분 ㄱㄴ 또는 선분 ㄴㄱ
　ㄱ———ㄴ

• 반직선 ㄱㄴ　ㄱ———ㄴ
• 반직선 ㄴㄱ　ㄴ———ㄱ

• 직선 ㄱㄴ 또는 직선 ㄴㄱ
　ㄱ———ㄴ

1 알맞은 도형의 이름에 ◯표 하세요.

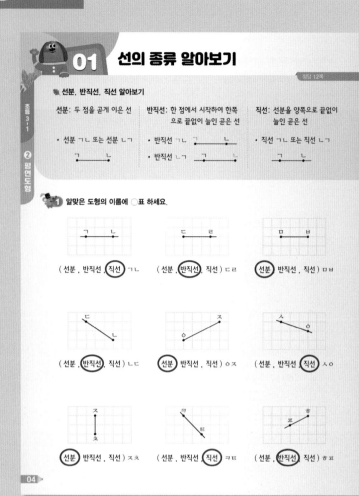

(선분 , 반직선 , ⦅직선⦆) ㄱㄴ　(선분 , ⦅반직선⦆, 직선) ㄷㄹ　(⦅선분⦆, 반직선 , 직선) ㅁㅂ

(선분 , ⦅반직선⦆, 직선) ㄴㄷ　(⦅선분⦆, 반직선 , 직선) ㅇㅈ　(선분 , 반직선 , ⦅직선⦆) ㅅㅇ

(⦅선분⦆, 반직선 , 직선) ㅈㅊ　(선분 , 반직선 , ⦅직선⦆) ㅋㅌ　(선분 , ⦅반직선⦆, 직선) ㅎㅍ

2 보기 와 같이 도형의 이름을 써 보세요.

보기

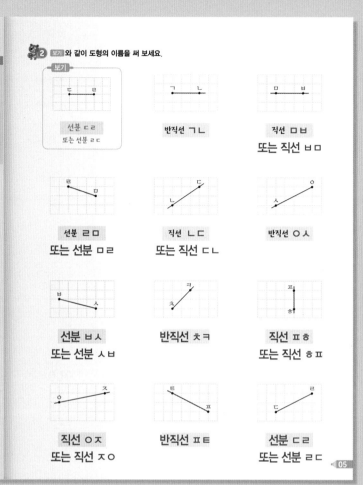

선분 ㄷㄹ 또는 선분 ㄹㄷ

반직선 ㄱㄴ

직선 ㅁㅂ 또는 직선 ㅂㅁ

선분 ㄹㅁ 또는 선분 ㅁㄹ

직선 ㄴㄷ 또는 직선 ㄷㄴ

반직선 ㅇㅅ

선분 ㅂㅅ 또는 선분 ㅅㅂ

반직선 ㅊㅋ

직선 ㅍㅎ 또는 직선 ㅎㅍ

직선 ㅇㅈ 또는 직선 ㅈㅇ

반직선 ㅍㅌ

선분 ㄷㄹ 또는 선분 ㄹㄷ

3 도형을 그려 보세요. 준비물 자

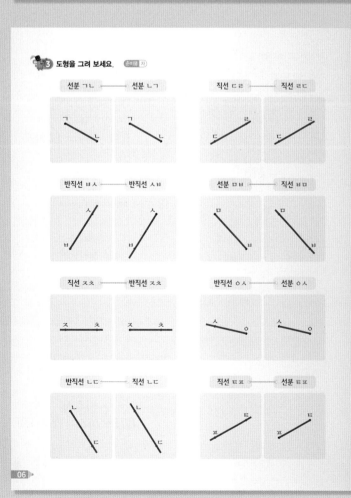

선분 ㄱㄴ —— 선분 ㄴㄱ

직선 ㄷㄹ —— 직선 ㄹㄷ

반직선 ㅂㅅ —— 반직선 ㅅㅂ

선분 ㅁㅂ —— 직선 ㅂㅁ

직선 ㅈㅊ —— 반직선 ㅈㅊ

반직선 ㅇㅅ —— 선분 ㅇㅅ

반직선 ㄴㄷ —— 직선 ㄴㄷ

직선 ㅌㅍ —— 선분 ㅌㅍ

4 이름에 맞게 도형을 그려 보세요. 준비물 자

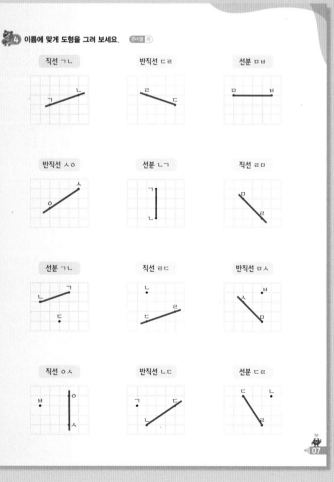

직선 ㄱㄴ

반직선 ㄷㄹ

선분 ㅁㅂ

반직선 ㅅㅇ

선분 ㄴㄱ

직선 ㄹㅁ

선분 ㄱㄴ

직선 ㄹㄷ

반직선 ㅁㅅ

직선 ㅇㅅ

반직선 ㄴㄷ

선분 ㄷㄹ

02 각, 직각, 직각삼각형 알아보기

정답 13쪽

※ 각 알아보기

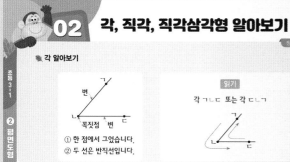

읽기

각 ㄱㄴㄷ 또는 각 ㄷㄴㄱ

① 한 점에서 그었습니다.
② 두 선은 반직선입니다.

1 그림에 대한 설명이 맞으면 ○표, 틀리면 ✕표 하고, 알맞은 말에 ○표 하세요.

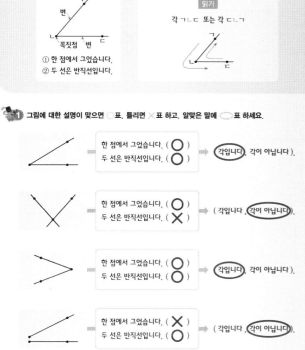

한 점에서 그었습니다. (○)
두 선은 반직선입니다. (○)
➡ (각입니다), 각이 아닙니다).

한 점에서 그었습니다. (○)
두 선은 반직선입니다. (✕)
➡ (각입니다 , (각이 아닙니다)).

한 점에서 그었습니다. (○)
두 선은 반직선입니다. (○)
➡ (각입니다), 각이 아닙니다).

한 점에서 그었습니다. (✕)
두 선은 반직선입니다. (○)
➡ (각입니다 , (각이 아닙니다)).

2 보기 와 같이 각을 그려 보세요.

보기

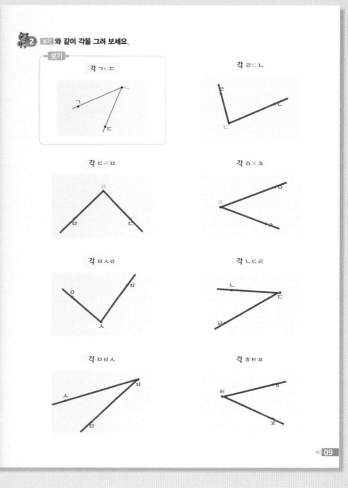

각 ㄱㄴㄷ

각 ㄹㅁㄷ

각 ㄷㄹㅁ

각 ㅇㅈㅊ

각 ㅂㅅㅇ

각 ㄴㄷㄹ

각 ㅁㅂㅅ

각 ㅎㅌㅍ

※ 직각, 직각삼각형 알아보기

직각: 종이를 반듯하게 두 번 접었을 때 생기는 각

직각삼각형: 한 각이 직각인 삼각형

3 보기 와 같이 직각을 모두 찾아 ⌐ 로 나타내어 보세요.

보기

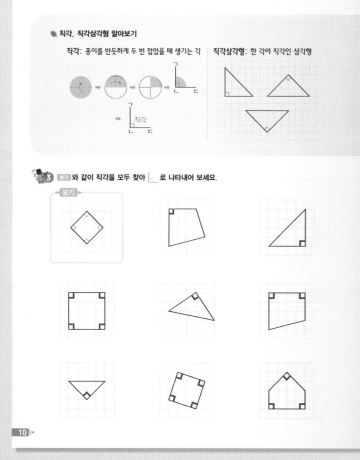

4 그림에 대한 설명이 맞으면 ○표, 틀리면 ✕표 하고, 알맞은 말에 ○표 하세요.

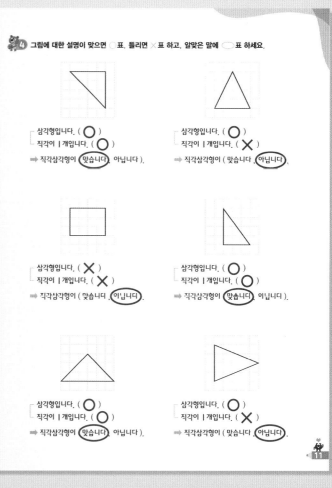

삼각형입니다. (○)
직각이 1개입니다. (○)
➡ 직각삼각형이 (맞습니다), 아닙니다).

삼각형입니다. (○)
직각이 1개입니다. (✕)
➡ 직각삼각형이 (맞습니다 , (아닙니다)).

삼각형입니다. (✕)
직각이 1개입니다. (✕)
➡ 직각삼각형이 (맞습니다 , (아닙니다)).

삼각형입니다. (○)
직각이 1개입니다. (○)
➡ 직각삼각형이 ((맞습니다) , 아닙니다).

삼각형입니다. (○)
직각이 1개입니다. (○)
➡ 직각삼각형이 (맞습니다), 아닙니다).

삼각형입니다. (○)
직각이 1개입니다. (✕)
➡ 직각삼각형이 (맞습니다 , (아닙니다)).

03 직사각형 알아보기

정답 14쪽

직사각형 알아보기

네 각이 모두 직각인 사각형
→ 직각이 4개

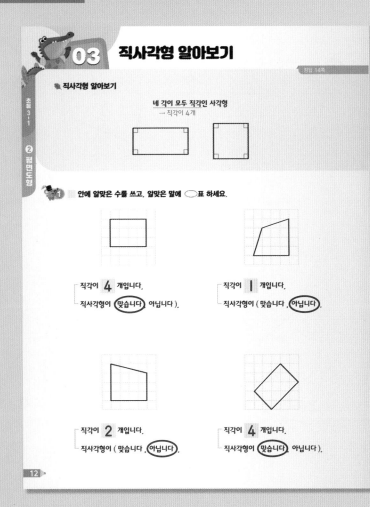

1 ☐ 안에 알맞은 수를 쓰고, 알맞은 말에 ◯표 하세요.

직각이 **4** 개입니다.
직사각형이 (맞습니다 · 아닙니다).

직각이 **1** 개입니다.
직사각형이 (맞습니다 · 아닙니다).

직각이 **2** 개입니다.
직사각형이 (맞습니다 · 아닙니다).

직각이 **4** 개입니다.
직사각형이 (맞습니다 · 아닙니다).

2 보기 와 같이 주어진 선분을 두 변으로 하는 직사각형을 그려 보세요.

보기

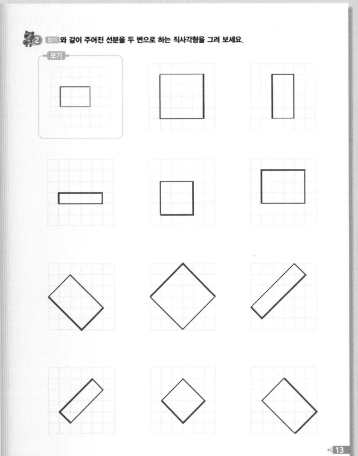

3 직사각형입니다. ☐ 안에 알맞은 수를 써넣으세요.

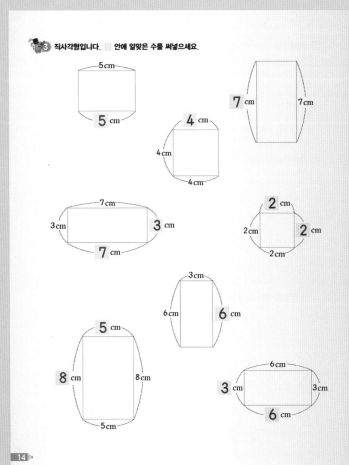

4 직사각형입니다. ☐ 안에 알맞은 수를 써넣으세요.

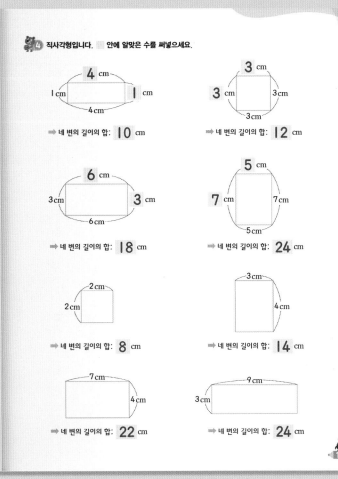

➡ 네 변의 길이의 합: **10** cm

➡ 네 변의 길이의 합: **12** cm

➡ 네 변의 길이의 합: **18** cm

➡ 네 변의 길이의 합: **24** cm

➡ 네 변의 길이의 합: **8** cm

➡ 네 변의 길이의 합: **14** cm

➡ 네 변의 길이의 합: **22** cm

➡ 네 변의 길이의 합: **24** cm

04 정사각형 알아보기

정답 15쪽

❋ 정사각형 알아보기

네 각이 모두 직각이고, 네 변의 길이가 모두 같은 사각형
→ 직각이 4개

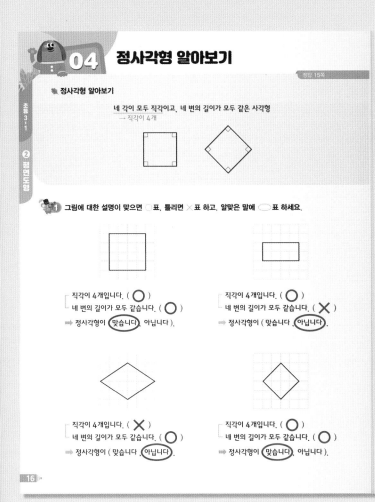

① 그림에 대한 설명이 맞으면 ○표, 틀리면 ✕표 하고, 알맞은 말에 ○표 하세요.

└ 직각이 4개입니다. (○)
└ 네 변의 길이가 모두 같습니다. (○)
➡ 정사각형이 (맞습니다 , 아닙니다).

└ 직각이 4개입니다. (○)
└ 네 변의 길이가 모두 같습니다. (✕)
➡ 정사각형이 (맞습니다 , 아닙니다).

└ 직각이 4개입니다. (✕)
└ 네 변의 길이가 모두 같습니다. (○)
➡ 정사각형이 (맞습니다 , 아닙니다).

└ 직각이 4개입니다. (○)
└ 네 변의 길이가 모두 같습니다. (○)
➡ 정사각형이 (맞습니다 , 아닙니다).

② 보기와 같이 주어진 선분을 한 변으로 하는 정사각형을 그려 보세요.

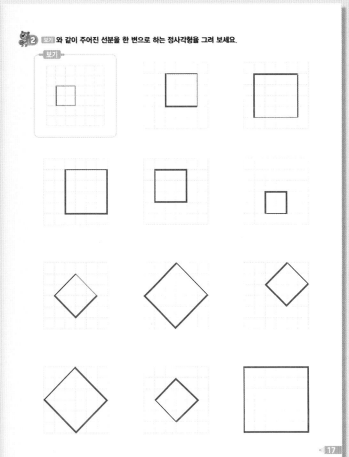

③ 정사각형입니다. 안에 알맞은 수를 써넣으세요.

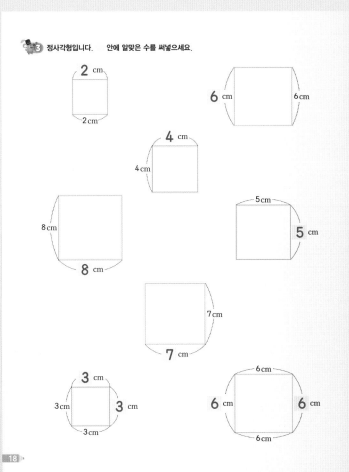

④ 정사각형입니다. 안에 알맞은 수를 써넣으세요.

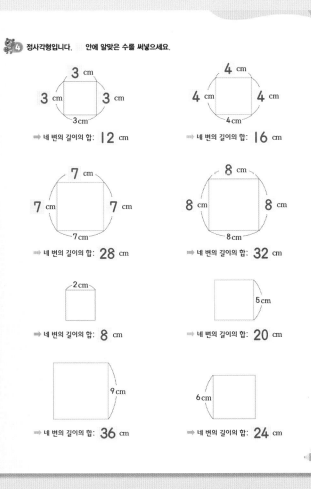

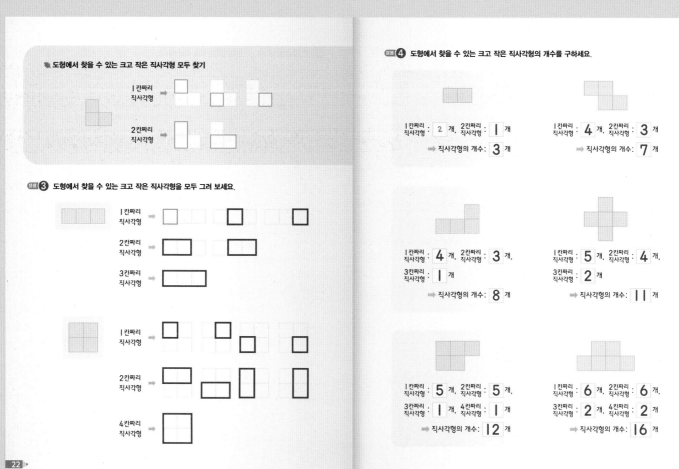

형성 평가

정답 17쪽

01 알맞은 도형의 이름에 ○표 하세요.

(선분) 반직선 , 직선) ㄱㄴ

[02~03] 도형의 이름을 써 보세요.

02

반직선 ㅂㅅ

03

직선 ㄷㄹ
또는 직선 ㄹㄷ

04 도형을 그려 보세요.

반직선 ㄴㄷ ——— 직선 ㄴㄷ

05 이름에 맞게 도형을 그려 보세요.

(1)
선분 ㄷㄹ

(2)
반직선 ㄷㄴ

06 그림에 대한 설명이 맞으면 ○표, 틀리면 ✕표 하고, 알맞은 말에 ○표 하세요.

한 점에서 그었습니다. (✕)
두 선은 반직선입니다. (○)
➡ (각입니다 , 각이 아닙니다)

[07~08] 각을 그려 보세요.

07
각 ㄴㄷㄹ

08
각 ㅇㅈㅊ

09 직각을 모두 찾아 ⌐ 로 나타내어 보세요.

(1)

(2)

10 그림에 대한 설명이 맞으면 ○표, 틀리면 ✕표 하고, 알맞은 말에 ○표 하세요.

삼각형입니다. (○)
직각이 1개입니다. (○)
➡ 직각삼각형이 (맞습니다 , 아닙니다).

11 ☐ 안에 알맞은 수를 쓰고, 알맞은 말에 ○표 하세요.

직각이 2 개입니다.
직사각형이 (맞습니다 , 아닙니다).

12 주어진 선분을 두 변으로 하는 직사각형을 그려 보세요.

(1)

(2)

13 직사각형입니다. ☐ 안에 알맞은 수를 써넣으세요.

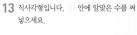

[14~15] 직사각형입니다. ☐ 안에 알맞은 수를 써넣으세요.

14

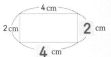

➡ 네 변의 길이의 합: 18 cm

15

➡ 네 변의 길이의 합: 24 cm

16 그림에 대한 설명이 맞으면 ○표, 틀리면 ✕표 하고, 알맞은 말에 ○표 하세요.

네 각이 직각입니다. (○)
네 변의 길이가 모두 같습니다. (○)
➡ 정사각형이 (맞습니다 , 아닙니다).

17 주어진 선분을 한 변으로 하는 정사각형을 그려 보세요.

(1)

(2)

18 정사각형입니다. ☐ 안에 알맞은 수를 써넣으세요.

[19~20] 정사각형입니다. ☐ 안에 알맞은 수를 써넣으세요.

19

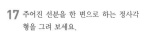

➡ 네 변의 길이의 합: 12 cm

20

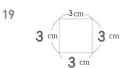

➡ 네 변의 길이의 합: 28 cm

단원평가 | 2. 평면도형

정답 18쪽

1 알맞은 도형의 이름에 ○표 하세요.

(선분 , (반직선) , 직선) ㄴㄷ

2 각은 어느 것일까요? (⑤)

① ② ③
④ ⑤

3 도형에서 직각을 모두 찾아 └ 로 표시해 보세요.

4 도형을 그려 보세요.

반직선 ㅇㅈ

5 각을 읽어 보세요.

(각 ㄴㄷㄹ)
또는 각 ㄹㄷㄴ

6 각을 그려 보세요.

각 ㅂㅅㅇ

7 직각삼각형을 찾아 기호를 써 보세요.

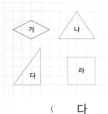

(다)

8 정사각형을 찾아 ○표 하세요.

( ) ( ) (○)

9 직각을 모두 찾아 └ 로 나타내세요.

10 정사각형입니다. ⬚ 안에 알맞은 수를 써넣으세요.

5cm
5 cm

11 설명하는 도형의 이름을 써 보세요.

- 한 각이 직각입니다.
- 3개의 선분으로 둘러싸인 도형입니다.

(직각삼각형)

12 도형에서 직각은 모두 몇 개일까요?

(3)개

13 도형에서 찾을 수 있는 크고 작은 정사각형의 개수를 구하세요.

(5)개

14 직사각형을 모두 찾아 기호를 써 보세요.

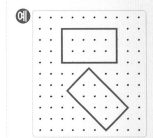

(가, 라)

15 점 종이에 모양과 크기가 다른 직사각형을 2개 그려 보세요.

예

16 설명이 잘못된 것을 찾아 기호를 써 보세요.

㉠ 직사각형은 모든 각이 직각입니다.
㉡ 정사각형은 네 각이 모두 직각입니다.
㉢ 직각삼각형은 4개의 선분으로 둘러싸인 도형입니다.

(㉢)

17 두 도형에 있는 직각은 모두 몇 개인지 구하세요.

직각삼각형, 정사각형
→1개 →4개
(5)개

18 직각의 수가 가장 많은 도형을 찾아 기호를 써 보세요.

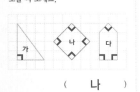

(나)

19 직사각형입니다. 네 변의 길이의 합을 구하세요.

3cm
5cm

(16)cm

20 도형에서 찾을 수 있는 크고 작은 직사각형의 개수를 구하세요.

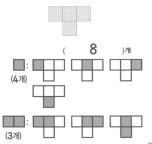

(8)개

: (4개)
: (3개)
: (1개)

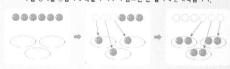

01 나누는 수가 2, 3인 나눗셈

정답 19쪽

■ 6개의 구슬을 3접시에 똑같이 나누기

구슬 6개를 3접시에 똑같이 나누어 담으면 한 접시에 2개씩입니다.

나눗셈식   6 ÷ 3 = 2   [암기] 6 나누기 3은 2와 같습니다.

1 각 접시에 구슬을 똑같이 나누어 그리고 나눗셈을 하세요.

4 ÷ 2 = **2**   9 ÷ 3 = **3**   8 ÷ 2 = **4**
전체   접시   한 접시의   전체   접시   한 접시의   전체   접시   한 접시의
구슬 수   수   구슬 수   구슬 수   수   구슬 수   구슬 수   수   구슬 수

12 ÷ 3 = **4**   12 ÷ 2 = **6**   15 ÷ 3 = **5**

2 곱셈을 이용하여 나눗셈을 하세요.

7 × 2 = 14   2 × 3 = 6   8 × 2 = 16
14 ÷ 2 = **7**   6 ÷ 3 = **2**   16 ÷ 2 = **8**
전체   묶음   한 묶음의   전체   묶음   한 묶음의   전체   묶음   한 묶음의
구슬 수   수   구슬 수   구슬 수   수   구슬 수   구슬 수   수   구슬 수

3 × 3 = 9   6 × 2 = 12   5 × 3 = 15
9 ÷ 3 = **3**   12 ÷ 2 = **6**   15 ÷ 3 = **5**
한 묶음의   한 묶음의   한 묶음의
구슬 수   구슬 수   구슬 수

9 × 2 = 18   7 × 3 = 21   4 × 2 = 8
18 ÷ 2 = **9**   21 ÷ 3 = **7**   8 ÷ 2 = **4**

8 × 3 = 24   5 × 2 = 10   4 × 3 = 12
24 ÷ 3 = **8**   10 ÷ 2 = **5**   12 ÷ 3 = **4**

3 곱셈을 이용하여 나눗셈을 하세요.

8 ÷ 2 = **4**   18 ÷ 3 = **6**   14 ÷ 2 = **7**
8 = 2 × 4   18 = 3 × 6   14 = 2 × 7

15 ÷ 3 = **5**   4 ÷ 2 = **2**   9 ÷ 3 = **3**
15 = 3 × 5   4 = 2 × 2   9 = 3 × 3

10 ÷ 2 = **5**   12 ÷ 3 = **4**   2 ÷ 2 = **1**

24 ÷ 3 = **8**   6 ÷ 2 = **3**   27 ÷ 3 = **9**

12 ÷ 2 = **6**   3 ÷ 3 = **1**   18 ÷ 2 = **9**

6 ÷ 3 = **2**   16 ÷ 2 = **8**   21 ÷ 3 = **7**

4 계산한 결과와 같은 칸을 찾아 해당 글자를 써넣어 수수께끼를 해결해 보세요.

사   9 ÷ 3 = 3   2 ÷ 2 = 1   물

어   24 ÷ 3 = 8   12 ÷ 3 = 4   입

한   4 ÷ 2 = 2   18 ÷ 2 = 9   과

면   18 ÷ 3 = 6   21 ÷ 3 = 7   베

를   10 ÷ 2 = 5

3	9	5	2	4	7	8	1	6
사	과	를	한	입	베	어	물	면 ?

수수께끼 답 ➡ 파인애플

사과 = apple (애플)

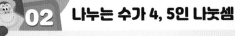

02 나누는 수가 4, 5인 나눗셈

정답 20쪽

🔹 I 2개의 구슬을 4개씩 덜어 내면서 나누기

구슬 I 2개를 4개씩 3번 빼면 0이 됩니다.

$$12 - 4 - 4 - 4 = 0$$

3번

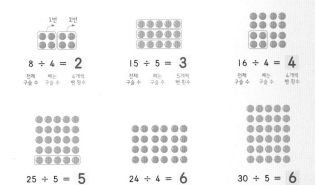

나눗셈식   12 ÷ 4 = 3
전체   배는   4개씩
구슬 수   구슬 수 뺀 횟수

1 구슬을 똑같은 수만큼씩 덜어 내어 나눗셈을 하세요.

1번 2번

8 ÷ 4 = **2**
전체 배는 4개씩
구슬 수 구슬 수 뺀 횟수

15 ÷ 5 = **3**
전체 배는 5개씩
구슬 수 구슬 수 뺀 횟수

16 ÷ 4 = **4**
전체 배는 4개씩
구슬 수 구슬 수 뺀 횟수

25 ÷ 5 = **5**

24 ÷ 4 = **6**

30 ÷ 5 = **6**

08

2 곱셈을 이용하여 나눗셈을 하세요.

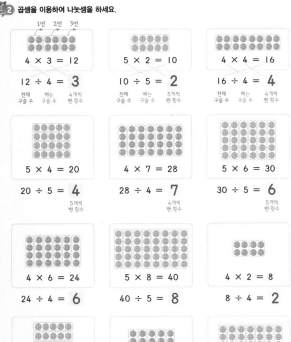

1번 2번 3번

4 × 3 = 12

12 ÷ 4 = **3**
전체 배는 4개씩
구슬 수 구슬 수 뺀 횟수

5 × 2 = 10

10 ÷ 5 = **2**
전체 배는 5개씩
구슬 수 구슬 수 뺀 횟수

4 × 4 = 16

16 ÷ 4 = **4**
전체 배는 4개씩
구슬 수 구슬 수 뺀 횟수

5 × 4 = 20

20 ÷ 5 = **4**
5개씩
뺀 횟수

4 × 7 = 28

28 ÷ 4 = **7**
4개씩
뺀 횟수

5 × 6 = 30

30 ÷ 5 = **6**
5개씩
뺀 횟수

4 × 6 = 24

24 ÷ 4 = **6**

5 × 8 = 40

40 ÷ 5 = **8**

4 × 2 = 8

8 ÷ 4 = **2**

5 × 5 = 25

25 ÷ 5 = **5**

4 × 5 = 20

20 ÷ 4 = **5**

5 × 7 = 35

35 ÷ 5 = **7**

09

3 곱셈을 이용하여 나눗셈을 하세요.

12 ÷ 4 = **3**
12 = 4 × ③

25 ÷ 5 = **5**
25 = 5 × ⑤

8 ÷ 4 = **2**
8 = 4 × ②

5 ÷ 5 = **1**
5 = 5 × ①

28 ÷ 4 = **7**
28 = 4 × ⑦

15 ÷ 5 = **3**
15 = 5 × ③

24 ÷ 4 = **6**

10 ÷ 5 = **2**

36 ÷ 4 = **9**

40 ÷ 5 = **8**

20 ÷ 4 = **5**

30 ÷ 5 = **6**

32 ÷ 4 = **8**

45 ÷ 5 = **9**

4 ÷ 4 = **1**

35 ÷ 5 = **7**

16 ÷ 4 = **4**

20 ÷ 5 = **4**

10

4 갈림길에서 푯말의 조건에 알맞게 길을 따라가세요.

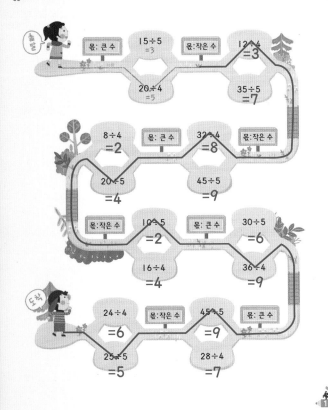

출발

몫: 큰 수
15÷5 =3
몫:작은 수
12÷4 =3

20÷4 =5
35÷5 =7

8÷4 =2
몫: 큰 수
32÷4 =8
몫:작은 수

20÷5 =4
45÷5 =9

몫:작은 수
10÷5 =2
몫: 큰 수
30÷5 =6

16÷4 =4
36÷4 =9

도착

24÷4 =6
몫:작은 수
45÷5 =9
몫: 큰 수

25÷5 =5
28÷4 =7

11

03 나누는 수가 6, 7인 나눗셈

12개의 구슬을 6접시에 똑같이 나누기

구슬 12개를 6접시에 똑같이 나누어 담으면 한 접시에 2개씩입니다.

나눗셈식 12 ÷ 6 = 2
전체　　접시　한 접시의
구슬 수　　수　　구슬 수

1 각 접시에 구슬을 똑같이 나누어 그리고 나눗셈을 하세요.

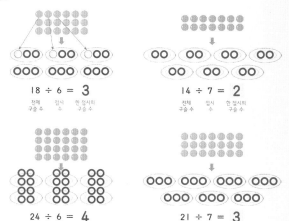

18 ÷ 6 = **3**
전체　　접시　한 접시의
구슬 수　　수　　구슬 수

14 ÷ 7 = **2**
전체　　접시　한 접시의
구슬 수　　수　　구슬 수

24 ÷ 6 = **4**

21 ÷ 7 = **3**

2 곱셈을 이용하여 나눗셈을 하세요.

7 × 6 = 42

42 ÷ 6 = **7**
전체　　묶음　한 묶음의
구슬 수　　수　　구슬 수

5 × 7 = 35

35 ÷ 7 = **5**
전체　　묶음　한 묶음의
구슬 수　　수　　구슬 수

6 × 6 = 36

36 ÷ 6 = **6**
전체　　묶음　한 묶음의
구슬 수　　수　　구슬 수

3 × 7 = 21

21 ÷ 7 = **3**
한 묶음의
구슬 수

3 × 6 = 18

18 ÷ 6 = **3**
한 묶음의
구슬 수

4 × 7 = 28

28 ÷ 7 = **4**
한 묶음의
구슬 수

8 × 6 = 48

48 ÷ 6 = **8**

7 × 7 = 49

49 ÷ 7 = **7**

9 × 6 = 54

54 ÷ 6 = **9**

3 곱셈을 이용하여 나눗셈을 하세요.

18 ÷ 6 = **3**
18 = 6 × 3

28 ÷ 7 = **4**
28 = 7 × 4

30 ÷ 6 = **5**
30 = 6 × 5

7 ÷ 7 = **1**
7 = 7 × 1

42 ÷ 6 = **7**
42 = 6 × 7

49 ÷ 7 = **7**
49 = 7 × 7

48 ÷ 6 = **8**

63 ÷ 7 = **9**

12 ÷ 6 = **2**

14 ÷ 7 = **2**

24 ÷ 6 = **4**

56 ÷ 7 = **8**

6 ÷ 6 = **1**

21 ÷ 7 = **3**

36 ÷ 6 = **6**

42 ÷ 7 = **6**

54 ÷ 6 = **9**

35 ÷ 7 = **5**

4 ☐ 안에 알맞은 수를 써넣으세요.

12 ÷ 6 **2**
12÷6

28 ÷ 7 **4**

30 ÷ 6 **5**

35 ÷ 7 **5**

18 ÷ 6 **3**

14 ÷ 7 **2**

42 ÷ 6 **7**

63 ÷ 7 **9**

36 ÷ 6 **6**

56 ÷ 7 **8**

24 ÷ 6 **4**

21 ÷ 7 **3**

54 ÷ 6 **9**

42 ÷ 7 **6**

48 ÷ 6 **8**

04 　나누는 수가 8, 9인 나눗셈

정답 22쪽

초등 3-1
③ 나눗셈

🔹 16개의 구슬을 8개씩 덜어 내면서 나누기

구슬 16개를 8개씩 2번 빼면 0이 됩니다.

$$16 - 8 - 8 = 0$$

2번

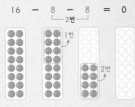

나눗셈식　$16 \div 8 = 2$

전체　　나누는　8개씩
구슬 수　구슬 수　뺀 횟수

🐶 1 구슬을 똑같은 수만큼씩 덜어 내어 나눗셈을 하세요.

1번　2번　3번

$24 \div 8 = 3$

전체　　빼는　　8개씩
구슬 수　구슬 수　뺀 횟수

$18 \div 9 = 2$

전체　　빼는　　9개씩
구슬 수　구슬 수　뺀 횟수

$32 \div 8 = 4$

전체　　빼는　　8개씩
구슬 수　구슬 수　뺀 횟수

$27 \div 9 = 3$　　$40 \div 8 = 5$　　$36 \div 9 = 4$

16

🐱 2 곱셈을 이용하여 나눗셈을 하세요.

$8 \times 6 = 48$　　$9 \times 7 = 63$　　$8 \times 5 = 40$

$48 \div 8 = 6$　　$63 \div 9 = 7$　　$40 \div 8 = 5$

전체　빼는　8개씩　　전체　빼는　9개씩　　전체　빼는　8개씩
구슬 수 구슬 수 뺀 횟수　구슬 수 구슬 수 뺀 횟수　구슬 수 구슬 수 뺀 횟수

$9 \times 3 = 27$　　$8 \times 4 = 32$　　$9 \times 5 = 45$

$27 \div 9 = 3$　　$32 \div 8 = 4$　　$45 \div 9 = 5$

9개씩　　　　　　8개씩　　　　　　9개씩
뺀 횟수　　　　　뺀 횟수　　　　　뺀 횟수

$8 \times 9 = 72$　　$9 \times 6 = 54$　　$8 \times 7 = 56$

$72 \div 8 = 9$　　$54 \div 9 = 6$　　$56 \div 8 = 7$

17

🐶 3 곱셈을 이용하여 나눗셈을 하세요.

$24 \div 8 = 3$　　　$45 \div 9 = 5$　　　$48 \div 8 = 6$
$24 = 8 \times \boxed{3}$　　$45 = 9 \times \boxed{5}$　　$48 = 8 \times \boxed{6}$

$72 \div 9 = 8$　　　$8 \div 8 = 1$　　　$27 \div 9 = 3$
$72 = 9 \times \boxed{8}$　　$8 = 8 \times \boxed{1}$　　$27 = 9 \times \boxed{3}$

$16 \div 8 = 2$　　　$63 \div 9 = 7$　　　$40 \div 8 = 5$
$16 = 8 \times \boxed{2}$　　$63 = 9 \times \boxed{7}$　　$40 = 8 \times \boxed{5}$

$36 \div 9 = 4$　　　$56 \div 8 = 7$　　　$18 \div 9 = 2$
$36 = 9 \times \boxed{4}$　　$56 = 8 \times \boxed{7}$　　$18 = 9 \times \boxed{2}$

$32 \div 8 = 4$　　　$81 \div 9 = 9$　　　$64 \div 8 = 8$
$32 = 8 \times \boxed{4}$　　$81 = 9 \times \boxed{9}$　　$64 = 8 \times \boxed{8}$

$9 \div 9 = 1$　　　$72 \div 8 = 9$　　　$54 \div 9 = 6$
$9 = 9 \times \boxed{1}$　　$72 = 8 \times \boxed{9}$　　$54 = 9 \times \boxed{6}$

🐱 4 계산한 값을 따라가며 미로를 탈출하세요.

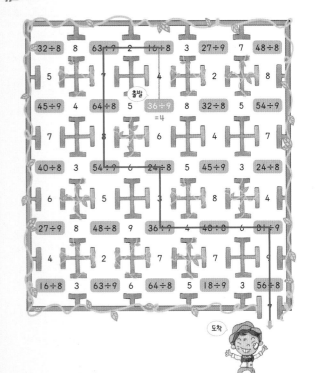

유형 1

연필 16자루를 2명이 똑같이 나누어 가지려고 합니다. 한 명이 연필을 몇 자루씩 가질 수 있을까요?

▶ 주어진 수에 ○표 하고, 구하는 것에 밑줄 치기

전체 연필의 수: 16 자루, 사람 수: 2 명

▶ 문제 해결하기

연필 16자루를 2명이 똑같이 나누어 가져야 하므로 16을 2로 (곱합니다 , 나눕니다).

▶ 문제 풀기

(한 명이 가질 연필의 수)=(전체 연필의 수)÷(사람 수)

= 16 ÷ 2 = 8 (자루)

▶ 답 쓰기   한 명이 연필을 8 자루씩 가질 수 있습니다.

유형+ 1

쿠키 30개를 6개의 접시에 똑같이 나누어 담으려고 합니다. 한 접시에 쿠키를 몇 개씩 담을 수 있을까요?

▶ 주어진 수에 ○표 하고, 구하는 것에 밑줄 치기

전체 쿠키의 수: 30 개, 접시의 수: 6 개

▶ 문제 해결하기

쿠키 30개를 6개의 접시에 똑같이 나누어 담아야 하므로 30을 6으로 (곱합니다 , 나눕니다).

▶ 문제 풀기

(한 접시의 쿠키의 수)=(전체 쿠키의 수)÷(접시의 수)

= 30 ÷ 6 = 5 (개)

▶ 답 쓰기   한 접시에 쿠키를 5 개씩 담을 수 있습니다.

20

유형 2

밀가루 1봉지로 빵 7개를 만들 수 있습니다. 빵 21개를 만들려면 밀가루 몇 봉지가 필요할까요?

▶ 주어진 수에 ○표 하고, 구하는 것에 밑줄 치기

밀가루 1봉지로 만들 수 있는 빵의 수: 7 개, 만들어야 할 빵의 수: 21 개

▶ 문제 해결하기

만들어야 할 빵의 수를 밀가루 1봉지로 만들 수 있는 빵의 수로 (곱합니다 , 나눕니다).

▶ 문제 풀기

(필요한 밀가루 봉지 수)=(만들어야 할 빵의 수)÷(밀가루 1봉지로 만들 수 있는 빵의 수)

= 21 ÷ 7 = 3 (봉지)

▶ 답 쓰기   빵 21개를 만들려면 밀가루 3 봉지가 필요합니다.

유형+ 2

한 상자에 빈 병 4개를 담을 수 있습니다. 빈 병 24개를 담으려면 상자 몇 개가 필요할까요?

▶ 주어진 수에 ○표 하고, 구하는 것에 밑줄 치기

한 상자에 담을 수 있는 빈 병 수: 4 개, 담아야 할 빈 병 수: 24 개

▶ 문제 해결하기

담아야 할 빈 병 수를 한 상자에 담을 수 있는 빈 병 수로 (곱합니다 , 나눕니다).

▶ 문제 풀기

(필요한 상자 수)=(담아야 할 빈 병 수)÷(한 상자에 담을 수 있는 빈 병 수)

= 24 ÷ 4 = 6 (개)

▶ 답 쓰기   빈 병 24개를 담으려면 상자 6 개가 필요합니다.

21

● 안에 알맞은 수를 써넣고 답을 구하세요.

1 Drill

구슬 35개를 5명이 똑같이 나누어 가지려고 합니다. 한 명이 구슬을 몇 개씩 가질 수 있을까요?

주어진 수에 ○표 하고, 구하는 것에 밑줄 쫙!

풀이 (한 명이 가질 구슬 수)=(전체 구슬 수)÷(사람 수)

= 35 ÷ 5 = 7 (개)

답 7 개

2 Drill

배 54개를 9개의 상자에 똑같이 나누어 담으려고 합니다. 한 상자에 배를 몇 개씩 담을 수 있을까요?

풀이 (한 상자에 담을 수 있는 배의 수)=(전체 배의 수)÷(상자 수)

= 54 ÷ 9 = 6 (개)

답 6 개

3 Drill

색종이 한 장으로 종이학 3개를 만들 수 있습니다. 종이학 15개를 만들려면 색종이 몇 장이 필요할까요?

풀이 (필요한 색종이 수)=(만들어야 할 종이학 수)÷(한 장으로 만들 수 있는 종이학 수)

= 15 ÷ 3 = 5 (장)

답 5 장

4 Drill

한 봉지에 고구마 8개를 담을 수 있습니다. 고구마 56개를 담으려면 봉지 몇 개가 필요할까요?

풀이 (필요한 봉지 수)=(담아야 할 고구마 수)÷(한 봉지에 담을 수 있는 고구마 수)

= 56 ÷ 8 = 7 (개)

답 7 개

22

● 서술형 문제를 읽고 풀이 과정과 답을 쓰세요.

도전 1

딱지 72장을 9명이 똑같이 나누어 가지려고 합니다. 한 명이 딱지를 몇 장씩 가질 수 있을까요?

예 풀이 (한 명이 가질 딱지 수)
=(전체 딱지 수)÷(사람 수)
=72÷9=8(장)

답 8장

도전 2

연필 30자루를 5개의 연필꽂이에 똑같이 나누어 꽂으려고 합니다. 한 개의 연필꽂이에 연필을 몇 자루씩 꽂을 수 있을까요?

예 풀이 (한 개의 연필꽂이에 꽂을 연필 수)
=(전체 연필 수)÷(연필꽂이 수)
=30÷5=6(자루)

답 6자루

도전 3

오렌지 1개로 주스 2컵을 만들 수 있습니다. 주스 8컵을 만들려면 오렌지 몇 개가 필요할까요?

예 풀이 (필요한 오렌지 수)
=(만들어야 할 컵의 수)
÷(오렌지 1개로 만들 수 있는 컵의 수)
=8÷2=4(개)

답 4개

도전 4

한 접시에 마카롱 6개를 담을 수 있습니다. 마카롱 42개를 담으려면 접시 몇 개가 필요할까요?

예 풀이 (필요한 접시 수)
=(담아야 할 마카롱 수)
÷(한 접시에 담을 수 있는 마카롱 수)
=42÷6=7(개)

답 7개

23

형성 평가

정답 24쪽

[01~02] 각 접시에 구슬을 똑같이 나누어 그리고 나눗셈을 하세요.

01

$6 \div 2 = 3$

02

$8 \div 4 = 2$

[03~04] 곱셈을 이용하여 나눗셈을 하세요.

03

$9 \times 3 = 27$

$27 \div 3 = 9$

04

$5 \times 7 = 35$

$35 \div 5 = 7$

05 곱셈을 이용하여 나눗셈을 하세요.

(1) $12 \div 4 = 3$
$12 = 4 \times 3$

(2) $40 \div 5 = 8$
$40 = 5 \times 8$

(3) $48 \div 6 = 8$

(4) $56 \div 8 = 7$

(5) $81 \div 9 = 9$

[06~07] 그림을 보고 □ 안에 알맞은 수를 써넣으세요.

06

$20 \div 4 = 5$

07

$30 \div 5 = 6$

[08~09] 빈 곳에 알맞은 수를 써넣으세요.

08

09

10 빈 곳에 알맞은 수를 써넣으세요.

(1)

$21 \xrightarrow{\div 7} 3$

(2)

$35 \xrightarrow{\div 5} 7$

(3)

$18 \xrightarrow{\div 2} 9$

(4)

$32 \xrightarrow{\div 4} 8$

(5)

$27 \xrightarrow{\div 9} 3$

---

11 빈칸에 알맞은 수를 써넣으세요.

	6	12	18
÷2	3	6	9
÷3	2	4	6

[12~13] □ 안에 알맞은 수를 써넣으세요.

12

18 → ÷6 → 3

13

63 → ÷7 → 9

14 관계있는 것끼리 선으로 이어 보세요.

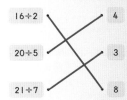

15 □ 안에 알맞은 수를 써넣으세요.

(1) $36 \div 6 = 6$

(2) $12 \div 3 = 4$

(3) $15 \div 5 = 3$

(4) $54 \div 9 = 6$

(5) $28 \div 4 = 7$

16 큰 수를 작은 수로 나눈 몫을 빈 곳에 써넣으세요.

(1)
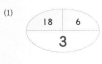
| 18 | 6 |
| 3 |

(2)
| 5 | 35 |
| 7 |

17 $28 \div 4$와 몫이 같은 나눗셈을 찾아 기호를 써 보세요.

㉠ $32 \div 8$ = 4 ㉡ $42 \div 6$ = 7
㉢ $15 \div 5$ = 3 ㉣ $54 \div 9$ = 6

(㉡)

18 몫이 가장 큰 것을 찾아 기호를 써 보세요.

㉠ $24 \div 3$ = 8 ㉡ $42 \div 7$ = 6
㉢ $15 \div 5$ = 3 ㉣ $24 \div 6$ = 4

(㉠)

[19~20] 빈 곳에 알맞은 수를 써넣으세요.

19

20

단원평가 3. 나눗셈 정답 25쪽

1 그림을 보고 ☐ 안에 알맞은 수를 써넣으세요.

$18 \div 3 = 6$

2 나눗셈식으로 나타내어 보세요.

14를 2로 나누면 7과 같습니다.

($14 \div 2 = 7$)

3 곱셈을 이용하여 나눗셈을 하세요.

$40 \div 5 = 8$

4 그림을 보고 ☐ 안에 알맞은 수를 써넣으세요.

$6 \times 3 = 18$

$18 \div 6 = 3$
$18 \div 3 = 6$

5 4의 단 곱셈구구를 이용하여 몫을 구할 수 있는 것은 어느 것일까요? (④)

① $16 \div 2$ ② $30 \div 5$
③ $64 \div 8$ ④ $36 \div 4$
⑤ $24 \div 6$

6 ☐ 안에 알맞은 수를 써넣으세요.

$45 \div 9 = 5$

7 큰 수를 작은 수로 나눈 몫을 구하세요.

6   42

(7)

8 사탕 25개를 5명이 똑같이 나누어 먹으려고 합니다. 한 명이 사탕을 몇 개씩 먹을 수 있을까요?

(5)개
$25 \div 5 = 5$(개)

9 나눗셈의 몫을 구하는 데 필요한 곱셈식을 찾아 선으로 이어 보세요.

$16 \div 2$ $2 \times 8 = 16$

            • $4 \times 6 = 24$

$24 \div 3$ $8 \times 3 = 24$

10 나눗셈식을 곱셈식으로 바르게 바꾼 것을 모두 찾아 기호를 써 보세요.

$24 \div 4 = 6$

| ㉠ $4 \times 6 = 24$ | ㉡ $8 \times 3 = 24$ |
| ㉢ $4 \times 7 = 28$ | ㉣ $6 \times 4 = 24$ |

(㉠, ㉣)

11 몫이 6인 나눗셈을 찾아 ○표 하세요.

| $32 \div 4$ | $18 \div 9$ |
| $21 \div 3$ | ⟨$48 \div 8$⟩ |

12 그림을 보고 곱셈식과 나눗셈식으로 나타내어 보세요.

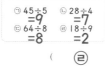

곱셈식 $3 \times 7 = 21$

나눗셈식 $21 \div 3 = 7$

13 빈 곳에 알맞은 수를 써넣으세요.

$\div 8$

32 → 4

14 $21 \div 3$의 몫을 구하는 곱셈식은 어느 것입니까? (③)

① $4 \times 3 = 12$ ② $6 \times 3 = 18$
③ $3 \times 7 = 21$ ④ $5 \times 4 = 20$
⑤ $2 \times 9 = 18$

15 야구공 30개를 6개의 상자에 똑같이 나누어 담으려고 합니다. 한 상자에 야구공을 몇 개씩 담을 수 있을까요?

(5)개
$30 \div 6 = 5$(개)

16 곱셈식을 나눗셈식 2개로 바꿔 보세요.

$4 \times 7 = 28$

$28 \div 7 = 4$
$28 \div 4 = 7$

17 몫이 가장 작은 것을 찾아 기호를 써 보세요.

㉠ $45 \div 5$	㉡ $28 \div 4$
=9	=7
㉢ $64 \div 8$	㉣ $18 \div 9$
=8	=2

(㉣)

18 몫의 크기를 비교하여 ☐ 안에 >, <를 알맞게 써넣으세요.

$63 \div 9$ < $48 \div 6$
 =7   =8

19 사탕 16개를 남김없이 칸마다 똑같이 나누어 담으려고 합니다. 어느 상자에 담아야 하는지 ○표 하세요.

(   )   (○)

20 한 봉지에 감자 9개를 담을 수 있습니다. 감자 72개를 담으려면 봉지 몇 개가 필요할까요?

(8)개
$72 \div 9 = 8$(개)

01 (몇십)×(몇)

정답 26쪽

❖ 30×2 알아보기

$$30 \times 2 = 30 + 30 = 60$$

1 곱셈을 하세요.

20×2 = 20 + 20
= 40

30×3 = 30 + 30 + 30
= 90

40×2 = 40 + 40
= 80

20×3 = 20 + 20 + 20
= 60

50×2 = 50 + 50
= 100

40×3 = 40 + 40 + 40
= 120

80×2 = 80 + 80
= 160

70×3 = 70 + 70 + 70
= 210

2 보기와 같이 곱셈을 하세요.

보기

$$\begin{array}{r} 6\ 0 \\ \times\ \ \ 2 \\ \hline \ \ \ 0 \end{array} \Rightarrow \begin{array}{r} 6\ 0 \\ \times\ \ \ 2 \\ \hline 1\ 2\ 0 \end{array}$$

0×2=0   6×2=12

$$\begin{array}{r} 2\ 0 \\ \times\ \ \ 3 \\ \hline 6\ 0 \end{array} \quad \begin{array}{r} 1\ 0 \\ \times\ \ \ 7 \\ \hline 7\ 0 \end{array} \quad \begin{array}{r} 1\ 0 \\ \times\ \ \ 5 \\ \hline 5\ 0 \end{array}$$

$$\begin{array}{r} 1\ 0 \\ \times\ \ \ 9 \\ \hline 9\ 0 \end{array} \quad \begin{array}{r} 2\ 0 \\ \times\ \ \ 4 \\ \hline 8\ 0 \end{array} \quad \begin{array}{r} 3\ 0 \\ \times\ \ \ 3 \\ \hline 9\ 0 \end{array}$$

$$\begin{array}{r} 8\ 0 \\ \times\ \ \ 3 \\ \hline 2\ 4\ 0 \end{array} \quad \begin{array}{r} 2\ 0 \\ \times\ \ \ 6 \\ \hline 1\ 2\ 0 \end{array} \quad \begin{array}{r} 9\ 0 \\ \times\ \ \ 3 \\ \hline 2\ 7\ 0 \end{array}$$

$$\begin{array}{r} 5\ 0 \\ \times\ \ \ 4 \\ \hline 2\ 0\ 0 \end{array} \quad \begin{array}{r} 6\ 0 \\ \times\ \ \ 5 \\ \hline 3\ 0\ 0 \end{array} \quad \begin{array}{r} 4\ 0 \\ \times\ \ \ 7 \\ \hline 2\ 8\ 0 \end{array}$$

$$\begin{array}{r} 9\ 0 \\ \times\ \ \ 2 \\ \hline 1\ 8\ 0 \end{array} \quad \begin{array}{r} 8\ 0 \\ \times\ \ \ 8 \\ \hline 6\ 4\ 0 \end{array} \quad \begin{array}{r} 7\ 0 \\ \times\ \ \ 6 \\ \hline 4\ 2\ 0 \end{array}$$

3 보기와 같이 곱셈을 하세요.

보기

$$20 \times 6 = \boxed{}\ 0 \Rightarrow 20 \times 6 = 1\ 2\ 0$$

30×2 = 6 0

20×3 = 6 0

10×5 = 5 0

20×9 = 1 8 0

50×5 = 2 5 0

70×4 = 2 8 0

60×7 = 4 2 0

40×5 = 2 0 0

20×2 = 4 0

10×9 = 9 0

40×2 = 8 0

60×6 = 3 6 0

30×4 = 1 2 0

80×5 = 4 0 0

90×4 = 3 6 0

60×8 = 4 8 0

4 계산한 값을 표에서 찾아 색칠하여 나오는 글자를 찾아보세요.

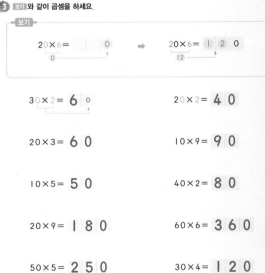

$$\begin{array}{r} 1\ 0 \\ \times\ \ \ 6 \\ \hline 6\ 0 \end{array} \quad \begin{array}{r} 3\ 0 \\ \times\ \ \ 4 \\ \hline 1\ 2\ 0 \end{array} \quad \begin{array}{r} 4\ 0 \\ \times\ \ \ 2 \\ \hline 8\ 0 \end{array} \quad \begin{array}{r} 5\ 0 \\ \times\ \ \ 6 \\ \hline 3\ 0\ 0 \end{array}$$

$$\begin{array}{r} 7\ 0 \\ \times\ \ \ 5 \\ \hline 3\ 5\ 0 \end{array} \quad \begin{array}{r} 7\ 0 \\ \times\ \ \ 7 \\ \hline 4\ 9\ 0 \end{array} \quad \begin{array}{r} 2\ 0 \\ \times\ \ \ 9 \\ \hline 1\ 8\ 0 \end{array} \quad \begin{array}{r} 6\ 0 \\ \times\ \ \ 6 \\ \hline 3\ 6\ 0 \end{array}$$

$$\begin{array}{r} 9\ 0 \\ \times\ \ \ 8 \\ \hline 7\ 2\ 0 \end{array} \quad \begin{array}{r} 8\ 0 \\ \times\ \ \ 3 \\ \hline 2\ 4\ 0 \end{array} \quad \begin{array}{r} 3\ 0 \\ \times\ \ \ 3 \\ \hline 9\ 0 \end{array}$$

160	70	230	360	440
240	120	30	80	300
630	490	140	90	560
280	460	200	250	640
150	40	60	720	400
420	200	350	180	320

02 (몇십몇)×(몇)

🐵 13×2 알아보기

$$
\begin{array}{r}
1\ 3 \\
\times\quad 2 \\
\hline
6
\end{array}
\Rightarrow
\begin{array}{r}
1\ 3 \\
\times\quad 2 \\
\hline
6 \\
2\ 0
\end{array}
\Rightarrow
\begin{array}{r}
1\ 3 \\
\times\quad 2 \\
\hline
6 \\
2\ 0 \\
\hline
2\ 6
\end{array}
$$

1 곱셈을 하세요.

$$
\begin{array}{r}
2\ 1 \\
\times\quad 3 \\
\hline
3 \quad \leftarrow 1\times3 \\
6\ 0 \quad \leftarrow 20\times3 \\
\hline
6\ 3
\end{array}
\qquad
\begin{array}{r}
4\ 2 \\
\times\quad 2 \\
\hline
4 \quad \leftarrow 2\times2 \\
8\ 0 \quad \leftarrow 40\times2 \\
\hline
8\ 4
\end{array}
\qquad
\begin{array}{r}
1\ 4 \\
\times\quad 2 \\
\hline
8 \quad \leftarrow 4\times2 \\
2\ 0 \quad \leftarrow 10\times2 \\
\hline
2\ 8
\end{array}
$$

$$
\begin{array}{r}
1\ 3 \\
\times\quad 3 \\
\hline
9 \\
3\ 0 \\
\hline
3\ 9
\end{array}
\qquad
\begin{array}{r}
3\ 2 \\
\times\quad 3 \\
\hline
6 \\
9\ 0 \\
\hline
9\ 6
\end{array}
\qquad
\begin{array}{r}
2\ 2 \\
\times\quad 3 \\
\hline
6 \\
6\ 0 \\
\hline
6\ 6
\end{array}
$$

$$
\begin{array}{r}
1\ 2 \\
\times\quad 2 \\
\hline
4 \\
2\ 0 \\
\hline
2\ 4
\end{array}
\qquad
\begin{array}{r}
2\ 3 \\
\times\quad 2 \\
\hline
6 \\
4\ 0 \\
\hline
4\ 6
\end{array}
\qquad
\begin{array}{r}
1\ 2 \\
\times\quad 4 \\
\hline
8 \\
4\ 0 \\
\hline
4\ 8
\end{array}
$$

2 보기와 같이 곱셈을 하세요.

보기

$$
\begin{array}{r}
1\ 3 \\
\times\quad 2 \\
\hline
6
\end{array}
\Rightarrow
\begin{array}{r}
1\ 3 \\
\times\quad 2 \\
\hline
2\ 6
\end{array}
$$

$3\times2=6 \qquad 1\times2=2$

$$
\begin{array}{r}
1\ 4 \\
\times\quad 2 \\
\hline
2\ 8
\end{array}
\qquad
\begin{array}{r}
3\ 1 \\
\times\quad 2 \\
\hline
6\ 2
\end{array}
\qquad
\begin{array}{r}
1\ 1 \\
\times\quad 8 \\
\hline
8\ 8
\end{array}
$$

$$
\begin{array}{r}
4\ 3 \\
\times\quad 2 \\
\hline
8\ 6
\end{array}
\qquad
\begin{array}{r}
3\ 3 \\
\times\quad 3 \\
\hline
9\ 9
\end{array}
\qquad
\begin{array}{r}
2\ 1 \\
\times\quad 4 \\
\hline
8\ 4
\end{array}
$$

$$
\begin{array}{r}
1\ 3 \\
\times\quad 3 \\
\hline
3\ 9
\end{array}
\qquad
\begin{array}{r}
2\ 3 \\
\times\quad 2 \\
\hline
4\ 6
\end{array}
\qquad
\begin{array}{r}
4\ 1 \\
\times\quad 2 \\
\hline
8\ 2
\end{array}
$$

$$
\begin{array}{r}
2\ 1 \\
\times\quad 2 \\
\hline
4\ 2
\end{array}
\qquad
\begin{array}{r}
3\ 2 \\
\times\quad 2 \\
\hline
6\ 4
\end{array}
\qquad
\begin{array}{r}
1\ 2 \\
\times\quad 3 \\
\hline
3\ 6
\end{array}
$$

$$
\begin{array}{r}
4\ 2 \\
\times\quad 2 \\
\hline
8\ 4
\end{array}
\qquad
\begin{array}{r}
2\ 3 \\
\times\quad 3 \\
\hline
6\ 9
\end{array}
\qquad
\begin{array}{r}
4\ 4 \\
\times\quad 2 \\
\hline
8\ 8
\end{array}
$$

3 보기와 같이 곱셈을 하세요.

보기

$21\times3=\underset{3}{\underline{\quad}}3 \Rightarrow 21\times3=\underset{6}{\underline{6}}3$

$13\times3=39$

$12\times4=48$

$32\times2=64$

$32\times3=96$

$23\times3=69$

$12\times2=24$

$21\times2=42$

$33\times2=66$

$22\times3=66$

$41\times2=82$

$11\times4=44$

$21\times4=84$

$13\times2=26$

$22\times2=44$

$43\times2=86$

$11\times5=55$

4 안에 알맞은 수를 써넣으세요.

$$
\begin{array}{c}
21 \\
\boxed{13} \times \boxed{3} \;\; 39 \\
4 \quad {\scriptstyle 13\times3}
\end{array}
$$
$21\times4 \;\; 84$

$$
\begin{array}{c}
32 \\
\boxed{12} \times \boxed{4} \;\; 48 \\
3
\end{array}
$$
96

$$
\begin{array}{c}
11 \\
\boxed{43} \times \boxed{2} \;\; 86 \\
4
\end{array}
$$
44

$$
\begin{array}{c}
23 \\
\boxed{31} \times \boxed{3} \;\; 93 \\
2
\end{array}
$$
46

$$
\begin{array}{c}
34 \\
\boxed{12} \times \boxed{3} \;\; 36 \\
2
\end{array}
$$
68

$$
\begin{array}{c}
22 \\
\boxed{13} \times \boxed{2} \;\; 26 \\
3
\end{array}
$$
66

$$
\begin{array}{c}
41 \\
\boxed{11} \times \boxed{7} \;\; 77 \\
2
\end{array}
$$
82

$$
\begin{array}{c}
42 \\
\boxed{32} \times \boxed{2} \;\; 64 \\
2
\end{array}
$$
84

03 십의 자리에서 올림이 있는 (몇십몇)×(몇)

정답 28쪽

🖊 32×4 알아보기

$$\begin{array}{r} 3\ 2 \\ \times\quad 4 \\ \hline 8 \end{array} \Rightarrow \begin{array}{r} 3\ 2 \\ \times\quad 4 \\ \hline 8 \\ 1\ 2\ 0 \end{array} \Rightarrow \begin{array}{r} 3\ 2 \\ \times\quad 4 \\ \hline 8 \\ 1\ 2\ 0 \\ \hline 1\ 2\ 8 \end{array}$$

 1 곱셈을 하세요.

$$\begin{array}{r} 5\ 2 \\ \times\quad 3 \\ \hline 6 \leftarrow {\scriptstyle 2\times3} \\ 1\ 5\ 0 \leftarrow {\scriptstyle 50\times3} \\ \hline 1\ 5\ 6 \end{array} \qquad \begin{array}{r} 4\ 1 \\ \times\quad 7 \\ \hline 7 \leftarrow {\scriptstyle 1\times7} \\ 2\ 8\ 0 \leftarrow {\scriptstyle 40\times7} \\ \hline 2\ 8\ 7 \end{array} \qquad \begin{array}{r} 6\ 2 \\ \times\quad 2 \\ \hline 4 \leftarrow {\scriptstyle 2\times2} \\ 1\ 2\ 0 \leftarrow {\scriptstyle 60\times2} \\ \hline 1\ 2\ 4 \end{array}$$

$$\begin{array}{r} 7\ 1 \\ \times\quad 6 \\ \hline 6 \\ 4\ 2\ 0 \\ \hline 4\ 2\ 6 \end{array} \qquad \begin{array}{r} 3\ 1 \\ \times\quad 9 \\ \hline 9 \\ 2\ 7\ 0 \\ \hline 2\ 7\ 9 \end{array} \qquad \begin{array}{r} 8\ 3 \\ \times\quad 3 \\ \hline 9 \\ 2\ 4\ 0 \\ \hline 2\ 4\ 9 \end{array}$$

$$\begin{array}{r} 6\ 4 \\ \times\quad 2 \\ \hline 8 \\ 1\ 2\ 0 \\ \hline 1\ 2\ 8 \end{array} \qquad \begin{array}{r} 7\ 2 \\ \times\quad 3 \\ \hline 6 \\ 2\ 1\ 0 \\ \hline 2\ 1\ 6 \end{array} \qquad \begin{array}{r} 9\ 1 \\ \times\quad 8 \\ \hline 8 \\ 7\ 2\ 0 \\ \hline 7\ 2\ 8 \end{array}$$

2 보기와 같이 곱셈을 하세요.

보기

$$\begin{array}{r} 8\ 4 \\ \times\quad 2 \\ \hline 8 \end{array} \Rightarrow \begin{array}{r} 8\ 4 \\ \times\quad 2 \\ \hline 1\ 6\ 8 \end{array}$$

$4\times2=8$ $\qquad$ $8\times2=16$

$$\begin{array}{r} 7\ 1 \\ \times\quad 3 \\ \hline 2\ 1\ 3 \end{array} \qquad \begin{array}{r} 6\ 2 \\ \times\quad 4 \\ \hline 2\ 4\ 8 \end{array} \qquad \begin{array}{r} 5\ 3 \\ \times\quad 2 \\ \hline 1\ 0\ 6 \end{array}$$

$$\begin{array}{r} 9\ 2 \\ \times\quad 2 \\ \hline 1\ 8\ 4 \end{array} \qquad \begin{array}{r} 7\ 2 \\ \times\quad 3 \\ \hline 2\ 1\ 6 \end{array} \qquad \begin{array}{r} 8\ 1 \\ \times\quad 4 \\ \hline 3\ 2\ 4 \end{array}$$

$$\begin{array}{r} 5\ 4 \\ \times\quad 2 \\ \hline 1\ 0\ 8 \end{array} \qquad \begin{array}{r} 6\ 3 \\ \times\quad 3 \\ \hline 1\ 8\ 9 \end{array} \qquad \begin{array}{r} 5\ 2 \\ \times\quad 4 \\ \hline 2\ 0\ 8 \end{array}$$

$$\begin{array}{r} 8\ 2 \\ \times\quad 3 \\ \hline 2\ 4\ 6 \end{array} \qquad \begin{array}{r} 9\ 1 \\ \times\quad 6 \\ \hline 5\ 4\ 6 \end{array} \qquad \begin{array}{r} 3\ 1 \\ \times\quad 7 \\ \hline 2\ 1\ 7 \end{array}$$

$$\begin{array}{r} 5\ 3 \\ \times\quad 3 \\ \hline 1\ 5\ 9 \end{array} \qquad \begin{array}{r} 6\ 4 \\ \times\quad 2 \\ \hline 1\ 2\ 8 \end{array} \qquad \begin{array}{r} 7\ 1 \\ \times\quad 5 \\ \hline 3\ 5\ 5 \end{array}$$

3 보기와 같이 곱셈을 하세요.

보기

$63\times3=\boxed{}9 \Rightarrow 63\times3=\boxed{1}8\boxed{9}$

$73\times2=\boxed{14}6$

$82\times4=\boxed{328}$

$52\times2=\boxed{104}$

$91\times8=\boxed{728}$

$32\times4=\boxed{128}$

$72\times3=\boxed{216}$

$94\times2=\boxed{188}$

$81\times6=\boxed{486}$

$64\times2=\boxed{128}$

$41\times4=\boxed{164}$

$63\times2=\boxed{126}$

$53\times3=\boxed{159}$

$61\times5=\boxed{305}$

$54\times2=\boxed{108}$

$73\times3=\boxed{219}$

$51\times7=\boxed{357}$

4 곱셈한 값이 큰 쪽의 길을 따라가 집에 도착해 보세요.

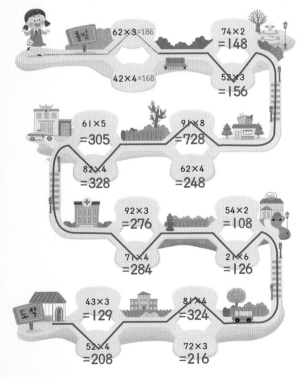

출발
$62\times3=186$
$74\times2=148$
$42\times4=168$
$52\times3=156$
$61\times5=305$
$91\times8=728$
$82\times4=328$
$62\times4=248$
$92\times3=276$
$54\times2=108$
$71\times4=284$
$21\times6=126$
도착
$43\times3=129$
$81\times4=324$
$52\times4=208$
$72\times3=216$

04 일의 자리에서 올림이 있는 (몇십몇)×(몇)

정답 29쪽

16×4 알아보기

$$
\begin{array}{r} 1\,6 \\ \times \quad 4 \\ \hline 2\,4 \end{array}
\Rightarrow
\begin{array}{r} 1\,6 \\ \times \quad 4 \\ \hline 2\,4 \\ 4\,0 \end{array}
\Rightarrow
\begin{array}{r} 1\,6 \\ \times \quad 4 \\ \hline 2\,4 \\ 4\,0 \\ \hline 6\,4 \end{array}
$$

1 곱셈을 하세요.

$$
\begin{array}{r} 3\,5 \\ \times \quad 2 \\ \hline 1\,0 \;\leftarrow 5\times2 \\ 6\,0 \;\leftarrow 30\times2 \\ \hline 7\,0 \end{array}
\qquad
\begin{array}{r} 1\,7 \\ \times \quad 3 \\ \hline 2\,1 \;\leftarrow 7\times3 \\ 3\,0 \;\leftarrow 10\times3 \\ \hline 5\,1 \end{array}
\qquad
\begin{array}{r} 2\,4 \\ \times \quad 3 \\ \hline 1\,2 \;\leftarrow 4\times3 \\ 6\,0 \;\leftarrow 20\times3 \\ \hline 7\,2 \end{array}
$$

$$
\begin{array}{r} 1\,8 \\ \times \quad 5 \\ \hline 4\,0 \\ 5\,0 \\ \hline 9\,0 \end{array}
\qquad
\begin{array}{r} 4\,6 \\ \times \quad 2 \\ \hline 1\,2 \\ 8\,0 \\ \hline 9\,2 \end{array}
\qquad
\begin{array}{r} 1\,5 \\ \times \quad 4 \\ \hline 2\,0 \\ 4\,0 \\ \hline 6\,0 \end{array}
$$

$$
\begin{array}{r} 2\,4 \\ \times \quad 4 \\ \hline 1\,6 \\ 8\,0 \\ \hline 9\,6 \end{array}
\qquad
\begin{array}{r} 1\,4 \\ \times \quad 3 \\ \hline 1\,2 \\ 3\,0 \\ \hline 4\,2 \end{array}
\qquad
\begin{array}{r} 2\,7 \\ \times \quad 3 \\ \hline 2\,1 \\ 6\,0 \\ \hline 8\,1 \end{array}
$$

16

2 보기와 같이 곱셈을 하세요.

보기
$$
\begin{array}{r} {\scriptstyle 2} \\ 2\,7 \\ \times \quad 3 \\ \hline 1 \end{array}
\Rightarrow
\begin{array}{r} {\scriptstyle 2} \\ 2\,7 \\ \times \quad 3 \\ \hline 8\,1 \end{array}
$$
$7\times3=21 \qquad 6+2=8$

$$
\begin{array}{r} {\scriptstyle 1} \\ 1\,3 \\ \times \quad 4 \\ \hline 5\,2 \end{array}
\qquad
\begin{array}{r} {\scriptstyle 4} \\ 1\,8 \\ \times \quad 5 \\ \hline 9\,0 \end{array}
\qquad
\begin{array}{r} {\scriptstyle 1} \\ 3\,7 \\ \times \quad 2 \\ \hline 7\,4 \end{array}
$$

$$
\begin{array}{r} {\scriptstyle 2} \\ 2\,9 \\ \times \quad 3 \\ \hline 8\,7 \end{array}
\qquad
\begin{array}{r} {\scriptstyle 1} \\ 2\,4 \\ \times \quad 4 \\ \hline 9\,6 \end{array}
\qquad
\begin{array}{r} {\scriptstyle 3} \\ 1\,5 \\ \times \quad 6 \\ \hline 9\,0 \end{array}
$$

$$
\begin{array}{r} {\scriptstyle 2} \\ 1\,7 \\ \times \quad 4 \\ \hline 6\,8 \end{array}
\qquad
\begin{array}{r} {\scriptstyle 1} \\ 2\,5 \\ \times \quad 2 \\ \hline 5\,0 \end{array}
\qquad
\begin{array}{r} {\scriptstyle 1} \\ 3\,9 \\ \times \quad 2 \\ \hline 7\,8 \end{array}
$$

$$
\begin{array}{r} {\scriptstyle 1} \\ 2\,3 \\ \times \quad 4 \\ \hline 9\,2 \end{array}
\qquad
\begin{array}{r} {\scriptstyle 1} \\ 3\,6 \\ \times \quad 2 \\ \hline 7\,2 \end{array}
\qquad
\begin{array}{r} {\scriptstyle 2} \\ 2\,8 \\ \times \quad 3 \\ \hline 8\,4 \end{array}
$$

17

3 보기와 같이 곱셈을 하세요.

보기

$$ 16\times3= 18 \Rightarrow 16\times3= 48 \qquad 3+1=4 $$

$12\times5= 60$ 　　　　 $26\times2= 52$

$17\times2= 34$ 　　　　 $15\times3= 45$

$25\times3= 75$ 　　　　 $35\times2= 70$

$38\times2= 76$ 　　　　 $16\times6= 96$

$18\times4= 72$ 　　　　 $19\times3= 57$

$29\times2= 58$ 　　　　 $46\times2= 92$

$14\times7= 98$ 　　　　 $17\times5= 85$

$13\times5= 65$ 　　　　 $27\times3= 81$

18

4 안에 알맞은 수를 써넣으세요.

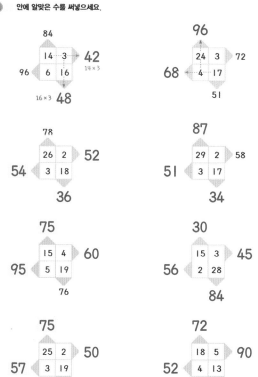

19

05 십의 자리와 일의 자리에서 올림이 있는 (몇십몇)×(몇)

정답 30쪽

◆ 42×8 알아보기

```
  4 2        4 2        4 2
×   8      ×   8      ×   8
─────      ─────      ─────
  1 6        1 6        1 6
           3 2 0      3 2 0
                      3 3 6
```

 1 곱셈을 하세요.

```
    3 7
  ×   5
  ─────
    3 5  ←7×5
  1 5 0  ←30×5
  ─────
  1 8 5
```

```
    2 6
  ×   6
  ─────
    3 6  ←6×6
  1 2 0  ←20×6
  ─────
  1 5 6
```

```
    4 8
  ×   3
  ─────
    2 4  ←8×3
  1 2 0  ←40×3
  ─────
  1 4 4
```

```
    5 2
  ×   7
  ─────
    1 4
  3 5 0
  ─────
  3 6 4
```

```
    8 6
  ×   2
  ─────
    1 2
  1 6 0
  ─────
  1 7 2
```

```
    5 4
  ×   5
  ─────
    2 0
  2 5 0
  ─────
  2 7 0
```

```
    6 3
  ×   9
  ─────
    2 7
  5 4 0
  ─────
  5 6 7
```

```
    3 9
  ×   6
  ─────
    5 4
  1 8 0
  ─────
  2 3 4
```

```
    7 6
  ×   4
  ─────
    2 4
  2 8 0
  ─────
  3 0 4
```

2 보기 와 같이 곱셈을 하세요.

보기
```
      2              2
    5 4            5 4
  ×   7    ⇒    ×   7
  ─────        ─────
    2 8        3 7 8
 4×7=28       35+2=37
```

```
    4
    3 8
  ×   5
  ─────
  1 9 0
```

```
    2
    4 7
  ×   4
  ─────
  1 8 8
```

```
    1
    5 9 2
  ×   2
  ─────
  1 1 8
```

```
    4
    7 5
  ×   8
  ─────
  6 0 0
```

```
    2
    6 5
  ×   4
  ─────
  2 6 0
```

```
    2
    9 4
  ×   6
  ─────
  5 6 4
```

```
    3
    8 4
  ×   9
  ─────
  7 5 6
```

```
    2
    3 9
  ×   3
  ─────
  1 1 7
```

```
    1
    7 6
  ×   3
  ─────
  2 2 8
```

```
    5
    6 7
  ×   8
  ─────
  5 3 6
```

```
    1
    8 2
  ×   8
  ─────
  6 5 6
```

```
    3
    5 5
  ×   7
  ─────
  3 8 5
```

3 보기 와 같이 곱셈을 하세요.

보기
$$75×3=\boxed{\ }\boxed{5}\quad⇒\quad75×3=\boxed{2}\boxed{2}\boxed{5}$$
15, 21+1=22

```
        2
24×6= 1 4 4
```
```
        1
33×5= 1 6 5
```
```
        4
56×8= 4 4 8
```
```
        2
45×4= 1 8 0
```
```
        2
37×4= 1 4 8
```
```
        1
83×6= 4 9 8
```
```
        1
92×8= 7 3 6
```
```
        1
54×3= 1 6 2
```
```
        7
29×8= 2 3 2
```
```
        3
45×6= 2 7 0
```
```
        2
53×7= 3 7 1
```
```
        4
38×6= 2 2 8
```
```
        2
54×5= 2 7 0
```
```
        1
94×4= 3 7 6
```
```
        2
89×3= 2 6 7
```
```
        3
64×8= 5 1 2
```

4 가로세로 퍼즐을 완성해 보세요.

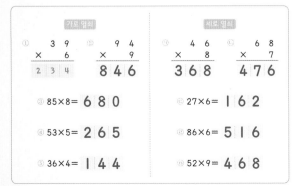

가로 열쇠	세로 열쇠

```
①   3 9        ②   9 4
  ×   6          ×   9
  ─────          ─────
  2 3 4          8 4 6
```
```
③   4 6        ④   6 8
  ×   8          ×   7
  ─────          ─────
  3 6 8          4 7 6
```

③ 85×8= 6 8 0

⑤ 27×6= 1 6 2

④ 53×5= 2 6 5

⑥ 86×6= 5 1 6

⑤ 36×4= 1 4 4

⑧ 52×9= 4 6 8

도전! 응용 문제

정답 31쪽

유형 1

재민이는 하루에 동화책을 ⑬쪽씩 읽었습니다. 재민이가 ③일 동안 읽은 동화책은 모두 몇 쪽일까요?

■ 주어진 수에 ○표 하고, 구하는 것에 밑줄 치기

하루에 읽은 동화책 쪽수: **13** 쪽, 동화책을 읽은 날수: **3** 일

■ 문제 해결하기

하루에 동화책을 13쪽씩 3일 동안 읽었으므로 13과 3을 (곱합니다, 나눕니다).

■ 문제 풀기

(3일 동안 읽은 동화책 쪽수)=(하루에 읽은 동화책 쪽수)×(동화책을 읽은 날수)

= **13 × 3 = 39** (쪽)

■ 답 쓰기

3일 동안 읽은 동화책은 모두 **39** 쪽입니다.

유형 + 1

주아네 학교 3학년 한 반의 학생 수는 ㉜명입니다. 주아네 학교 3학년이 ④개 반이라면 3학년 학생은 모두 몇 명일까요?

■ 주어진 수에 ○표 하고, 구하는 것에 밑줄 치기

3학년 한 반의 학생 수: **32** 명, 3학년 반 수: **4** 개

■ 문제 해결하기

3학년 한 반의 학생 수가 32명씩이고 4개 반이므로 32와 4를 (곱합니다, 나눕니다).

■ 문제 풀기

(3학년 전체 학생 수)=(3학년 한 반의 학생 수)×(3학년 반 수)

= **32 × 4 = 128** (명)

■ 답 쓰기

3학년 학생은 모두 **128** 명입니다.

유형 2

민호는 매일 ⑫개씩 윗몸일으키기를 합니다. 민호가 일주일 동안 한 윗몸일으키기는 모두 몇 개일까요?

■ 주어진 수에 ○표 하고, 구하는 것에 밑줄 치기

매일 한 윗몸일으키기 수: **12** 개, 일주일의 날수: **7** 일

■ 문제 해결하기

윗몸일으키기를 12개씩 일주일 동안 하므로 12와 7을 (곱합니다, 나눕니다).

■ 문제 풀기

(일주일 동안 한 윗몸일으키기 수)=(매일 한 윗몸일으키기 수)×(일주일의 날수)

= **12 × 7 = 84** (개)

■ 답 쓰기

일주일 동안 한 윗몸일으키기는 모두 **84** 개입니다.

유형 + 2

극장에 있는 의자는 한 줄에 ㉟명이 앉을 수 있습니다. 의자가 ⑨줄이면 모두 몇 명이 앉을 수 있을까요?

■ 주어진 수에 ○표 하고, 구하는 것에 밑줄 치기

의자 한 줄에 앉을 수 있는 사람 수: **35** 명, 의자의 줄 수: **9** 줄

■ 문제 해결하기

35명씩 앉을 수 있는 의자는 9줄이 있으므로 35와 9를 (곱합니다, 나눕니다).

■ 문제 풀기

(의자에 앉을 수 있는 전체 사람 수)=(의자 한 줄에 앉을 수 있는 사람 수)×(의자의 줄 수)

= **35 × 9 = 315** (명)

■ 답 쓰기

의자에는 모두 **315** 명이 앉을 수 있습니다.

● 안에 알맞은 수를 써넣고 답을 구하세요.

1 Drill

어느 꽃집에 장미가 20송이씩 6묶음 있습니다. 장미는 모두 몇 송이 있을까요?

주어진 수에 ○표하고, 구하는 것에 밑줄 쫙!

풀이 (전체 장미 수)=(한 묶음에 있는 장미 수)×(묶음 수)

= 20 × 6 = 120 (송이)

답 120 송이

2 Drill

사과가 한 상자에 23개씩 들어 있습니다. 2상자에 들어 있는 사과는 모두 몇 개일까요?

풀이 (전체 사과 수)=(한 상자에 들어 있는 사과 수)×(상자 수)

= 23 × 2 = 46 (개)

답 46 개

3 Drill

책꽂이 한 칸에 책이 14권씩 꽂혀 있습니다. 책꽂이 6칸에 꽂혀 있는 책은 모두 몇 권일까요?

풀이 (전체 책 수)=(한 칸에 꽂혀 있는 책 수)×(책꽂이 칸 수)

= 14 × 6 = 84 (권)

답 84 권

4 Drill

버스 한 대에 승객이 56명 탈 수 있다고 합니다. 버스 5대에 탈 수 있는 승객은 모두 몇 명일까요?

풀이 (전체 승객 수)=(한 대에 탈 수 있는 승객 수)×(버스 수)

= 56 × 5 = 280 (명)

답 280 명

● 서술형 문제를 읽고 풀이 과정과 답을 쓰세요.

도전 1

수진이의 나이는 11살입니다. 수진이 어머니의 나이는 수진이 나이의 4배입니다. 수진이 어머니의 나이는 몇 살일까요?

예 풀이 (어머니의 나이)=(수진이의 나이)×4

=11×4=44(살)

답 44살

도전 2

민수 어머니는 떡을 한 상자에 42개씩 3상자에 담았습니다. 3상자에 담은 떡은 모두 몇 개일까요?

예 풀이 (전체 떡의 수)=(한 상자에 담은 떡의 수)×(상자 수)

=42×3=126(개)

답 126개

도전 3

아름이는 매일 종이학을 15개씩 접었습니다. 아름이가 5일 동안 접은 종이학은 모두 몇 개일까요?

예 풀이 (전체 종이학 수)=(1일 동안 접는 종이학 수)×(날수)

=15×5=75(개)

답 75개

도전 4

귤이 한 상자에 48개씩 들어 있습니다. 9상자에 들어 있는 귤은 모두 몇 개일까요?

예 풀이 (전체 귤 수)=(한 상자에 들어 있는 귤 수)×(상자 수)

=48×9=432(개)

답 432개

형성 평가   정답 32쪽

01 곱셈을 하세요.

(1) 30×2= 30 + 30
         = 60

(2) 70×2= 70 + 70
         = 140

02 곱셈을 하세요.

(1)
```
    1 0
  ×   9
    9 0
```

(2)
```
    2 0
  ×   4
    8 0
```

03 곱셈을 하세요.
```
      7 0
  ×     6
    4 2 0
```

04 곱셈을 하세요.

(1) 60×6= 360

(2) 30×4= 120

05 곱셈을 하세요.
```
      2 3
  ×     3
        9
      6 0
      6 9
```

06 곱셈을 하세요.

(1)
```
    1 3
  ×   2
    2 6
```

(2)
```
    4 1
  ×   2
    8 2
```

07 곱셈을 하세요.

(1) 21×3= 63

(2) 11×7= 77

(3) 43×2= 86

(4) 13×3= 39

(5) 22×4= 88

08 ☐ 안에 알맞은 수를 써넣으세요.
```
        23
  14 × 2   28
         3
        69
```

09 곱셈을 하세요.
```
      6 1
  ×     7
        7
      4 2 0
      4 2 7
```

10 곱셈을 하세요.
```
      3 1
  ×     8
    2 4 8
```

11 곱셈을 하세요.

(1) 21×9= 189

(2) 74×2= 148

(3) 82×3= 246

(4) 52×4= 208

(5) 61×8= 488

12 빈 곳에 알맞은 수를 써넣으세요.

(1)
```
          ×
    52  3  156
  × 2
    104
```

(2)
```
          ×
    93  2  186
  × 3
    279
```

13 곱셈을 하세요.
```
      1 9
  ×     3
      2 7
      3 0
      5 7
```

14 곱셈을 하세요.
```
      2
      2 7
  ×     3
      8 1
```

15 곱셈을 하세요.

(1) 36×2= 72

(2) 15×3= 45

16 ☐ 안에 알맞은 수를 써넣으세요.
```
        48
  16  2    32
  3   28
  84        56
```

17 곱셈을 하세요.
```
      3 6
  ×     5
      3 0
    1 5 0
    1 8 0
```

18 곱셈을 하세요.
```
      2
      7 3
  ×     8
    5 8 4
```

19 곱셈을 하세요.

(1) 34×6= 204

(2) 87×2= 174

(3) 42×8= 336

(4) 26×5= 130

(5) 85×7= 595

20 빈 곳에 알맞은 수를 써넣으세요.

(1)
```
        ×7
  48        336
```

(2)
```
        ×9
  58        522
```

단원평가   4. 곱셈

정답 33쪽   점수   점

1 수 모형을 보고 □ 안에 알맞은 수를 써넣으세요.

(1)

⇒ 30 × **4** = **120**

(2)

⇒ 50 × **3** = **150**

2 곱셈을 하세요.

$$\begin{array}{r} 2\ 4 \\ \times \quad 2 \\ \hline 4\ 8 \end{array}$$

3 빈 곳에 알맞은 수를 써넣으세요.

10   ×8 ⟶ **80**

4 곱셈을 하세요.

21 × 9 = **189**

5 계산한 값을 찾아 선으로 이어 보세요.

53 × 3   248

          • 189

62 × 4   159

6 수직선을 보고 □ 안에 알맞은 수를 써넣으세요.

|← 23 →|← 23 →|← 23 →|

⟹ 23 × **3** = **69**

7 빈 곳에 두 수의 곱을 써넣으세요.

(1)

| 64 | 2 |

128

(2)

| 43 | 8 |

344

8 빈 곳에 알맞은 수를 써넣으세요.

×

| 29 | 4 | **116** |

9 두 수의 곱을 구하세요.

28   3

(**84**   )

10 수호는 하루에 동화책을 30쪽씩 읽었습니다. 수호가 5일 동안 읽은 동화책은 모두 몇 쪽일까요?

(**150**   )쪽

30 × 5 = 150(쪽)

11 다음 계산에서 □ 안의 숫자 3이 실제로 나타내는 수는 얼마일까요?

$$\begin{array}{r} \boxed{3} \\ 3\ 6 \\ \times \quad 6 \\ \hline 2\ 1\ 6 \end{array}$$

(**30**   )

12 곱셈을 하세요.

$$\begin{array}{r} 8\ 3 \\ \times \quad 5 \\ \hline 4\ 1\ 5 \end{array}$$

13 곱의 크기를 비교하여 □ 안에 > 또는 <를 알맞게 써넣으세요.

45 × 4   **<**   28 × 7
= 180   = 196

14 한 상자에 사과가 16개씩 들어 있습니다. 3상자에 들어 있는 사과는 모두 몇 개일까요?

예 풀이 (전체 사과 수)
= (한 상자에 들어 있는 사과 수)
× (상자 수) = 16 × 3 = 48(개)

답 **48** 개

15 계산을 잘못한 사람은 누구일까요?

재훈	혜민
$\begin{array}{r} 2 \\ 5\ 3 \\ \times \ 7 \\ \hline 3\ 7\ 1 \end{array}$	$\begin{array}{r} 7 \\ 4\ 8 \\ \times \ 9 \\ \hline 3\ 6\ 2 \end{array}$

(**혜민**   )

16 ㉠과 ㉡의 차를 구하세요.

㉠ 13 × 2   ㉡ 22 × 3
= 26   = 66

(**40**   )

17 계산 결과가 가장 작은 것을 찾아 ○표 하세요.

17 × 5   14 × 7   19 × 3
= 85   = 98   = 57
(   )   (   )   (○)

18 □ 안에 알맞은 수를 써넣으세요.

52   ×3 ⟶ **156**

19 곱이 큰 것부터 차례로 기호를 쓰세요.

㉠ 57 × 5 = **285**
㉡ 46 × 8 = **368**
㉢ 84 × 3 = **252**

(㉡ , ㉠ , ㉢)

20 민정이네 학교 3학년 한 반의 학생 수는 29명입니다. 민정이네 학교 3학년이 5개 반이라면 3학년 학생은 모두 몇 명일까요?

예 풀이 (전체 3학년 학생 수) =
(한 반 학생 수) × (반 수)
= 29 × 5 = 145(명)

답 **145** 명

01 1cm보다 작은 단위

1mm 알아보기

1mm: 1cm를 10칸으로 똑같이 나누었을 때 작은 눈금 한 칸의 길이

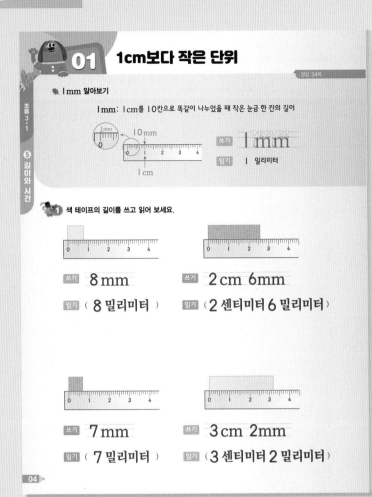

쓰기 **1mm**

읽기 **1 밀리미터**

1 색 테이프의 길이를 쓰고 읽어 보세요.

쓰기 **8 mm**
읽기 (**8 밀리미터**)

쓰기 **2 cm 6mm**
읽기 (**2 센티미터 6 밀리미터**)

쓰기 **7 mm**
읽기 (**7 밀리미터**)

쓰기 **3 cm 2mm**
읽기 (**3 센티미터 2 밀리미터**)

2 그림을 보고 ☐ 안에 알맞은 수를 써넣으세요.

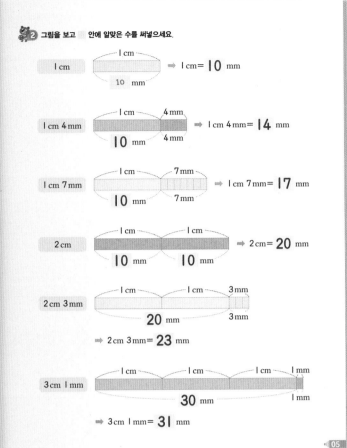

1 cm ⇒ 1 cm = **10** mm

1 cm 4 mm ⇒ 1 cm 4 mm = **14** mm

1 cm 7 mm ⇒ 1 cm 7 mm = **17** mm

2 cm ⇒ 2 cm = **20** mm

2 cm 3 mm ⇒ 2 cm 3 mm = **23** mm

3 cm 1 mm ⇒ 3 cm 1 mm = **31** mm

3 그림을 보고 ☐ 안에 알맞은 수를 써넣으세요.

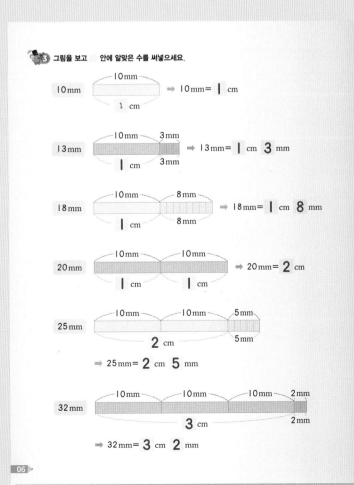

10 mm ⇒ 10 mm = **1** cm

13 mm ⇒ 13 mm = **1** cm **3** mm

18 mm ⇒ 18 mm = **1** cm **8** mm

20 mm ⇒ 20 mm = **2** cm

25 mm ⇒ 25 mm = **2** cm **5** mm

32 mm ⇒ 32 mm = **3** cm **2** mm

4 ☐ 안에 알맞은 수를 써넣으세요.

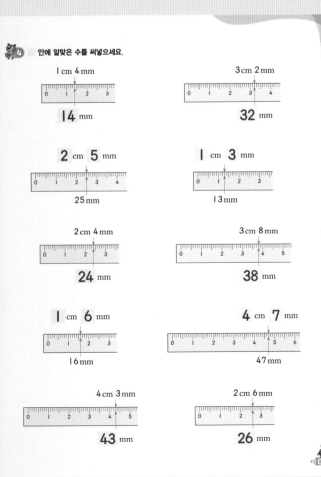

1 cm 4 mm → **14** mm

3 cm 2 mm → **32** mm

2 cm 5 mm → 25mm

1 cm 3 mm → 13mm

2 cm 4 mm → **24** mm

3 cm 8 mm → **38** mm

1 cm 6 mm → 16mm

4 cm 7 mm → 47mm

4 cm 3 mm → **43** mm

2 cm 6 mm → **26** mm

02 1m보다 큰 단위

1km 알아보기

정답 35쪽

$$1000\,m = 1\,km$$

쓰기 **1 km**
읽기 1 킬로미터

1 집에서 학교, 서점, 경찰서, 소방서까지의 거리를 쓰고 읽어 보세요.

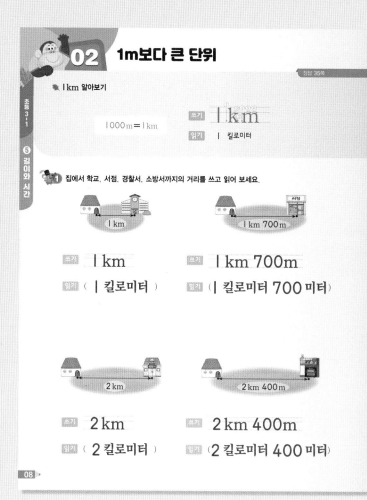

쓰기 **1 km**
읽기 (1 킬로미터)

쓰기 **1 km 700m**
읽기 (1 킬로미터 700 미터)

쓰기 **2 km**
읽기 (2 킬로미터)

쓰기 **2 km 400m**
읽기 (2 킬로미터 400 미터)

2 그림을 보고 □ 안에 알맞은 수를 써넣으세요.

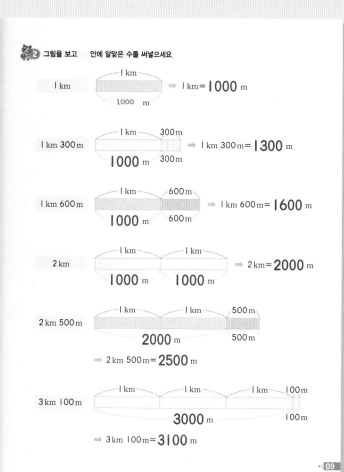

1 km = **1000** m

1 km 300 m = **1300** m

1 km 600 m = **1600** m

2 km = **2000** m

2 km 500 m = **2500** m

3 km 100 m = **3100** m

3 그림을 보고 □ 안에 알맞은 수를 써넣으세요.

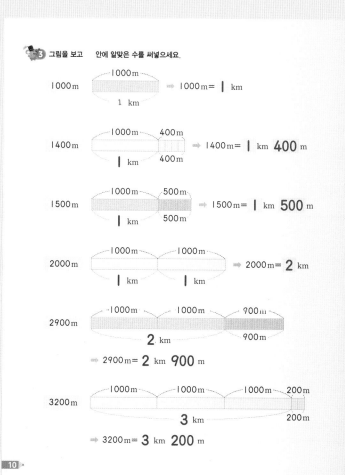

1000 m = **1** km

1400 m = **1** km **400** m

1500 m = **1** km **500** m

2000 m = **2** km

2900 m = **2** km **900** m

3200 m = **3** km **200** m

4 □ 안에 알맞은 수를 써넣으세요.

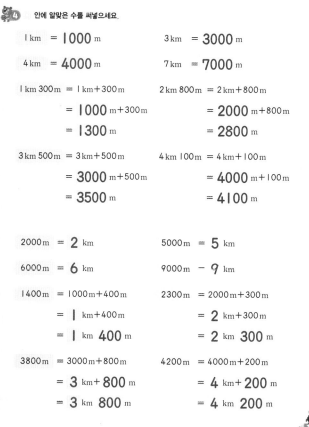

1 km = **1000** m   3 km = **3000** m

4 km = **4000** m   7 km = **7000** m

1 km 300 m = 1 km + 300 m
= **1000** m + 300 m
= **1300** m

2 km 800 m = 2 km + 800 m
= **2000** m + 800 m
= **2800** m

3 km 500 m = 3 km + 500 m
= **3000** m + 500 m
= **3500** m

4 km 100 m = 4 km + 100 m
= **4000** m + 100 m
= **4100** m

2000 m = **2** km   5000 m = **5** km

6000 m = **6** km   9000 m = **9** km

1400 m = 1000 m + 400 m
= **1** km + 400 m
= **1** km **400** m

2300 m = 2000 m + 300 m
= **2** km + 300 m
= **2** km **300** m

3800 m = 3000 m + 800 m
= **3** km + **800** m
= **3** km **800** m

4200 m = 4000 m + 200 m
= **4** km + **200** m
= **4** km **200** m

03 1분보다 작은 단위

정답 36쪽

❖ 1초, 60초 알아보기

1초: 초바늘이 작은 눈금 한 칸을 가는 동안 걸리는 시간

작은 눈금 한 칸=1초

60초: 초바늘이 시계를 한 바퀴 도는 데 걸리는 시간

60초=1분

1 시계에서 각각의 수가 몇 초를 나타내는지 써넣으세요.

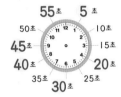 

2 시각을 읽어 보고 ☐ 안에 알맞은 수를 써넣으세요.

2시 30분 **50** 초 ｜｜시 35분 **15** 초 8시 32분 **20** 초

10시 13분 **35** 초 5시 25분 **10** 초 1시 20분 **45** 초

12시 54분 **30** 초 7시 45분 **5** 초 3시 8분 **40** 초

8시 16분 **25** 초 6시 50분 **20** 초 4시 31분 **55** 초

3 ☐ 안에 알맞은 수를 써넣어 시계가 나타내는 시각을 읽어 보세요.

10 초
11 초
12 초

9시 35분 **12** 초

43초
42초
41초
40

1시 20분 **43** 초

15 초
16 초
17 초

7시 46분 **17** 초

3시 5분 **33** 초

6시 25분 **7** 초

5시 13분 **54** 초

2시 37분 **26** 초

4시 57분 **48** 초

4 ☐ 안에 알맞은 수를 써넣으세요.

1분 | 1분 / 10초 10초 10초 10초 10초 10초 / 60 ➡ 1분 = **60** 초

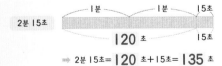

1분 20초 | 1분 / 60 / 20초 / 20 ➡ 1분 20초 = **60** 초 + **20** 초 = **80** 초

2분 15초 | 1분 / 1분 / 15초 / **120** / 15초 ➡ 2분 15초 = **120** 초 + **15** 초 = **135** 초

60초 | 60초 / **1** 분 ➡ 60초 = **1** 분

90초 | 60초 / 30초 / **1** 분 / 30초 ➡ 90초 = **1** 분 + **30** 초 = **1** 분 **30** 초

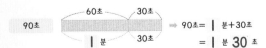
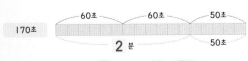

170초 | 60초 / 60초 / 50초 / **2** 분 / 50초 ➡ 170초 = **2** 분 + **50** 초 = **2** 분 **50** 초

04 시간의 덧셈과 뺄셈

정답 37쪽

시간의 덧셈 알아보기

```
        분  초              1시간  분              1시간
   2시간 30분 50초       2시간 30분 50초       2시간 30분 50초
 + 3시간 50분 20초  ⇒  + 3시간 50분 20초  ⇒  + 3시간 50분 20초
 ─────────────       ─────────────       ─────────────
            10초           21분 10초       6시간 21분 10초
 50+20=70초=1분 10초    1+30+50=81분=1시간 21분    1+2+3=6시간
```

① 계산해 보세요.

```
   분   초
   4 분 30 초          13 분 40 초          20 분 25 초
 + 2 분 35 초        +  5 분 35 초        +  3 분 55 초
 ────────────       ────────────        ────────────
   7 분  5 초          19 분 15 초          24 분 20 초


   3 시 45 분          2 시 50 분          3 시 35 분
 + 1 시간 30 분      + 5 시간 20 분      + 7 시간 55 분
 ────────────       ────────────        ────────────
   5 시 15 분          8 시 10 분         11 시 30 분


   1 시 30 분 25 초          3 시간 25 분 35 초
 + 2 시간 13 분 40 초      + 2 시간 47 분 20 초
 ──────────────────       ──────────────────
   3 시 44 분  5 초          6 시간 12 분 55 초


   5 시 10 분 40 초          2 시간 46 분 15 초
 + 1 시간 9 분 30 초       + 5 시간 28 분 22 초
 ──────────────────       ──────────────────
   6 시 20 분 10 초          8 시간 14 분 37 초
```

② 계산해 보세요.

```
   1시간   1분  초
   1 시 30 분 25 초          5 시간 40 분 40 초
 + 2 시간 52 분 45 초      + 1 시간 25 분 35 초
 ──────────────────       ──────────────────
   4 시 23 분 10 초          7 시간  6 분 15 초


   3 시 40 분 52 초          2 시간 45 분 45 초
 + 2 시간 30 분 40 초      + 5 시간 35 분 32 초
 ──────────────────       ──────────────────
   6 시 11 분 32 초          8 시간 21 분 17 초


   2 시 53 분 45 초          1 시간 40 분 45 초
 + 2 시간 16 분 40 초      + 4 시간 48 분 35 초
 ──────────────────       ──────────────────
   5 시 10 분 25 초          6 시간 29 분 20 초


   1 시 30 분 47 초          6 시간 50 분 35 초
 + 1 시간 47 분 40 초      + 2 시간 19 분 36 초
 ──────────────────       ──────────────────
   3 시 18 분 27 초          9 시간 10 분 11 초


   3 시 45 분 55 초          2 시간 26 분 44 초
 + 2 시간 42 분 47 초      + 5 시간 40 분 50 초
 ──────────────────       ──────────────────
   6 시 28 분 42 초          8 시간  7 분 34 초


   3 시 53 분 46 초          2 시간 38 분 58 초
 + 1 시간 26 분 29 초      + 6 시간 39 분 45 초
 ──────────────────       ──────────────────
   5 시 20 분 15 초          9 시간 18 분 43 초
```

시간의 뺄셈 알아보기

```
      14 분 60 초             60 분             3 시간
   6시간 15분 18초       3시간 14분            6시간 15분 18초
 - 2시간 43분 30초  ⇒  6시간 15분 18초  ⇒  - 1시간 43분 30초
 ────────────         - 1시간 43분 30초       ────────────
            48초         ────────────        2시간 31분 48초
 60+18-30=48초             31분 48초          3-1=2시간
                       60+14-43=31분
```

③ 계산해 보세요.

```
   7  60초
   8 분 20 초          10 분 10 초          14 분 15 초
 - 2 분 40 초        -  7 분 35 초        -  6 분 30 초
 ────────────       ────────────        ────────────
   5 분 40 초          2 분 35 초          7 분 45 초


   5 시 23 분          7 시  8 분         10 시 17 분
 - 1 시 30 분        - 4 시 25 분        -  3 시 45 분
 ────────────       ────────────        ────────────
   3 시간 53 분        2 시간 43 분         6 시간 32 분


   4 시간 20 분 25 초          5 시 16 분 45 초
 - 2 시간 12 분 40 초       - 3 시 36 분 13 초
 ──────────────────        ──────────────────
   2 시간  7 분 45 초          1 시간 40 분 32 초


   5 시 46 분 29 초          9 시간 3 분 35 초
 - 1 시간 24 분 56 초      - 5 시간 10 분 27 초
 ──────────────────       ──────────────────
   4 시 21 분 33 초          3 시간 53 분 8 초
```

④ 계산해 보세요.

```
      60 분
   8 시간 23 분 60 초
   9 시 24 분 15 초          4 시 13 분 10 초
 - 1 시간 30 분 40 초      - 2 시간 36 분 30 초
 ──────────────────       ──────────────────
   7 시간 53 분 35 초        1 시 36 분 40 초


   5 시  7 분 22 초          7 시간 18 분 20 초
 - 2 시 18 분 50 초       - 3 시간 42 분 55 초
 ──────────────────       ──────────────────
   2 시간 48 분 32 초        3 시 35 분 25 초


   6 시 25 분 19 초          8 시 15 분  8 초
 - 1 시간 44 분 36 초      - 2 시 53 분 13 초
 ──────────────────       ──────────────────
   4 시 40 분 43 초          5 시간 21 분 55 초


   6 시간 3 분 16 초          3 시 30 분 39 초
 - 2 시간 50 분 28 초      - 1 시간 34 분 52 초
 ──────────────────       ──────────────────
   3 시간 12 분 48 초        1 시 55 분 47 초


   9 시 32 분 13 초          8 시간 12 분 24 초
 - 2 시 48 분 56 초       - 5 시간 36 분 34 초
 ──────────────────       ──────────────────
   6 시간 43 분 17 초        2 시간 35 분 50 초


   7 시 16 분 20 초          9 시 26 분 17 초
 - 3 시간 58 분 55 초      - 3 시 38 분 52 초
 ──────────────────       ──────────────────
   3 시 17 분 25 초          5 시간 47 분 25 초
```

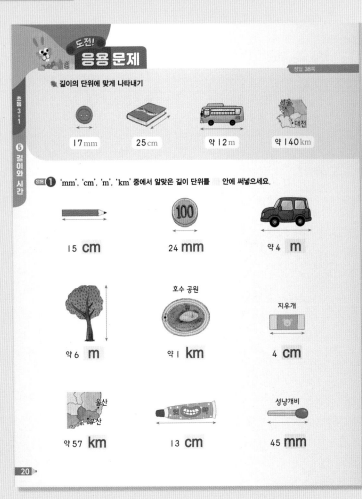

초3-1

⑤ 길이와 시간

💡 길이의 단위에 맞게 나타내기

| 17mm | 25cm | 약 12m | 약 140km |

응용 ❶ 'mm', 'cm', 'm', 'km' 중에서 알맞은 길이 단위를 　 안에 써넣으세요.

15 cm　　24 mm　　약 4 m

호수 공원

약 6 m　　약 1 km　　4 cm

약 57 km　　13 cm　　45 mm

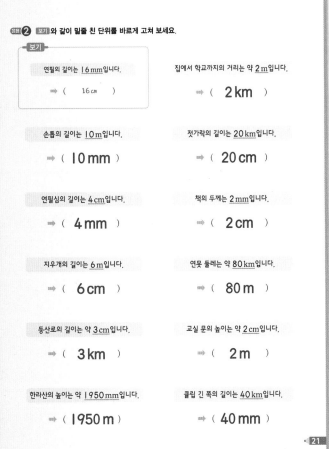

응용 ❷ 보기와 같이 밑줄 친 단위를 바르게 고쳐 보세요.

보기

연필의 길이는 16mm입니다.
➡ (16 cm)

집에서 학교까지의 거리는 약 2m입니다.
➡ (2 km)

손톱의 길이는 10m입니다.
➡ (10 mm)

젓가락의 길이는 20km입니다.
➡ (20 cm)

연필심의 길이는 4cm입니다.
➡ (4 mm)

책의 두께는 2mm입니다.
➡ (2 cm)

지우개의 길이는 6m입니다.
➡ (6 cm)

연못 둘레는 약 80km입니다.
➡ (80 m)

등산로의 길이는 약 3cm입니다.
➡ (3 km)

교실 문의 높이는 약 2cm입니다.
➡ (2 m)

한라산의 높이는 약 1950mm입니다.
➡ (1950 m)

클립 긴 쪽의 길이는 40km입니다.
➡ (40 mm)

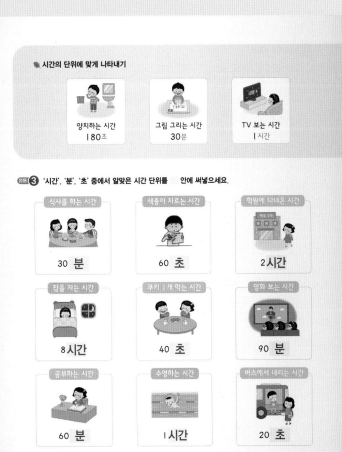

💡 시간의 단위에 맞게 나타내기

| 양치하는 시간 180초 | 그림 그리는 시간 30분 | TV 보는 시간 1시간 |

응용 ❸ '시간', '분', '초' 중에서 알맞은 시간 단위를 　 안에 써넣으세요.

| 식사를 하는 시간 | 색종이 자르는 시간 | 학원에 다녀온 시간 |
| 30 분 | 60 초 | 2시간 |

| 잠을 자는 시간 | 쿠키 1개 먹는 시간 | 영화 보는 시간 |
| 8시간 | 40 초 | 90 분 |

| 공부하는 시간 | 수영하는 시간 | 버스에서 내리는 시간 |
| 60 분 | 1시간 | 20 초 |

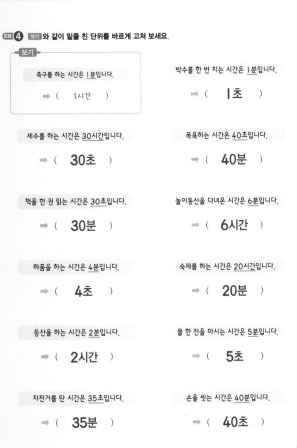

응용 ❹ 보기와 같이 밑줄 친 단위를 바르게 고쳐 보세요.

보기

축구를 하는 시간은 1분입니다.
➡ (1시간)

박수를 한 번 치는 시간은 1분입니다.
➡ (1초)

세수를 하는 시간은 30시간입니다.
➡ (30초)

목욕하는 시간은 40초입니다.
➡ (40분)

책을 한 권 읽는 시간은 30초입니다.
➡ (30분)

놀이동산을 다녀온 시간은 6분입니다.
➡ (6시간)

하품을 하는 시간은 4분입니다.
➡ (4초)

숙제를 하는 시간은 20시간입니다.
➡ (20분)

등산을 하는 시간은 2분입니다.
➡ (2시간)

물 한 잔을 마시는 시간은 5분입니다.
➡ (5초)

자전거를 탄 시간은 35초입니다.
➡ (35분)

손을 씻는 시간은 40분입니다.
➡ (40초)

형성 평가

정답 39쪽

01 색 테이프의 길이를 쓰고 읽어 보세요.

쓰기 **9** mm

읽기 (**9 밀리미터**)

[02~03] 그림을 보고 ☐ 안에 알맞은 수를 써넣으세요.

02 1 cm 3mm

1 cm **10** mm 3mm

→ 1 cm 3mm = **13** mm

03

15mm

10mm 5mm

1 cm 5mm 5mm

→ 15mm = **1** cm **5** mm

[04~05] ☐ 안에 알맞은 수를 써넣으세요.

04 1 cm 8 mm

18 mm

05 **2** cm **6** mm

26mm

06 집에서 학교까지의 거리를 쓰고 읽어 보세요.

1 km

쓰기 **1** km

읽기 (**1 킬로미터**)

[07~08] 그림을 보고 ☐ 안에 알맞은 수를 써넣으세요.

07 1 km 200m

1000 m 200m

→ 1 km 200m = **1200** m

08 1700m

1000 m 700 m

1 km 700m

→ 1700m = **1** km **700** m

[09~10] ☐ 안에 알맞은 수를 써넣으세요.

09 (1) 1 km 400 m = **1400** m

(2) 2 km 900 m = **2900** m

10 (1) 2700m = **2** km **700** m

(2) 3200m = **3** km **200** m

11 시계에서 각각의 수가 몇 초를 나타내는지 써넣으세요.

12 시각을 읽어 보고 ☐ 안에 알맞은 수를 써넣으세요.

(1) 5시 10분 **40** 초

(2) 10시 48분 **25** 초

[13~14] ☐ 안에 알맞은 수를 써넣어 시계가 나타내는 시각을 읽어 보세요.

13

10초 11초 12초

6시 43분 **12** 초

14

1시 27분 **46** 초

15 그림을 보고 ☐ 안에 알맞은 수를 써넣으세요.

1분

1분

10초 10초 10초 10초 10초 10초

60 초

→ 1분 = **60** 초

[16~19] 계산해 보세요.

16
　　4 시 45 분
＋ 2 시간 20 분
　　7 시 **5** 분

17
　　1 시간 55 분 40 초
＋ 3 시간 40 분 37 초
　　5 시간 **36** 분 **17** 초

18
　　10 시 15 분
－ 7 시 30 분
　　2 시간 **45** 분

19
　　5 시 26 분 15 초
－ 2 시간 40 분 42 초
　　2 시 **45** 분 **33** 초

20 ☐ 안에 알맞은 수를 써넣으세요.

(1) 6시 45분 20초
↓
＋1시간 35분 12초
↓
8 시 **20** 분 **32** 초

(2) 10시 36분 45초
↓
－4시 52분 30초
↓
5 시간 **44** 분 **15** 초

39

단원평가   5. 길이와 시간

1 ⬜ 안에 알맞은 수를 써넣으세요.

1 cm = **10** mm

2 시각을 읽어 보고 ⬜ 안에 알맞은 수를 써넣으세요.

8시 16분 **25** 초

3 ⬜ 안에 알맞은 수를 써넣으세요.

(1) 3 cm 4 mm = **34** mm

(2) 17 mm = **1** cm **7** mm

4 1 km 400 m를 쓰고 읽어 보세요.

쓰기   **1 km 400 m**

읽기   **1 킬로미터 400 미터**

5 계산해 보세요.

$$\begin{array}{r} 3 \text{ 시 } \quad 25 \text{ 분} \\ + \ 2 \text{ 시간 } 50 \text{ 분} \\ \hline 6 \text{ 시 } \quad 15 \text{ 분} \end{array}$$

6 초바늘이 시계를 1바퀴 도는 데 걸리는 시간은 얼마일까요? (**④**)

① 5초   ② 20초

③ 30초   ④ 60초

⑤ 80초

7 같은 길이끼리 이어 보세요.

2 cm 6 mm — 62 mm
6 cm 2 mm — 16 mm
1 cm 6 mm — 26 mm

8 계산해 보세요.

$$\begin{array}{r} 6 \text{ 시 } \quad 15 \text{ 분} \\ - \ 2 \text{ 시 } \quad 20 \text{ 분} \\ \hline 3 \text{ 시간 } 55 \text{ 분} \end{array}$$

9 'mm', 'cm', 'm', 'km' 중에서 알맞은 길이 단위를 ⬜ 안에 써넣으세요.

30 **cm**

10 ⬜ 안에 알맞은 수를 써넣으세요.

(1) 1 km 600 m = **1600** m

(2) 2300 m = **2** km **300** m

11 밑줄 친 단위를 바르게 고쳐 보세요.

운동장 한 바퀴를 도는 데 걸리는 시간은 3초입니다.

(**3분**)

12 수직선을 보고 ⬜ 안에 알맞은 수를 써넣으세요.

7 km **400** m

13 시각에 맞게 초바늘을 그려 보세요.

4시 35분 55초

14 알맞은 길이끼리 선으로 이어 보세요.

산책로의 길이 — 약 20 cm
쌀 한 톨의 길이 — 약 4 mm
책 긴 쪽의 길이 — 약 1 km

15 계산해 보세요.

$$\begin{array}{r} 7 \text{ 시간 } 28 \text{ 분 } 15 \text{ 초} \\ - \ 3 \text{ 시간 } 40 \text{ 분 } 29 \text{ 초} \\ \hline 3 \text{ 시간 } 47 \text{ 분 } 46 \text{ 초} \end{array}$$

16 바른 문장을 찾아 기호를 쓰세요.

㉠ 80 mm는 6 cm입니다.
㉡ 지우개의 길이는 4 mm입니다.
㉢ 50 mm는 5 cm입니다.

(**㉢**)

17 시각을 읽고 ⬜ 안에 알맞은 수를 써넣으세요.

9 시 **32** 분 **13** 초

18 길이를 비교하여 ⬜ 안에 > 또는 <를 알맞게 써넣으세요.

6340 m **>** 6 km 50 m
              = 6050 m

19 '시간', '분', '초' 중에서 알맞은 시간 단위를 ⬜ 안에 써넣으세요.

(1)

쇼핑을 하는 시간
40 **분**

(2)

운동을 하는 시간
1 **시간**

20 미선이가 수학 문제를 푸는 데 1분 15초 걸렸습니다. 미선이가 수학 문제를 푸는 데 걸린 시간은 몇 초일까요?

(**75**)초

1분 15초 = 60초 + 15초
         = 75초

01 분수 알아보기

색칠한 부분과 전체 알아보기

 1 보기와 같이 점을 이용하여 주어진 개수만큼 똑같은 모양으로 나누어 보세요.

2 안에 알맞은 수를 써넣고 분수로 나타내거나 분수만큼 색칠해 보세요.

 전체를 똑같이 3으로 나눈 것 중의 1 → $\frac{1}{3}$

 전체를 똑같이 4로 나눈 것 중의 2 → $\frac{2}{4}$

 전체를 똑같이 3으로 나눈 것 중의 2 → $\frac{2}{3}$

$\frac{3}{6}$ → 전체를 똑같이 6으로 나눈 것 중의 3 →

$\frac{2}{3}$ → 전체를 똑같이 3으로 나눈 것 중의 2 →

$\frac{3}{4}$ → 전체를 똑같이 4로 나눈 것 중의 3 →

$\frac{5}{8}$ → 전체를 똑같이 8로 나눈 것 중의 5 →

3 색칠한 부분을 분수로 나타내어 보세요.

 $\frac{1}{4}$  $\frac{3}{5}$

 $\frac{2}{3}$  $\frac{1}{3}$

 $\frac{3}{6}$  $\frac{2}{4}$

 $\frac{3}{4}$ $\frac{5}{8}$

$\frac{1}{5}$ $\frac{4}{9}$

$\frac{4}{8}$ $\frac{5}{6}$

4 분수만큼 색칠해 보세요.

$\frac{1}{2}$ $\frac{2}{4}$

$\frac{3}{4}$ $\frac{4}{5}$

$\frac{2}{3}$  $\frac{3}{6}$

$\frac{5}{6}$ $\frac{6}{8}$

$\frac{4}{9}$ $\frac{7}{10}$

$\frac{3}{8}$  $\frac{5}{12}$

02 분수의 크기 비교

정답 42쪽

$\frac{2}{3}$ 와 $\frac{1}{3}$ 의 크기 비교

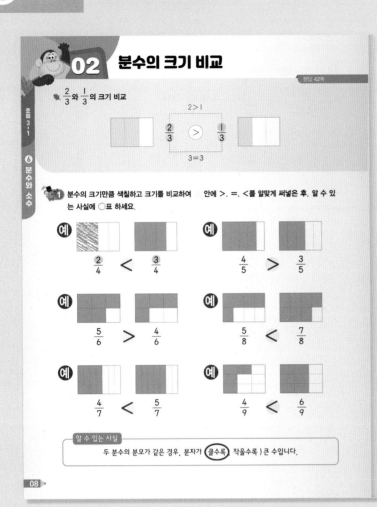

$2 > 1$

$\frac{2}{3}$ (>) $\frac{1}{3}$

$3 = 3$

1 분수의 크기만큼 색칠하고 크기를 비교하여 ◯ 안에 >, =, <를 알맞게 써넣은 후, 알 수 있는 사실에 ◯표 하세요.

예 $\frac{2}{4}$ < $\frac{3}{4}$ 예 $\frac{4}{5}$ > $\frac{3}{5}$

예 $\frac{5}{6}$ > $\frac{4}{6}$ 예 $\frac{5}{8}$ < $\frac{7}{8}$

예 $\frac{4}{7}$ < $\frac{5}{7}$ 예 $\frac{4}{9}$ < $\frac{6}{9}$

알 수 있는 사실
두 분수의 분모가 같은 경우, 분자가 (클수록 , 작을수록) 큰 수입니다.

2 두 분수의 크기를 비교하여 ◯ 안에 >, =, <를 알맞게 써넣으세요.

$4 < 6$
$\frac{4}{7}$ < $\frac{6}{7}$ $8 > 7$ $\frac{8}{9}$ > $\frac{7}{9}$
$7 = 7$

$\frac{5}{10}$ < $\frac{8}{10}$ $\frac{2}{8}$ < $\frac{5}{8}$

$\frac{5}{6}$ > $\frac{3}{6}$ $\frac{6}{13}$ < $\frac{9}{13}$

$\frac{9}{11}$ > $\frac{5}{11}$ $\frac{4}{5}$ > $\frac{2}{5}$

$\frac{4}{9}$ < $\frac{7}{9}$ $\frac{13}{14}$ > $\frac{10}{14}$

$\frac{5}{12}$ < $\frac{8}{12}$ $\frac{3}{7}$ < $\frac{6}{7}$

$\frac{7}{8}$ > $\frac{6}{8}$ $\frac{12}{16}$ < $\frac{15}{16}$

3 분수의 크기만큼 색칠하고 크기를 비교하여 ◯ 안에 >, =, <를 알맞게 써넣은 후, 알 수 있는 사실에 ◯표 하세요.

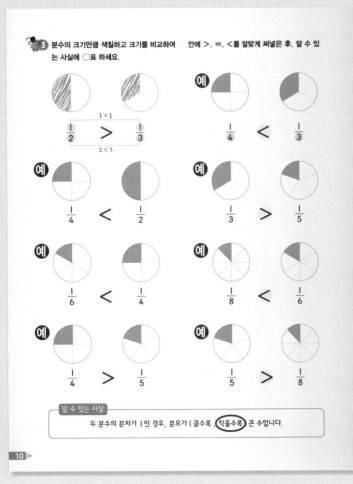

$1 = 1$
$\frac{1}{2}$ > $\frac{1}{3}$
$2 < 3$

예 $\frac{1}{4}$ < $\frac{1}{3}$

예 $\frac{1}{4}$ < $\frac{1}{2}$ 예 $\frac{1}{3}$ > $\frac{1}{5}$

예 $\frac{1}{6}$ < $\frac{1}{4}$ 예 $\frac{1}{8}$ < $\frac{1}{6}$

예 $\frac{1}{4}$ > $\frac{1}{5}$ 예 $\frac{1}{5}$ > $\frac{1}{8}$

알 수 있는 사실
두 분수의 분자가 1인 경우, 분모가 (클수록 , 작을수록) 큰 수입니다.

4 두 분수의 크기를 비교하여 ◯ 안에 >, =, <를 알맞게 써넣으세요.

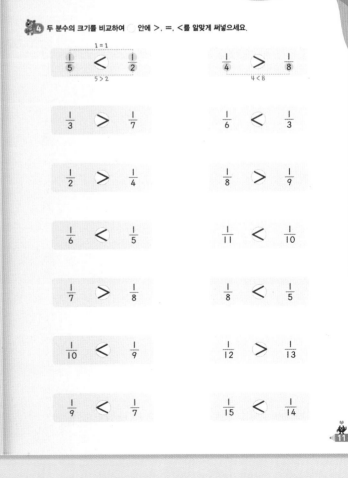

$1 = 1$
$\frac{1}{5}$ < $\frac{1}{2}$ $\frac{1}{4}$ > $\frac{1}{8}$
$5 > 2$ $4 < 8$

$\frac{1}{3}$ > $\frac{1}{7}$ $\frac{1}{6}$ < $\frac{1}{3}$

$\frac{1}{2}$ > $\frac{1}{4}$ $\frac{1}{8}$ > $\frac{1}{9}$

$\frac{1}{6}$ < $\frac{1}{5}$ $\frac{1}{11}$ < $\frac{1}{10}$

$\frac{1}{7}$ > $\frac{1}{8}$ $\frac{1}{8}$ < $\frac{1}{5}$

$\frac{1}{10}$ < $\frac{1}{9}$ $\frac{1}{12}$ > $\frac{1}{13}$

$\frac{1}{9}$ < $\frac{1}{7}$ $\frac{1}{15}$ < $\frac{1}{14}$

03 소수 알아보기

정답 43쪽

✿ 소수 알아보기

분수	0	$\frac{1}{10}$	$\frac{2}{10}$	$\frac{3}{10}$	$\frac{4}{10}$	$\frac{5}{10}$	$\frac{6}{10}$	$\frac{7}{10}$	$\frac{8}{10}$	$\frac{9}{10}$	1
소수	0	0.1	0.2	0.3	0.4	0.5	0.6	0.7	0.8	0.9	1
		영점일	영점이	영점삼	영점사	영점오	영점육	영점칠	영점팔	영점구	

1 안에 알맞은 수를 써넣으세요.

0 0.1 **0.3**   0 **0.2** **0.4**

0.5 **0.8**   **0.7** **0.9** 1

0.3 **0.6**   0 **0.1** 0.4

0.5 **0.7**   **0.8** **0.9** 1

2 분수를 소수로, 소수를 분수로 나타내어 보세요.

$\frac{3}{10} = 0.3$　　$\frac{6}{10} = 0.6$　　$\frac{1}{10} = 0.1$

$\frac{5}{10} = 0.5$　　$\frac{7}{10} = 0.7$　　$\frac{4}{10} = 0.4$

$\frac{2}{10} = 0.2$　　$\frac{9}{10} = 0.9$　　$\frac{8}{10} = 0.8$

$0.4 = \frac{4}{10}$　　$0.7 = \frac{7}{10}$　　$0.2 = \frac{2}{10}$

$0.6 = \frac{6}{10}$　　$0.8 = \frac{8}{10}$　　$0.5 = \frac{5}{10}$

$0.9 = \frac{9}{10}$　　$0.1 = \frac{1}{10}$　　$0.3 = \frac{3}{10}$

✿ mm와 cm 나타내기

0	1mm	2mm	3mm	4mm	5mm	6mm	7mm	8mm	9mm	10mm
0	0.1cm	0.2cm	0.3cm	0.4cm	0.5cm	0.6cm	0.7cm	0.8cm	0.9cm	1cm

3 안에 알맞은 수를 써넣으세요.

0.1 cm **0.5** cm   0.2cm 0.6cm

0.4cm 0.9cm   **0.3** cm **0.8** cm

0.3cm **0.7** cm   **0.1** cm 0.6cm

0.2 cm 0.8cm   0.5cm **0.9** cm

4 안에 알맞은 소수를 써넣으세요.

1cm 3mm = **1.3** cm   3cm 6mm = **3.6** cm
1cm 0.3cm   3cm 0.6cm

4cm 2mm = **4.2** cm   2cm 7mm = **2.7** cm

3cm 1mm = **3.1** cm   5cm 3mm = **5.3** cm

1cm 9mm = **1.9** cm   8cm 4mm = **8.4** cm

15mm = **1.5** cm   24mm = **2.4** cm
10mm 5mm   20mm 4mm
1cm 0.5cm   2cm 0.4cm

35mm = **3.5** cm   48mm = **4.8** cm

28mm = **2.8** cm   55mm = **5.5** cm

92mm = **9.2** cm   76mm = **7.6** cm

04 소수의 크기 비교

정답 44쪽

소수의 크기 비교

① 일의 자리가 다른 경우

2.1 > 1.3

② 일의 자리가 같은 경우

1.5 < 1.7

1 두 소수의 크기를 비교하여 ◯ 안에 > 또는 <를 알맞게 써넣으세요.

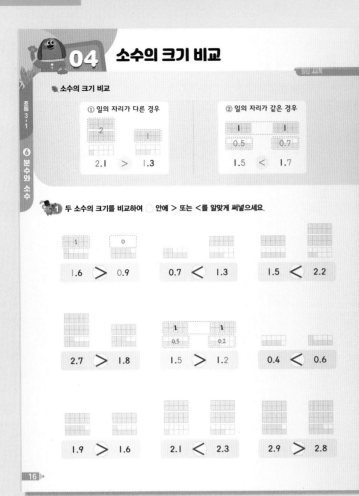

1.6 > 0.9   0.7 < 1.3   1.5 < 2.2

2.7 > 1.8   1.5 > 1.2   0.4 < 0.6

1.9 > 1.6   2.1 < 2.3   2.9 > 2.8

2 두 소수의 크기를 비교하여 ◯ 안에 >, =, <를 알맞게 써넣으세요.

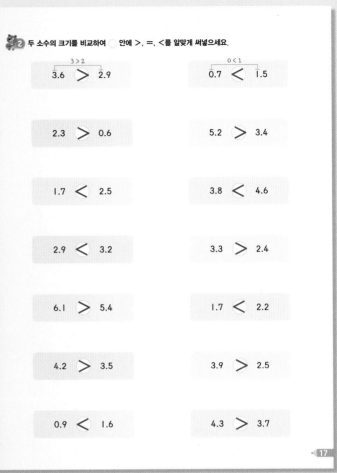

3.6 > 2.9   0.7 < 1.5

2.3 > 0.6   5.2 > 3.4

1.7 < 2.5   3.8 < 4.6

2.9 < 3.2   3.3 > 2.4

6.1 > 5.4   1.7 < 2.2

4.2 > 3.5   3.9 > 2.5

0.9 < 1.6   4.3 > 3.7

3 두 소수의 크기를 비교하여 ◯ 안에 >, =, <를 알맞게 써넣으세요.

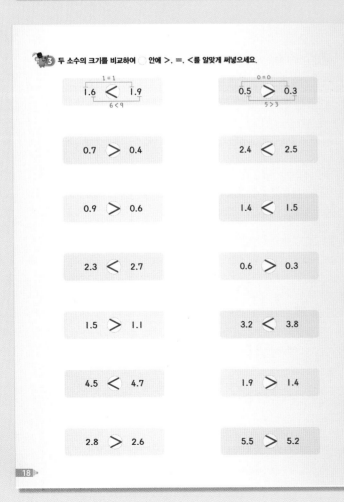

1.6 < 1.9   0.5 > 0.3

0.7 > 0.4   2.4 < 2.5

0.9 > 0.6   1.4 < 1.5

2.3 < 2.7   0.6 > 0.3

1.5 > 1.1   3.2 < 3.8

4.5 < 4.7   1.9 > 1.4

2.8 > 2.6   5.5 > 5.2

4 갈림길에서 더 큰 소수를 따라가 친구를 만나러 가세요.

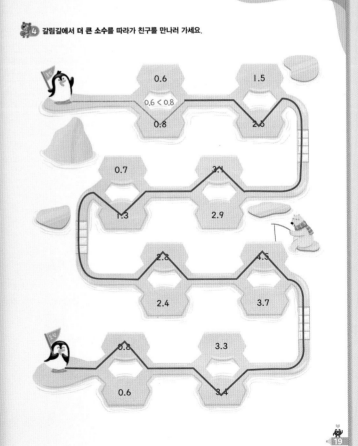

똑같은 개수만큼 나누어 보기

응용 1 보기 와 같이 점선을 이용하여 주어진 개수만큼 똑같은 모양으로 나누어 보세요.

똑같이 나누어 $\frac{1}{4}$만큼 색칠하기

응용 2 점을 이용하여 똑같은 모양으로 나누고 주어진 분수만큼 색칠해 보세요.

$\frac{1}{6}$ $\frac{2}{4}$

$\frac{3}{8}$ $\frac{1}{4}$

$\frac{2}{3}$ $\frac{4}{9}$

$\frac{5}{12}$  $\frac{3}{5}$

색칠한 부분의 크기를 분수로 나타내기

색칠한 가장 작은 사각형의 수 → $\frac{2}{6}$

응용 3 전체에 대하여 색칠한 부분의 크기를 분수로 나타내어 보세요.

 ⇒ $\frac{2}{4}$ ⇒ $\frac{2}{4}$

 ⇒ $\frac{5}{6}$ ⇒ $\frac{3}{6}$

 ⇒ $\frac{5}{8}$ ⇒ $\frac{4}{8}$

 ⇒ $\frac{6}{9}$ ⇒ $\frac{5}{9}$

응용 4 칠교 조각의 전체를 1로 할 때 주어진 모양의 넓이를 분수로 나타내어 보세요.

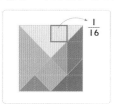 $\frac{1}{16}$  ⇒ $\frac{1}{16}$

 ⇒ $\frac{2}{16}$  ⇒ $\frac{2}{16}$

 ⇒ $\frac{4}{16}$  ⇒ $\frac{8}{16}$

 ⇒ $\frac{4}{16}$  ⇒ $\frac{8}{16}$

형성 평가

정답 46쪽

01 점을 이용하여 주어진 개수만큼 똑같은 모양으로 나누어 보세요.

 예   3개

[02~03] 안에 알맞은 수를 써넣고 분수로 나타내거나 분수만큼 색칠해 보세요.

02 ➡ 전체를 똑같이 3으로 나눈 것 중의 **2**

➡ **2/3**

03 **1/4** ➡ 전체를 똑같이 4로 나눈 것 중의 **1**

➡

04 색칠한 부분을 분수로 나타내어 보세요.

(1) ➡ **2/6**

(2) ➡ **5/8**

05 분수만큼 색칠해 보세요.

(1) **3/5** ➡ 예

(2) **2/6** ➡ 예

[06~07] 분수의 크기만큼 색칠하고 크기를 비교하여 ◯ 안에 >, =, <를 알맞게 써넣으세요.

06 예

3/5 **>** **2/5**

07 예

4/6 **<** **5/6**

[09~10] 분수의 크기만큼 색칠하고 크기를 비교하여 ◯ 안에 >, =, <를 알맞게 써넣으세요.

09 예

1/5 **<** **1/4**

10 예

1/6 **>** **1/8**

08 두 분수의 크기를 비교하여 ◯ 안에 >, =, <를 알맞게 써넣으세요.

(1) **9/10** **>** **8/10**

(2) **6/8** **<** **7/8**

11 두 분수의 크기를 비교하여 ◯ 안에 >, =, <를 알맞게 써넣으세요.

(1) **1/6** **<** **1/5**

(2) **1/9** **<** **1/8**

---

12 안에 알맞은 수를 써넣으세요.

(1)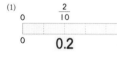
0   2/10
0   **0.2**

(2)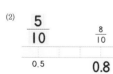
5/10   **8/10**
0.5   0.8

13 분수를 소수로 나타내어 보세요.

(1) 3/10 = **0.3**

(2) 6/10 = **0.6**

(3) 7/10 = **0.7**

(4) 2/10 = **0.2**

(5) 8/10 = **0.8**

14 소수를 분수로 나타내어 보세요.

(1) 0.1 = **1/10**

(2) 0.5 = **5/10**

(3) 0.6 = **6/10**

(4) 0.4 = **4/10**

(5) 0.9 = **9/10**

15 안에 알맞은 수를 써넣으세요.

(1)
3 mm
0.3 cm

(2)
2 mm   **8** mm

0.2 cm   0.8 cm

[16~17] 안에 알맞은 소수를 써넣으세요.

16 (1) 1 cm 7 mm = **1.7** cm

(2) 4 cm 8 mm = **4.8** cm

17 (1) 36 mm = **3.6** cm

(2) 52 mm = **5.2** cm

18 두 소수의 크기를 비교하여 ◯ 안에 >, =, <를 알맞게 써넣으세요.

(1)
1.3 **>** 0.9

(2)
0.8 **>** 0.6

19 두 소수의 크기를 비교하여 ◯ 안에 >, =, <를 알맞게 써넣으세요.

(1) 1.4 **<** 2.3

(2) 4.3 **>** 3.8

20 두 소수의 크기를 비교하여 ◯ 안에 >, =, <를 알맞게 써넣으세요.

(1) 1.5 **<** 1.7

(2) 2.6 **<** 2.9

단원평가 6. 분수와 소수

정답 47쪽

1 똑같이 셋으로 나누어진 도형을 찾아 기호를 써 보세요.

(㉡)

2 안에 알맞은 수를 써넣으세요.

색칠한 부분은 전체를 똑같이 **4** 로 나눈 것 중의 **2** 입니다.

3 색칠한 부분을 분수로 나타내어 보세요.

(1)  ➡ $\frac{3}{5}$

(2) ➡ $\frac{4}{6}$

4 분수의 크기만큼 색칠하고 크기를 비교하여 안에 >, =, <를 알맞게 써넣으세요.

예 $\frac{1}{6}$ < $\frac{1}{4}$

5 두 분수의 크기를 비교하여 ○ 안에 >, =, <를 알맞게 써넣으세요.

$\frac{3}{7}$ < $\frac{4}{7}$

6 안에 알맞은 소수를 써넣으세요.

$\frac{7}{10}$ $\frac{9}{10}$
0.7 0.9

7 분수를 소수로, 소수를 분수로 나타내어 보세요.

(1) $\frac{3}{10}$ = 0.3

(2) 0.6 = $\frac{6}{10}$

8 두 소수의 크기를 비교하여 안에 >, =, <를 알맞게 써넣으세요.

2.9 < 3.2

9 민정이는 빵을 전체의 $\frac{3}{8}$을 먹었고, 현민이는 전체의 $\frac{5}{8}$를 먹었습니다. 빵을 더 많이 먹은 사람은 누구일까요?

(현민)

10 색칠한 부분과 색칠하지 않은 부분을 분수로 써 보세요.

(1) 색칠한 부분: $\frac{3}{4}$

(2) 색칠하지 않은 부분: $\frac{1}{4}$

11 관계있는 것끼리 선으로 이어 보세요.

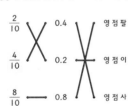
$\frac{2}{10}$ — 0.4 — 영점 팔
$\frac{4}{10}$ — 0.2 — 영점 이
$\frac{8}{10}$ — 0.8 — 영점 사

12 두 소수의 크기를 비교하여 안에 >, =, <를 알맞게 써넣으세요.

4.5 < 4.7

13 안에 알맞은 수를 써넣으세요.

0.1이 6개이면 **0.6** 입니다.

14 가장 큰 수와 가장 작은 수를 각각 찾아 써 보세요.

$\frac{3}{9}$ $\frac{8}{9}$ $\frac{5}{9}$

가장 큰 수 ($\frac{8}{9}$)
가장 작은 수 ($\frac{3}{9}$)

15 점선을 이용하여 주어진 개수만큼 똑같은 모양으로 나누어 보세요.

3개

16 다음 중 가장 작은 수를 찾아 써 보세요.

0.8 1.5 0.3 3.1

(0.3)

17 클립의 길이는 몇 cm인지 소수로 나타내어 보세요.

(2.6)cm

18 철사를 수진이는 1.8m 가지고 있고, 동원이는 2.2m 가지고 있습니다. 누구의 철사가 더 길까요?

(동원)

19 전체에 대하여 색칠한 부분의 크기를 분수로 나타내어 보세요.

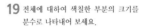 ➡ $\frac{4}{8}$

20 칠교 조각의 전체를 1로 할 때, 주어진 모양의 넓이를 분수로 나타내어 보세요.

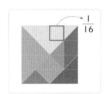 ➡ $\frac{1}{16}$

 ➡ $\frac{4}{16}$

memo